D1490819

LE ROBERT
& NATHAN

Conjugaison

NATHAN

Ont contribué à cet ouvrage :

Émilie CARELLI

Guy FOURNIER

Maryse FUCHS

Dominique KORACH

Michèle LANCINA

Régine SABRE

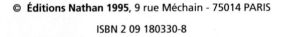

© **Éditions Nathan 1995**, 9 rue Méchain - 75014 PARIS

ISBN 2 09 180330-8

AVANT-PROPOS

Cet ouvrage a l'ambition de permettre à tous d'accéder directement à la forme conjuguée, au temps et au mode désirés, de tout verbe de la langue française.

Pour atteindre cet objectif, **LE ROBERT & NATHAN CONJUGAISON** s'est doté de trois atouts spécifiques :

■ un répertoire très riche, issu des corpus du Nouveau Petit Robert et du Grand Robert, qui recense les verbes de la langue française, des plus fréquents aux plus rares, des plus récents aux plus anciens,

■ un nombre très important de tableaux de conjugaison qui facilite au maximum le passage du verbe modèle au verbe à conjuguer.

Grâce aux difficultés spécifiques mises en évidence par des jeux de couleurs dans chaque tableau, tous les verbes peuvent être conjugués facilement, en évitant les pièges, chacun sur un modèle précis.

■ un chapitre «formes et emplois du verbe» renseigne :
- sur l'usage de chaque temps, de chaque mode, ainsi que sur la règle de concordance des temps,
- sur les règles d'accord du verbe, des plus simples aux plus complexes,
- sur tous les cas particuliers et exceptions des formes et emplois du verbe.

LE ROBERT & NATHAN CONJUGAISON est un ouvrage de référence et d'apprentissage. Sa facilité de consultation et sa rigueur en font l'outil indispensable de la classe, de la famille et de la vie professionnelle.

P ARCOURS D'UTILISATION

Pour savoir conjuguer un verbe, mais aussi pour comprendre comment il faut utiliser les formes du verbe.

1. Conjuguer un verbe

Comment conjuguer *percevoir* au présent du subjonctif ?

Chercher ***percevoir*** dans l'INDEX ALPHABÉTIQUE DES VERBES.

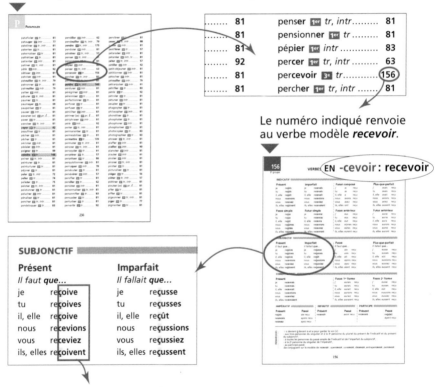

.... 81	penser **1er** tr, intr........ 81
.... 81	pensionner **1er** tr 81
81	pépier **1er** intr 83
.... 92	percer **1er** tr, intr 63
.... 81	percevoir **3e** tr............ (156)
.... 81	percher **1er** tr, intr 81

Le numéro indiqué renvoie au verbe modèle ***recevoir***.

156 VERBES **EN -cevoir : recevoir**

SUBJONCTIF

Présent		**Imparfait**	
Il faut que...		*Il fallait que...*	
je	re**çoive**	je	re**çusse**
tu	re**çoives**	tu	re**çusses**
il, elle	re**çoive**	il, elle	re**çût**
nous	re**cevions**	nous	re**çussions**
vous	re**ceviez**	vous	re**çussiez**
ils, elles	re**çoivent**	ils, elles	re**çussent**

La terminaison en gras correspond à la terminaison commune à ***recevoir*** et ***percevoir***

Pour conjuguer sans efforts et ***pour éviter toute erreur de transposition*** entre le verbe modèle et le verbe conjugué, il suffit de remplacer le « re » de ***recevoir*** par le « per » de ***percevoir***.

4

2. Choisir un temps

Quand employer le passé simple ?
Quand employer l'imparfait ?

Chercher à *passé simple / imparfait*
dans l'INDEX DES FORMES ET EMPLOIS DU VERBE

▼

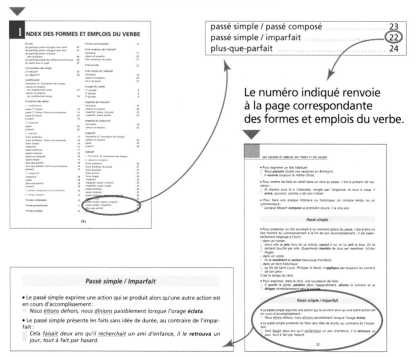

passé simple / passé composé	23
passé simple / imparfait	22
plus-que-parfait	24

Le numéro indiqué renvoie
à la page correspondante
des formes et emplois du verbe.

▼

Passé simple / Imparfait

• Le passé simple exprime une action qui se produit alors qu'une autre action est en cours d'accomplissement :
  Nous étions dehors, nous dînions paisiblement lorsque l'orage éclata.

• Le passé simple présente les faits sans idée de durée, au contraire de l'imparfait :
  Cela faisait deux ans qu'il recherchait un ami d'enfance, il le retrouva un jour, tout à fait par hasard.

3. Résoudre un problème d'accord

Comment accorder le participe passé d'un verbe pronominal ?

▶ Chercher à *accord* ou à *pronominal*.

▶ Le numéro indiqué renvoie à la page correspondante
   des formes et emplois du verbe.

Sommaire

Formes et emplois du verbe

Tableaux de conjugaison

Dictionnaire des verbes

Formes et emplois du verbe

L ES TROIS GROUPES

On classe traditionnellement les verbes en trois groupes.

Le 1er groupe

Appartiennent à ce groupe les verbes dont l'infinitif se termine par **-er** :
 parler

Environ 90 % des verbes français appartiennent au 1er groupe.

Fiche signalétique du 1er groupe

Infinitif en **-er** : *parler*
Participe passé en **-é** : *(ayant) parlé, j'ai parlé*
Présent de l'indicatif en **-e, -es, -e** aux 3 personnes du singulier : *je parle, tu parles, elle parle*
Passé simple en **-a, -èrent** à la 3e personne : *il parla, ils parlèrent*

Attention !
Aller est un verbe du 3e groupe.

Le 2e groupe

Appartiennent à ce groupe les verbes dont l'infinitif se termine par **-ir** et le participe présent par **-issant** :
 finir, finissant

Ce groupe comprend environ 300 verbes.

Fiche signalétique du 2e groupe

Infinitif en **-ir** : *finir*
Imparfait en **-issais** à la 1re personne du singulier : *je finissais*
Participe présent en **-issant** : *finissant*
Participe passé en **-i** : *(ayant) fini, j'ai fini*

Présent de l'indicatif en *-is, -is, -it* aux 3 personnes du singulier : *je finis, tu finis, elle finit*
Passé simple en *-it, -irent* à la 3e personne : *il finit, ils finirent*

Le 3e groupe

Appartiennent à ce groupe tous les autres verbes dont l'infinitif se termine par *-ir*, plus les verbes dont l'infinitif se termine par *-oir* ou par *-re* :
■ *mentir, savoir, prendre*

Ce groupe comprend environ 350 verbes.

Fiche signalétique du 3e groupe

Infinitif en *-ir* : *partir, venir*
        en *-oir* : *savoir, pouvoir*
        en *-re* : *mettre, prendre, écrire, boire*
Participe passé le plus souvent en *-i* : *(étant) parti, je suis parti*
        ou en *-u* : *(ayant) vaincu, j'ai vaincu* ; *(ayant) bu, j'ai bu*
Participe passé en *-s* : *(ayant) mis, j'ai mis*
        ou en *-t* : *(ayant) conduit, j'ai conduit*
Présent de l'indicatif en *-s, -s, -t* aux 3 personnes du singulier : *je pars, tu pars, elle part*
        ou en *-s, -s, -d* : *je prends, tu prends, elle prend*
        ou en *-x, -x, -t* : *je peux, tu peux, il peut*
Passé simple en *-it, -irent* à la 3e personne : *il partit, ils partirent*
        ou en *-ut, -urent* : *il put, ils purent*
        ou en *-int, -inrent* : *il vint, ils vinrent*

LES FORMES SIMPLES ET LES FORMES COMPOSÉES DU VERBE

Les formes simples

> Les formes simples du verbe sont constituées d'un seul mot.

On les retrouve dans tous les temps simples à la voix active :

mode	temps simples	voix active
indicatif	présent	j'**aime**
	passé simple	j'**aimai**
	imparfait	j'**aimais**
	futur simple	j'**aimerai**
subjonctif	présent	que j'**aime**
	imparfait	que j'**aimasse**
conditionnel	présent	j'**aimerais**
impératif	présent	**aime**
infinitif	présent	**aimer**
participe	présent	**aimant**
	passé	**aimé(e)**

Les formes composées

> Les formes composées du verbe sont constituées de deux ou plusieurs mots.

On les retrouve dans les temps composés à la voix active et passive ou dans les temps simples à la voix passive :

mode	temps composés	voix active	voix passive
indicatif	passé composé	j'**ai aimé**	j'**ai été aimé(e)**
	passé antérieur	j'**eus aimé**	j'**eus été aimé(e)**
	plus-que-parfait	j'**avais aimé**	j'**avais été aimé(e)**
	futur antérieur	j'**aurai aimé**	j'**aurai été aimé(e)**
subjonctif	passé	que j'**aie aimé**	que j'**aie été aimé(e)**
	plus-que-parfait	que j'**eusse aimé**	que j'**eusse été aimé(e)**
conditionnel	passé 1re forme	j'**aurais aimé**	j'**aurais été aimé(e)**
	passé 2e forme	j'**eusse aimé**	j'**eusse été aimé(e)**

10

TABLEAUX DE FORMATION DES TEMPS ET DES MODES

L'indicatif

Présent

1er groupe	2e groupe
je parle	je finis
tu parles	tu finis
il, elle parle	il, elle finit
nous parlons	nous finissons
vous parlez	vous finissez
ils, elles parlent	ils, elles finissent

1er groupe : radical de l'infinitif suivi de **-e, -es, -e, -ons, -ez, -ent**
2e groupe : radical de l'infinitif suivi de **-is, -is, -it, -issons, -issez, -issent**

Imparfait

1er groupe	2e groupe
je parlais	je finissais
tu parlais	tu finissais
il, elle parlait	il, elle finissait
nous parlions	nous finissions
vous parliez	vous finissiez
ils, elles parlaient	ils, elles finissaient

1er groupe : radical de l'infinitif suivi de **-ais, -ais, -ait, -ions, -iez, -aient**
2e groupe : radical du participe présent suivi de **-ais, -ais, -ait, -ions, -iez, -aient**

Passé simple

1er groupe	2e groupe
je parlai	je finis
tu parlas	tu finis
il, elle parla	il, elle finit
nous parlâmes	nous finîmes
vous parlâtes	vous finîtes
ils, elles parlèrent	ils, elles finirent

1er groupe : radical de l'infinitif suivi de **-ai, -as, -a, -âmes, -âtes, -èrent**
2e groupe : radical de l'infinitif suivi de **-is, -is, -it, -îmes, -îtes, -irent**

Futur simple

1er groupe	2e groupe
je parlerai	je finirai
tu parleras	tu finiras
il, elle parlera	il, elle finira
nous parlerons	nous finirons
vous parlerez	vous finirez
ils, elles parleront	ils, elles finiront

1er et 2e groupe : infinitif en entier suivi de **-ai, -as, -a, -ons, -ez, -ont**

Passé composé

1er groupe	2e groupe
j' **ai** parlé	j' **ai** fini
tu **as** parlé	tu **as** fini
il, elle **a** parlé	il, elle **a** fini
nous **avons** parlé	nous **avons** fini
vous **avez** parlé	vous **avez** fini
ils, elles **ont** parlé	ils, elles **ont** fini

1er et 2e groupe : présent de l'auxiliaire *avoir* ou *être* suivi du participe passé du verbe conjugué

Plus-que-parfait

1er groupe	2e groupe
j' **avais** parlé	j' **avais** fini
tu **avais** parlé	tu **avais** fini
il, elle **avait** parlé	il, elle **avait** fini
nous **avions** parlé	nous **avions** fini
vous **aviez** parlé	vous **aviez** fini
ils, elles **avaient** parlé	ils, elles **avaient** fini

1er et 2e groupe : imparfait de l'auxiliaire *avoir* ou *être* suivi du participe passé du verbe conjugué

Passé antérieur

1er groupe	2e groupe
j' **eus** parlé	j' **eus** fini
tu **eus** parlé	tu **eus** fini
il, elle **eut** parlé	il, elle **eut** fini
nous **eûmes** parlé	nous **eûmes** fini
vous **eûtes** parlé	vous **eûtes** fini
ils, elles **eurent** parlé	ils, elles **eurent** fini

1er et 2e groupe : passé simple de l'auxiliaire *avoir* ou *être* suivi du participe passé du verbe conjugué

Futur antérieur

1er groupe	2e groupe
j' **aurai** parlé	j' **aurai** fini
tu **auras** parlé	tu **auras** fini
il, elle **aura** parlé	il, elle **aura** fini
nous **aurons** parlé	nous **aurons** fini
vous **aurez** parlé	vous **aurez** fini
ils, elles **auront** parlé	ils, elles **auront** fini

1er et 2e groupe : futur simple de l'auxiliaire *avoir* ou *être* suivi du participe passé du verbe conjugué

Le subjonctif

Présent

1er groupe	2e groupe
(il faut que) je parle	(il faut que) je finisse
(que) tu parles	(que) tu finisses
(qu')il, elle parle	(qu')il, elle finisse
(que) nous parlions	(que) nous finissions
(que) vous parliez	(que) vous finissiez
(qu')ils, elles parlent	(qu')ils, elles finissent

1er groupe : radical de l'infinitif suivi de -e, -es, -e, -ions, -iez, -ent
2e groupe : radical du participe présent suivi de -e, -es, -e, -ions, -iez, -ent

Imparfait

1er groupe	2e groupe
(il fallait que) je parlasse	(il fallait que) je finisse
(que) tu parlasses	(que) tu finisses
(qu')il, elle parlât	(qu')il, elle finît
(que) nous parlassions	(que) nous finissions
(que) vous parlassiez	(que) vous finissiez
(qu')ils, elles parlassent	(qu')ils, elles finissent

1er groupe : radical de l'infinitif suivi de -asse, -asses, -ât, -assions, -assiez, -assent
2e groupe : radical de l'infinitif suivi de -isse, -isses, -ît, -issions, -issiez, -issent

Passé

1er groupe	2e groupe
(il faut que) j' aie parlé	(il faut que) j' aie fini
(que) tu aies parlé	(que) tu aies fini
(qu')il, elle ait parlé	(qu')il, elle ait fini
(que) nous ayons parlé	(que) nous ayons fini
(que) vous ayez parlé	(que) vous ayez fini
(qu')ils, elles aient parlé	(qu')ils, elles aient fini

1er et 2e groupe : présent du subjonctif de l'auxiliaire *avoir* ou *être* suivi du participe passé du verbe conjugué

Plus-que-parfait

1er groupe	2e groupe
(que) j' **eusse** parlé	(que) j' **eusse** fini
(que) tu **eusses** parlé	(que) tu **eusses** fini
(qu')il, elle **eût** parlé	(qu')il, elle **eût** fini
(que) nous **eussions** parlé	(que) nous **eussions** fini
(que) vous **eussiez** parlé	(que) vous **eussiez** fini
(qu')ils, elles **eussent** parlé	(qu')ils, elles **eussent** fini

1er et 2e groupe : imparfait du subjonctif de l'auxiliaire *avoir* ou *être* suivi du participe passé du verbe conjugué

Le conditionnel

Présent

1er groupe	2e groupe
je parlerais	je finirais
tu parlerais	tu finirais
il, elle parlerait	il, elle finirait
nous parlerions	nous finirions
vous parleriez	vous finiriez
ils, elles parleraient	ils, elles finiraient

1er et 2e groupe : infinitif en entier suivi de **-ais, -ais, -ait, -ions, -iez, -aient**

Passé 1re forme

1er groupe	2e groupe
j' **aurais** parlé	j' **aurais** fini
tu **aurais** parlé	tu **aurais** fini
il, elle **aurait** parlé	il, elle **aurait** fini
nous **aurions** parlé	nous **aurions** fini
vous **auriez** parlé	vous **auriez** fini
ils, elles **auraient** parlé	ils, elles **auraient** fini

1er et 2e groupe : présent du conditionnel de l'auxiliaire *avoir* ou *être* suivi du participe passé du verbe conjugué

Passé 2e forme

1er groupe	2e groupe
j' **eusse** parlé	j' **eusse** fini
tu **eusses** parlé	tu **eusses** fini
il, elle **eût** parlé	il, elle **eût** fini
nous **eussions** parlé	nous **eussions** fini
vous **eussiez** parlé	vous **eussiez** fini
ils, elles **eussent** parlé	ils, elles **eussent** fini

1er et 2e groupe : imparfait du subjonctif de l'auxiliaire *avoir* ou *être* suivi du participe passé du verbe conjugué

L'impératif

Présent

1er groupe	2e groupe
par**le**	fin**is**
par**lons**	fin**issons**
par**lez**	fin**issez**

1er groupe : radical de l'infinitif suivi de **-e, -ons, -ez**
2e groupe : radical de l'infinitif suivi de **-is, -issons, -issez**

Passé

1er groupe	2e groupe
aie parlé	**aie** fini
ayons parlé	**ayons** fini
ayez parlé	**ayez** fini

1er et 2e groupe : présent de l'impératif de l'auxiliaire *avoir* ou *être* suivi du participe passé du verbe conjugué

LES VALEURS ET EMPLOIS DES TEMPS ET DES MODES

Chaque mode, outre sa valeur générale, a des emplois particuliers. De même chaque temps, à côté de son sens propre, a des valeurs secondaires.

L'indicatif

Le mode indicatif sert à exprimer la réalité d'une action considérée comme certaine ou probable, en la situant dans le présent, le passé ou le futur.

Présent

• Pour exprimer un fait qui se déroule au moment où l'on parle :
  Qui est à l'appareil ?
  Je ne me sens pas très bien.

• Pour exprimer un fait qui se prolonge dans le passé ou dans le futur :
  Ils habitent le quartier depuis trente ans.
  Elle attend un bébé.

• Pour exprimer le futur proche :
  Je reviens tout de suite.
  Nos amis arrivent demain.

• Pour exprimer un fait futur présenté comme dépendant directement d'un autre fait :
  Un mot de plus de ta part et je te jette dehors.

• Avec la conjonction *si*, pour exprimer un fait futur sur la réalité duquel on ne se prononce pas :
  Si demain matin tu vas au marché, je t'accompagnerai.

• Pour exprimer un passé récent :
  Je sors de chez mon frère.

• Pour formuler un proverbe, une maxime :
  L'argent ne fait pas le bonheur.

• Pour énoncer une vérité scientifique :
  L'eau bout à 100 °C.

• Pour énoncer ce qui est vrai à tout moment :
  Tout le monde peut se tromper.
  Il a les yeux verts.

• Pour exprimer un fait habituel :
> Nous **passons** toutes nos vacances en Bretagne.
> Il **raconte** toujours la même chose.

• Pour mettre les faits en relief dans un récit au passé ; c'est le présent de narration :
> Ils étaient tous là à l'attendre, rongés par l'angoisse, et tout à coup, il **entre**, souriant, comme si de rien n'était.

• Pour faire une analyse littéraire ou historique, un compte rendu ou un commentaire :
> Lorsque Mozart **compose** sa première œuvre, il **a** cinq ans.

Passé simple

• Pour présenter un fait accompli à un moment précis du passé, c'est-à-dire un fait montré du commencement à la fin de son accomplissement ; il est essentiellement employé à l'écrit :
– dans un roman :
> Alors elle se **jeta** hors de sa cellule, **courut** à lui, et lui **prit** le bras. En se sentant touché par elle, Quasimodo **trembla** de tous ses membres. (Victor Hugo)
– dans un conte :
> Ils se **marièrent** et **eurent** beaucoup d'enfants.
– dans un récit historique :
> Le fils de Saint Louis, Philippe le Hardi, n'**appliqua** pas toujours les conseils de son père.
C'est le temps du récit.

• Pour exprimer, dans le récit, une succession de faits :
> Il **ouvrit** la porte, **pénétra** dans l'appartement, **alluma** la lumière et se **dirigea** immédiatement vers la cuisine.

Passé simple / Imparfait

• Le passé simple exprime une action qui se produit alors qu'une autre action est en cours d'accomplissement :
> Nous <u>étions</u> dehors, nous <u>dînions</u> paisiblement lorsque l'orage **éclata**.

• Le passé simple présente les faits sans idée de durée, au contraire de l'imparfait :
> Cela <u>faisait</u> deux ans qu'il <u>recherchait</u> un ami d'enfance, il le **retrouva** un jour, tout à fait par hasard.

• Le passé simple présente les faits successivement dans le passé, alors que l'imparfait présente les faits simultanément :

> Elle **ouvrit** la porte, **alluma** la lumière et **alla** s'allonger sur le canapé.
>
> Tout était calme ce soir-là : les enfants jouaient tranquillement dans leur chambre, leur mère préparait le repas dans la cuisine et le chien, Jim, dormait devant la cheminée.

Passé simple / Passé composé

• Le passé simple est essentiellement employé dans la langue écrite soutenue :

> Il **marcha** trente jours, il **marcha** trente nuits. (Victor Hugo)

• Il a progressivement été remplacé dans la langue parlée par le passé composé :

> Les voisins m'ont dit qu'il a marché toute la nuit.

Passé composé

• Pour présenter un fait accompli à un moment précis ou non du passé ; il est essentiellement employé dans la langue orale, les dialogues, la correspondance :

> Hier soir, je **suis rentrée** très tard.
>
> J'**ai** bien **reçu** ta lettre.

• Pour présenter, dans le passé, une succession de faits :

> Nous **avons passé** des vacances extraordinaires : nous **avons visité** des sites magnifiques, nous **avons rencontré** des gens sympathiques et nous nous **sommes** beaucoup **amusés**.

• Pour présenter un fait passé dont l'influence se fait encore sentir dans le présent :

> Mes parents **sont venus** s'installer près de chez nous : ils habitent à deux rues d'ici.

• Pour formuler des dépêches, des gros titres dans les journaux, des nouvelles courtes :

> Le Premier ministre **a annoncé** une série de mesures pour lutter contre le chômage.

• Pour énoncer, sans narration, des faits historiques anciens :

> Christophe Colomb **a découvert** l'Amérique.

• Au lieu du futur antérieur, pour exprimer un fait sur le point d'être achevé, mais présenté comme déjà accompli :

> J'arrive, j'**ai terminé** dans deux secondes.

• Avec la conjonction si, pour exprimer un fait futur dont l'accomplissement reste incertain :

> Si tu n'**as** pas **rangé** ta chambre demain, tu seras punie.

• Pour exprimer une vérité générale :

> On n'**a** jamais **vu** la petite bête manger la grosse.

Passé composé / Passé surcomposé

• Le passé surcomposé est essentiellement employé dans la langue parlée, à la place du passé antérieur, pour exprimer un fait qui s'est déroulé avant un autre, exprimé lui au passé composé :

Quand elle _a eu fini_ de tout ranger dans la maison, elle **est sortie** se promener avec une amie.

Plus-que-parfait

• Pour exprimer qu'un fait passé s'est déroulé avant un autre, mais avec un intervalle de temps entre les deux ;
– avant un fait au passé composé :

Nous _avons revu_ ce couple si sympathique que nous **avions rencontré** l'été dernier.

– avant un fait à l'imparfait :

Tout le monde _pensait_ qu'il **était parti** en voyage.

– avant un fait au passé simple :

En la voyant pleurer, il _comprit_ qu'elle **avait échoué** à son examen.

• Pour exprimer l'idée d'habitude à propos d'une action passée qui se déroulait immédiatement avant une autre :

Enfants, dès que nous **avions fini** nos devoirs, ma mère nous _faisait_ dîner.

• Pour exprimer un fait isolé, passé par rapport au moment présent :

Je t'**avais prévenu.**
Je te l'**avais** bien **dit.**

• Avec la conjonction si, pour exprimer une hypothèse faite dans le passé :

Si j'**avais su**, je ne serais pas venu.

• Avec la conjonction si, dans une proposition indépendante exclamative, pour exprimer le regret :

Si j'**avais su** !
Ah ! _si_ tu m'**avais écoutée.**

Imparfait

• Pour présenter un fait passé en cours d'accomplissement, c'est-à-dire une action ou un état dont ni le commencement ni la fin ne sont indiqués :
– dans une description :

Il y **avait** beaucoup de monde dans le métro ce matin : les gens se **bousculaient** pour entrer dans les wagons, ils se **piétinaient**, s'**interpellaient** ; c'**était** affreux !

– dans un portrait :

*La mariée **était** magnifique : elle **était** vêtue d'une robe en dentelle, elle por-tait un voile immense. Ses cheveux **étaient** parsemés de petites roses blanches.*

– dans un commentaire ou une explication :

*Tu n'as pas vu le livre qui **était** sur mon bureau ?*

*Le professeur s'est fâché parce que les élèves n'**arrêtaient** pas de parler.*

C'est le temps de la description.

• Pour exprimer un fait passé simultané par rapport à un autre :

*Lorsque mes parents **étaient** en voyage, je **dormais** chez ma tante.*

• Pour exprimer une habitude, un fait passés qui se répétaient ; le verbe à l'im-parfait est souvent accompagné de locutions exprimant le temps ou l'habitude :

*Quand j'**étais** enfant, ma mère me **racontait** chaque soir une histoire.*

*Mon père **avait** pour habitude de se lever le premier.*

• Avec la conjonction *si*, pour exprimer une hypothèse, une supposition ; l'im-parfait n'exprime plus dans ce cas un fait passé, mais un fait présent ou futur irréel ou non réalisé :

*Ah, si j'**étais** riche !*

*Si tu m'**accompagnais** demain, ça me rendrait un grand service.*

• À la place du conditionnel passé, pour présenter de façon plus vivante un fait comme certain ; l'imparfait a dans ce cas la valeur d'un futur antérieur du passé :

*Sans ton intervention, il nous **jetait** dehors.*

• Pour énoncer un fait historique daté avec précision dans le passé ; c'est un imparfait historique :

*En 1715, **mourait** Louis XIV. **Se mettait** alors en place la régence de Philippe d'Orléans qui **allait** durer jusqu'en 1723.*

• Pour formuler une demande avec politesse :

*Excusez-moi : je **voulais** savoir si vous aviez ces chaussures en 38.*

Imparfait / Passé simple

• L'imparfait exprime une action inachevée quand une autre s'est produite :

*Nous **étions** dehors, nous **dînions** paisiblement lorsque l'orage éclata.*

Imparfait / Passé composé

• L'imparfait exprime une action inachevée quand une autre s'est produite. Le passé composé a ici la même valeur que le passé simple, mais il s'emploie de préférence à l'oral (ou dans les articles de presse), alors que le passé simple s'emploie dans la langue écrite (roman, récit historique, conte...) :

*Nous **étions** dehors, nous **dînions** paisiblement lorsque l'orage a éclaté.*
*Il **pleuvait** à torrents quand nous sommes revenus de la piscine.*
*Quand je suis née, mes parents **avaient** tout juste vingt ans.*

Passé antérieur

• Pour exprimer qu'un fait passé s'est déroulé immédiatement avant un autre exprimé au passé simple ; il s'emploie surtout dans la langue écrite :

*Dès qu'il **eut fini** de dîner, il alla se coucher.*

Futur simple

• Pour exprimer un fait à venir, proche ou lointain, par rapport au présent :
*Quand je **serai** grand, je **serai** pompier.*
*Va te coucher, tu **finiras** ton travail demain.*
*Il **ira** loin.*

• Pour formuler un ordre de façon moins sèche qu'à l'impératif :
*Vous **lirez** ce livre pour la semaine prochaine. (Lisez ce livre...)*

• Au lieu du présent de l'indicatif, pour atténuer avec politesse une formulation :
*Je vous **avouerai** que je n'approuve pas du tout votre conduite. (Je vous avoue que...)*
*Je vous **dirai** qu'à mon avis vous avez tort. (Je vous dis...)*

• Pour énoncer des faits historiques passés :
*Victoria accède au trône en 1837. Elle y **restera** jusqu'en 1901.*

Futur antérieur

• Pour exprimer un fait futur, antérieur à un autre fait futur exprimé, lui, au futur simple :
*Je **serai** déjà **partie** quand vous arriverez.*

• Pour indiquer qu'un fait à venir aura lieu avant le moment dont on parle :
*Dépêchez-vous sinon vous n'**aurez** jamais **fini** pour samedi.*

• Pour exprimer un fait futur, non encore réalisé, mais considéré comme déjà accompli :
  Attends-moi, j'**aurai terminé** dans deux minutes.

• Au lieu du passé composé, pour exprimer un fait probable mais non certain :
  Il **aura oublié** notre rendez-vous. (Il a sans doute oublié...)

Futur proche

• Pour situer un fait dans un avenir très proche, on emploie les périphrases verbales suivantes :
– aller au présent de l'indicatif suivi de l'infinitif :
  Dépêchez-vous, le train **va démarrer**.
– devoir au présent de l'indicatif suivi de l'infinitif :
  Elle **doit** se **faire opérer** la semaine prochaine.
– être sur le point de au présent de l'indicatif suivi de l'infinitif :
  Elle **est sur le point d'accoucher**.

• Pour exprimer le futur proche dans le passé, on emploie les périphrases verbales suivantes :
– aller à l'imparfait de l'indicatif suivi de l'infinitif :
  Je croyais qu'il **allait arriver** très vite. (Je crois qu'il va arriver très vite.)
– devoir à l'imparfait de l'indicatif suivi de l'infinitif :
  Il a dit qu'il **devait arriver** dans une heure. (Il dit qu'il doit arriver dans une heure.)
– être sur le point de à l'imparfait de l'indicatif suivi de l'infinitif :
  Je croyais qu'ils **étaient sur le point de déménager**. (Je crois qu'ils sont sur le point de déménager.)

Futur du passé

• Pour exprimer le futur dans un récit au passé, on emploie le présent du conditionnel :
  Je savais qu'il **viendrait**. (Je sais qu'il viendra.)

Futur antérieur du passé

• Pour exprimer le futur antérieur dans un récit au passé, on emploie le passé du conditionnel :
  Je pensais qu'il **serait** déjà **parti** quand j'arriverais. (Je pense qu'il sera déjà parti quand j'arriverai.)

Le subjonctif

Le subjonctif est, par excellence, le mode de la proposition subordonnée, bien qu'on le trouve parfois dans des propositions indépendantes ou principales. Il exprime généralement une idée d'incertitude ou de possibilité.

Emploi obligatoire du mode subjonctif après certains verbes

• Après les verbes qui expriment un souhait, un désir, une volonté, un ordre ou une défense : *aimer que, aimer mieux que, attendre que, autoriser que, avoir envie que, défendre que, demander que, désirer que, exiger que, interdire que, ordonner que, permettre que, préférer que, souhaiter que, tenir à ce que, vouloir que...*

> *J'aimerais mieux que vous **restiez** chez vous.*
> *Il a envie que tu **viennes**.*
> *Mon père ne permet pas que nous **sortions** seuls le soir.*
> *Nous voulons que vous nous **accompagniez**.*

• Après les verbes qui expriment une permission, un consentement, un refus, une attente, une recommandation, un empêchement : *accepter que, approuver que, désapprouver que, empêcher que, être d'accord pour que, éviter que, proposer que, recommander que, refuser que, s'opposer à ce que, souffrir que, supporter que, tolérer que...*

> *J'accepte que vous **assistiez** à notre réunion.*
> *Elle refuse que nous l'**accompagnions**.*

• Après les verbes de sentiment (admiration, amour, haine, crainte, étonnement, joie, regret, indignation) : *admirer que, adorer que, aimer que, apprécier que, avoir honte que, avoir peur que, ne pas comprendre que, craindre que, critiquer (le fait) que, déplorer que, détester que, redouter que, regretter que, s'étonner que, s'indigner que, s'inquiéter que, se moquer que, se réjouir que...*

> *Elle adore qu'on lui **fasse** des cadeaux.*
> *Nous déplorons que vous **deviez** attendre si longtemps.*

Attention !
Espérer que est suivi de l'indicatif.
> *J'espère qu'il **viendra**.*

• Après certains verbes impersonnels : *il arrive que, il convient que, il est (grand) temps que, il faut que, il faudrait que, il importe que, il se peut que, il suffit que, il vaut mieux que, peu importe que...*

> *Il importe que vous **soyez** présent à cette réunion.*
> *Il vaut mieux que nous **attendions**.*

• Après la construction *cela* suivi d'un verbe : *cela m'amuse que, cela m'arrange que, cela m'étonne que, cela m'inquiète que, cela me déplaît que, cela me dérange que, cela me rassure que, cela me surprend que...*
  Cela m'arrange que vous ne veniez que demain.
  Cela me gêne que vous fassiez tout le travail.

• Après les verbes *faire, faire en sorte que...*
  Fais (en sorte) que ton père n'en sache rien.

Emploi obligatoire du mode subjonctif après certaines conjonctions de subordination ou locutions conjonctives

• Après certaines locutions conjonctives introduisant une proposition subordonnée circonstancielle de **temps** : *avant que (ne), en attendant que, jusqu'à ce que...*
  J'attendrai ici jusqu'à ce que tu reviennes.
  Prenons l'apéritif en attendant qu'ils nous rejoignent.

| *Attention !*
| *Après que est suivi de l'indicatif.*

• Après certaines locutions conjonctives introduisant une proposition subordonnée circonstancielle de **conséquence** (la conséquence est envisagée mais non réalisée) : *pour que, assez (+ adjectif) pour que, trop (+ adjectif) pour que, sans que,* une proposition principale négative ou interrogative suivie de *que...*
  Il est encore trop petit pour qu'on le fasse manger avec les adultes.
  Elle est partie sans qu'on le sache.
  Ce n'est pas si grave qu'on ne puisse rien faire.

• Après certaines locutions conjonctives introduisant une proposition subordonnée circonstancielle de **cause** (la cause est présentée comme fausse) : *non que, non pas que, ce n'est pas que...*
  Ce n'est pas que je veuille vous chasser, mais il est déjà très tard et demain nous nous levons tôt.

• Après toutes les locutions conjonctives introduisant une proposition subordonnée circonstancielle de **but** : *afin que, à seule fin que, de crainte que... (ne), de peur que... (ne), pour que, que...*
  Viens demain afin que je te présente mes parents.
  Je lui ai téléphoné de peur (crainte) qu'il ne parte.
  Il est passé pour que je lui remplisse ses papiers.
  Approche que je t'embrasse.

• Après les locutions conjonctives introduisant une proposition subordonnée circonstancielle de **concession** ou **d'opposition** : *bien que, encore que, malgré que, quoique, si... que, quelque... que, tout... que...*

> *Je pense à toi bien que tu **sois** loin d'ici.*
> *Si loin que tu **sois**, je pense à toi.*
> *Quelque grande que **soit** sa fortune, il n'en est pas moins un homme comme un autre.*

• Après certaines locutions conjonctives introduisant une proposition subordonnée circonstancielle de **condition** : *à (la) condition que, à moins que... (ne), à supposer que, en supposant que, en admettant que, pourvu que, que... (ou) que, si tant est que, sans que, supposé que, soit que... soit que...*

> *Il viendra à condition que tu le **préviennes**.*
> *En admettant qu'il **prenne** un avion ce soir, il arrivera à temps.*
> *Qu'il **soit** d'accord ou qu'il ne le **soit** pas ne change rien au problème.*

• Après certaines locutions conjonctives introduisant une proposition subordonnée circonstancielle de **comparaison** : *autant que, pour autant que...*

> *Pour autant que je **sache**, vous êtes de service aujourd'hui.*
> *Il est rusé autant qu'on **puisse** l'être.*

• Après la conjonction *que*, en proposition indépendante, pour exprimer :
– un ordre ou une défense :

> *Qu'il **sorte** et qu'il ne **revienne** plus.*

– un souhait, une prière, un encouragement :

> *Que votre volonté **soit** faite.*
> *Que Dieu vous **garde**.*

– l'indignation :

> *Que je lui **fasse** des excuses, jamais !*

Attention !
Que peut être omis :
> *Dieu vous **garde**.*

Emploi obligatoire du mode subjonctif après certains adjectifs ou participes

• Après les expressions suivantes : *être choqué que, content que, désolé que, enchanté que, étonné que, fâché que, fier que, flatté que, gêné que, heureux que, indigné que, mécontent que, ravi que, satisfait que, surpris que, triste que...*

> *Je suis content que vous **puissiez** venir.*
> *Il est très fâché que tu **sois parti** sans lui dire au revoir.*
> *Elle est ravie que vous **passiez** ce soir.*

• Après les expressions suivantes : *Il est / C'est / Je trouve agréable que, amusant que, bête que, bien que, bizarre que, bon que, drôle que, ennuyeux que, essentiel que, étonnant que, étrange que, excellent que, faux que, honteux que, important que, impossible que, indispensable que, inévitable que, injuste que, intéressant que, inutile que, juste que, logique que, mal que, malheureux que, mauvais que, naturel que, nécessaire que, normal que, possible que, rare que, regrettable que, sensationnel que, surprenant que, sympathique que, terrible que, triste que, utile que...*

*Il est amusant que nous **soyons** du même village.*
*Il est important que vous **compreniez** bien.*
*Je trouve tout à fait normal que son mari la **soutienne**.*
*Il trouve regrettable que vous ne lui en **ayez** pas **parlé**.*

• Après les constructions impersonnelles suivantes : *c'est dommage que, une chance que, une chose (curieuse, inquiétante, bizarre, etc.) que, un fait (remarquable, intéressant, etc.) que, une honte que, un malheur que...*

*C'est dommage que tu ne **puisses** pas nous accompagner.*
*C'est une chose incroyable qu'il **ait réussi** son examen.*

Emploi du mode subjonctif en alternance avec l'indicatif

• Dans certaines propositions relatives :
– on emploie le subjonctif quand on veut marquer une légère réserve ou une atténuation :
*C'est peut-être le plus beau voyage que nous **ayons fait**.* (subjonctif)
– on emploie l'indicatif quand on affirme sans réserve un fait considéré dans sa réalité irréfutable :
*C'est sans aucun doute le plus beau voyage que nous **avons fait**.* (indicatif)

• Après la forme négative ou interrogative des verbes d'opinion ou de jugement comme : *croire, estimer, juger, imaginer, penser, trouver, être d'avis, être certain que, être convaincu, être persuadé...*
*Je ne crois pas qu'il **vienne** / qu'il **viendra**.*
*Il n'est pas convaincu que tu **sois** le meilleur / que tu **es** le meilleur.*

L'indicatif permet de mettre l'accent sur le fait considéré, plus que sur l'opinion exprimée dans la proposition principale. Par ailleurs, la formulation à l'indicatif est moins recherchée que celle au subjonctif :
*Penses-tu qu'il **a réussi** ? / qu'il **ait réussi** ?*
*Estimez-vous que c'**est** la meilleure chose à faire ? / **que** ce **soit**... ?*

Valeurs des temps du subjonctif

• Le **présent** est employé dans une subordonnée au subjonctif avec un verbe au présent, au futur simple, à l'imparfait de l'indicatif ou au présent du conditionnel dans la principale :

– lorsqu'on veut exprimer un fait qui se déroule au même moment que celui de la principale (simultanéité) :
*J'exige que tu lui **fasses** des excuses sur-le-champ.*
*Demain, je garderai les enfants, bien que j'**aie** beaucoup de travail à faire.*
*J'étais contente que tu **sois** auprès de moi hier soir.*
*J'aimerais bien qu'il me **rende** mes livres.*

– lorsqu'on veut exprimer un fait futur par rapport à celui exprimé par la principale (postériorité) :
*Je ne crois pas qu'il **vienne** demain.*
*Je t'apporterai mes cours afin que tu **puisses** réviser.*
*Il exagère : il voulait que je lui **rapporte** ses livres le lendemain.*
*Je préférerais que vous **reveniez** demain.*

• Le **passé** est employé dans une subordonnée au subjonctif avec un verbe au présent, au passé (passé composé, imparfait, passé simple...), au futur simple de l'indicatif ou au présent du conditionnel dans la principale :

– lorsqu'on veut exprimer un fait qui se déroule avant celui de la principale (antériorité) :
*Je regrette que tu **sois parti** si tôt hier.*
*J'ai regretté que tu **sois parti** si tôt.*
*J'arriverai avant que tu **sois parti**.*
*J'aimerais que tu te **sois trompé**.*

– lorsqu'on veut exprimer un fait qui se déroule avant un moment défini :
*Je veux que vous **ayez terminé** votre travail pour demain soir.*
*Vous regarderez la télévision jusqu'à ce que votre père et moi **soyons rentrés**.*

• L'**imparfait** et le **plus-que-parfait** devraient se substituer respectivement au présent et au passé lorsque le verbe de la principale est à un temps du passé de l'indicatif ou au conditionnel, mais cet usage n'est plus guère en vigueur que dans la langue soutenue et littéraire :
*Il a exigé qu'elle **revienne**. (langue courante)*
*Il exigea qu'elle **revînt**. (langue soutenue)*
*Il ne m'a rien dit avant qu'elle **soit arrivée**. (langue courante)*
*Il ne m'a rien dit avant qu'elle **fût arrivée**. (langue soutenue)*

Le conditionnel

Le conditionnel a deux valeurs : une valeur de mode et une valeur de temps.

LE CONDITIONNEL MODE

Le conditionnel mode exprime généralement une idée dont la réalisation dépend d'une condition, exprimée ou sous-entendue.

Présent

• Pour exprimer un fait soumis à une condition, exprimée ou non :
*Si vous nous accompagniez, cela nous **ferait** plaisir.*
*Cela me **ferait** plaisir de vous voir.*

• Pour exprimer un désir, un souhait, un rêve ou un regret :
*J'**aimerais** bien qu'il arrive.*
*Je **voudrais** déjà être à demain.*
*Nous **irions** bien à Venise, mais nous n'avons pas d'argent.*

• Pour formuler une demande avec politesse :
***Pourriez**-vous me dire l'heure, s'il vous plaît ?*
***Voudriez**-vous avoir la gentillesse de m'aider à porter ces paquets ?*

• Pour marquer l'étonnement dans une phrase exclamative :
*Vous **feriez** ça pour moi !*

• Pour exprimer une possibilité, une probabilité, une apparence :
*On **dirait** qu'il a peur.*
*Il se **pourrait** bien qu'il ne vienne pas.*

• Pour exprimer le défi avec le verbe *vouloir* :
*Il prétend qu'il est le meilleur. Je **voudrais** bien voir ça.*

Passé 1re forme

• Pour indiquer qu'un fait aurait eu lieu dans le passé si une ou plusieurs conditions avaient été remplies :
*Je **serais venu** t'aider si tu m'avais prévenu.*
*Si tu avais travaillé plus, tu **aurais réussi** ton examen.*

• Pour relater un fait qui demande à être vérifié :
*Selon certaines rumeurs, le Président **aurait démissionné**. Cette information demande à être confirmée.*

Passé 2e forme

• Il est uniquement employé dans la langue littéraire :
*Si j'avais osé, je **fusse parti** sans même les saluer. (Si j'avais osé, je <u>serais parti</u> sans même les saluer.)*
– dans une proposition principale d'un système hypothétique, pour exprimer un fait irréel dans le passé (dans la langue courante, on emploie le passé 1re forme).

Attention !
Il arrive que l'on trouve le plus-que-parfait du subjonctif et non de l'indicatif dans la proposition subordonnée :
*Si j'**eusse osé**, je fusse parti.*

– en proposition indépendante, pour exprimer à la place du passé 1re forme, un regret, un souhait non réalisé :
*J'**eusse aimé** faire le tour du monde. (J'<u>aurais aimé</u> faire le tour du monde.)*

LE CONDITIONNEL TEMPS

Le conditionnel temps sert à exprimer le futur dans une proposition subordonnée, après un verbe principal au passé, sans aucune idée de condition.

• Le présent exprime le futur dans une subordonnée, lorsque le verbe de la principale est au passé (imparfait, passé simple, passé composé, plus-que-parfait). C'est ce qu'on appelle le futur dans le passé :
*Il a dit (<u>disait, avait dit, dit</u>) qu'il **arriverait** en retard. (Il dit [présent] qu'il arrivera [futur] en retard.)*

• Le passé 1re forme exprime le futur antérieur dans une subordonnée, lorsque le verbe de la principale est au passé (imparfait, passé simple, passé composé, plus-que-parfait). C'est ce qu'on appelle le futur antérieur dans le passé :
*Il a dit (<u>disait, avait dit, dit</u>) que tu **serais** déjà **partie** quand j'arriverais. (Il dit [présent] que tu seras déjà partie [futur antérieur] quand j'arriverai.)*

L'impératif

Le mode impératif exprime essentiellement l'ordre, le conseil et la défense.

Présent

• Pour exprimer un ordre ou une défense :
Va te laver les mains.
N'en parle à personne.

- Avec le verbe *vouloir*, pour formuler un ordre de façon moins sèche :
  Veuillez *sortir, s'il vous plaît.*
- Pour formuler un conseil :
  Offrez-vous *des vacances de rêve.*
- Au lieu d'une subordonnée introduite par *si*, pour exprimer une hypothèse ou une condition :
  Lisez *cette brochure et vous en saurez plus. (Si vous lisez cette brochure...)*
- Au lieu du subjonctif, pour exprimer une hypothèse :
  Venez *ou ne* **venez** *pas, cela m'est complètement égal. (Que vous veniez ou que vous ne veniez pas, cela m'est complètement égal.)*
- Avec le verbe *aller* + infinitif, pour mettre en valeur ou renforcer l'idée exprimée par le verbe à l'infinitif :
  *N'***allez** *pas croire qu'on vous en veut.*

Passé

- Pour exprimer qu'un ordre doit être exécuté pour un moment précis :
  Soyez revenus *pour 5 heures.*
  Ayez terminé *ce travail pour demain sans faute.*

LA CONCORDANCE DES TEMPS

La concordance des temps à l'indicatif

> Dans une phrase où les verbes sont à l'indicatif, si l'on change le temps du verbe de la principale, il faut aussi changer le temps du verbe de la subordonnée pour faire concorder les temps de ces deux propositions.

Le verbe de la principale est au présent ou au futur simple

- Le verbe de la subordonnée se met au temps voulu par le sens, comme dans une proposition indépendante :
  Quand on est petit, on n'a le droit de rien faire.
  présent   présent
  La femme que tu as rencontrée ce matin est écrivain.
  passé composé   présent

*J'espère que vous nous **donnerez** de vos nouvelles.*
présent   futur

*Je lui dirai que tu **es passée**.*
futur simple   passé composé

Le verbe de la principale est à un temps du passé

- L'imparfait remplace le présent dans la subordonnée :
*Je croyais qu'il **dormait**.*   *Je crois qu'il **dort**.*

- Le plus-que-parfait remplace le passé simple et le passé composé dans la subordonnée :
*Je pensais qu'il **avait renoncé**.*   *Je pense qu'il **renonça**.*
                                                                *Je pense qu'il **a renoncé**.*

- Le conditionnel présent remplace le futur simple dans la subordonnée :
*J'espérais qu'il **viendrait**.*   *J'espère qu'il **viendra**.*

- Le conditionnel passé 1re forme remplace le futur antérieur dans la subordonnée :
*J'espérais qu'il **aurait réussi**.*   *J'espère qu'il **aura réussi**.*

La concordance des temps au subjonctif

Dans une phrase où les verbes sont à l'indicatif pour la principale et au subjonctif pour la subordonnée, si l'on change le temps du verbe de la principale, il faut aussi changer le temps du verbe de la subordonnée pour faire concorder les temps de ces deux propositions.

Le verbe de la principale est au présent ou au futur simple de l'indicatif

- Le verbe de la subordonnée se met au présent ou au passé du subjonctif :
*Il faut qu'il **ait** un sacré courage pour oser faire ça.* (1)
présent   présent

*Il faudra absolument que tu **passes** le voir demain.* (2)
futur simple   présent

*Je ne crois pas qu'il **ait réussi**.* (3)
présent   passé

*J'attendrai que tu **aies fini** de travailler pour partir.* (4)
futur simple   passé

Le subjonctif ayant moins de temps que l'indicatif, il en résulte qu'un même temps du subjonctif peut avoir plusieurs valeurs : le présent exprime à la fois le présent (1) et le futur (2) ; le passé exprime le passé (3) et le futur antérieur (4).

36

Le verbe de la principale est à un temps du passé de l'indicatif

• L'imparfait remplace le présent dans la subordonnée :
░ *Je craignais qu'il ne se fâchât.*   *Je crains qu'il ne se fâche.*

• Le plus-que-parfait remplace le passé :
░ *Je ne pensais pas qu'il eût entendu.*   *Je ne pense pas qu'il ait entendu.*

• La concordance ci-dessus, prescrite par les règles, n'est plus guère en usage dans la langue parlée courante :
– le présent du subjonctif tend à remplacer l'imparfait du subjonctif :
░ *Je craignais qu'il ne se fâche (au lieu de qu'il ne se fâchât).*
– le passé du subjonctif tend à remplacer le plus-que-parfait du subjonctif :
░ *Je ne pensais pas qu'il ait entendu (au lieu de qu'il eût entendu).*

Le verbe de la principale est au conditionnel présent

• Le verbe de la subordonnée se met à l'imparfait ou au plus-que-parfait :
░ *Je voudrais que tu fusses mon frère.*
     présent   imparfait
░ *Je voudrais que tu eusses refusé.*
     présent   plus-que-parfait

• Là encore, la concordance prescrite par les règles n'est plus guère en usage dans la langue parlée courante :
– le présent du subjonctif tend à remplacer l'imparfait du subjonctif :
░ *Je voudrais que tu sois mon frère (et non que tu fusses).*
– le passé du subjonctif tend à remplacer le plus-que-parfait du subjonctif :
░ *Je voudrais que tu aies refusé (et non que tu eusses refusé).*

L' ACCORD DU VERBE AVEC LE SUJET

> Le verbe s'accorde en personne (1re, 2e ou 3e personne) et en nombre (singulier ou pluriel) avec son sujet.
>
> ░ *Je parle anglais.*   *Tous mes amis parlent anglais.*
>   sujet

Les cas difficiles de l'accord en nombre

Le verbe se met obligatoirement au singulier

• Lorsque *peu* est précédé de l'article défini *le* ou de l'adjectif démonstratif *ce* :
Le peu de choses qui m'appartient est à vous.
Ce peu de choses m'appartient.

• Après *tout le monde* :
Tout le monde peut se tromper.

• Après *plus d'un* :
Plus d'un s'en souviendra.

• Lorsque le sujet est le pronom neutre *il*, sujet apparent d'un verbe impersonnel :
Il est tombé de gros grêlons la nuit dernière.
Il y avait beaucoup d'invités.

• Lorsqu'il y a deux ou plusieurs sujets résumés ou annoncés par un pronom comme *aucun, chacun, nul, personne, rien, tout…* :
Assiettes, plats, verres : tout était cassé.
Ses parents, ses amis, ses collègues, personne n'avait oublié cette fête.

• Lorsque le sujet est *l'un ou l'autre* :
L'un ou l'autre se dit.
L'une ou l'autre d'entre elles choisira.

Le verbe se met obligatoirement au pluriel

• Lorsque le sujet est un groupe nominal exprimant la quantité comme : *nombre de, quantité de, force, la plupart…*
La plupart des invités étaient absents.
Bon nombre d'invités étaient absents.

• Lorsque le sujet est un adverbe de quantité comme *assez, beaucoup, combien, moins, peu, plus, tant, trop…* (le verbe se met au pluriel, que l'adverbe soit suivi ou non d'un complément) :
Beaucoup d'invités étaient absents.
Beaucoup étaient absents.
Peu de candidats se sont présentés.
Peu se sont présentés.

● Après *moins de deux* :
  Moins de deux jours lui **ont** *suffi pour tout déménager.*

● Lorsqu'il y a deux ou plusieurs sujets coordonnés par *et* :
  Mon père, ma mère <u>et</u> *mon frère viendr***ont***.*
  Anne-Sophie <u>et</u> *Florent ser***ont*** *là.*

Le verbe se met au singulier ou au pluriel

● Lorsque le sujet est un nom collectif (*bande, file, foule, troupeau*, etc.) suivi d'un complément au pluriel :
– le verbe s'accorde avec le nom collectif au singulier si l'on met l'accent sur l'ensemble ; il se met donc au singulier :
  Un <u>troupeau</u> *de moutons barr***ait*** *la route.*
– le verbe s'accorde avec le complément si l'on met l'accent sur le complément ; il se met donc au pluriel :
  Un troupeau de <u>moutons</u> *barr***aient*** *la route.*

● Lorsque le sujet est un nom collectif précédé d'un article défini (*le, la, les*), d'un adjectif démonstratif (*ce, cet, cette, ces*) ou d'un adjectif possessif (*mon, ton, son, ma, ta, sa*, etc.), le verbe s'accorde obligatoirement avec le nom collectif :
  Le <u>troupeau</u> *de moutons barr***ait*** *la route.*
  Son <u>troupeau</u> *de moutons barr***ait*** *la route.*
  Quand nous sommes arrivés, <u>ces troupeaux</u> *de moutons barr***aient*** *déjà la route.*

● Lorsque le sujet est une fraction (*moitié, tiers, quart*, etc.) ou un nom comme *dizaine, centaine* suivi d'un complément au pluriel :
– le verbe s'accorde avec la fraction ou le nom *dizaine, centaine*, etc., si l'on met l'accent sur la fraction ou le nom ; il se met donc au singulier :
  Une <u>centaine</u> *de personnes* **ét*ait*** *présente.*
  Un <u>tiers</u> *des personnes invitées* **ét*ait*** *présent.*
– le verbe s'accorde avec le complément si l'on met l'accent sur ce complément ; il se met donc au pluriel :
  Une centaine de <u>personnes</u> **ét*aient*** *présentes.*
  Un tiers des <u>personnes</u> *invitées* **ét*aient*** *présentes.*

● Lorsque le sujet est le pronom neutre *ce (c')*, le verbe est au singulier.
  *C'***est*** <u>nous</u> *les meilleurs.*
  *C'***est*** <u>vous</u> *les fautifs.*
Avec les pronoms *eux* ou *elles*, il est plus élégant de mettre le pluriel :
  Ce **sont** <u>eux</u> *les coupables.*
  Ce **sont** <u>elles</u> *les plus belles.*

• Lorsqu'il y a deux ou plusieurs sujets de sens proche juxtaposés :
– le verbe s'accorde avec le plus rapproché :
  Son courage, son sang-froid, son calme nous étonna tous.
– le verbe peut aussi s'accorder avec l'ensemble de tous les sujets ; il se met alors au pluriel :
  Son courage, son sang-froid, son calme nous étonnèrent tous.

• Lorsqu'il y a deux ou plusieurs sujets coordonnés par *ni* ou par *ou* :
– le verbe se met au singulier lorsque les éléments coordonnés sont considérés isolément :
  Ni la douceur ni la violence n'en viendra à bout.
  La douceur ou la violence fera le reste.
– le verbe se met au pluriel lorsque l'on considère les éléments coordonnés comme un ensemble :
  Ni mon père ni ma mère ne viendront.
  Une chute ou un choc peuvent lui rendre la mémoire.

• Lorsqu'il y a deux ou plusieurs sujets joints par *ainsi que* ou *comme*, le verbe se met au singulier ou au pluriel :
  Mon père comme ma mère aime la campagne.
  Mon père comme ma mère aiment la campagne.

• Lorsque le sujet est *l'un et l'autre* ou *ni l'un ni l'autre*, le verbe se met indifféremment au singulier ou au pluriel :
  L'un et l'autre se dit.
  L'un et l'autre se disent.
  Ni l'un ni l'autre ne se dit.
  Ni l'un ni l'autre ne se disent.

• *Soit, peu importe* se mettent indifféremment au singulier ou au pluriel :
  Soi(en)t deux triangles isocèles.
  Peu importe(nt) vos motifs.

Les cas difficiles de l'accord en personne

• Lorsque le sujet est le pronom relatif *qui*, le verbe se met à la même personne que l'antécédent :
  *C'est moi qui **ai** cassé le vase.*
  *C'est toi, Marie, qui **es** arrivée la première.*
  *On se plaint toujours à nous qui n'y **sommes** pour rien.*

- Lorsque l'antécédent est *le seul, le premier*, etc., et qu'il est attribut du sujet, le verbe se met :
– soit à la même personne que le sujet :
  ▦ *Tu es le seul qui **as** réussi.*
– soit à la même personne que l'antécédent :
  ▦ *Tu es le seul qui **a** réussi.*

- La 1ʳᵉ personne l'emporte sur les deux autres. Lorsque deux ou plusieurs sujets sont coordonnés et que l'un de ces sujets est à la 1ʳᵉ personne, le verbe se met à la 1ʳᵉ personne, quelle que soit la personne à laquelle se trouvent les autres sujets :
  ▦ *Florent et moi partir**ons** demain.*
  ▦ *Mes parents et moi **sommes** très contents.*
  ▦ *Toi et moi partir**ons** demain.*
  ▦ *Ta sœur, toi et moi partir**ons** demain.*

- La 2ᵉ personne l'emporte sur la 3ᵉ :
  ▦ *Emma et toi **êtes** mes meilleures amies.*
  ▦ *Toi et lui **êtes** très semblables.*

- Le masculin l'emporte toujours sur le féminin :
  ▦ *Michel et Anne-Laure sont arriv**és** les premiers.*
  ▦ *Ma mère et mon père sont part**is** ce matin.*

L'ACCORD DU PARTICIPE PASSÉ

Le participe passé conjugué avec *être*

> Le participe passé conjugué avec l'auxiliaire *être* s'accorde en genre et en nombre avec le sujet :
>
> ▦ <u>*Emma*</u> *est entré**e**.*   <u>*Les invités*</u> *sont part**is** sans prévenir.*
>   sujet

41

Le participe passé conjugué avec *avoir*

• Cas n° 1

Lorsque le participe passé est conjugué avec l'auxiliaire *avoir* et que le verbe n'a pas de complément d'objet direct ou qu'il a un complément d'objet direct placé derrière lui, le participe passé reste invariable :

Pierre a lu.

Ils ont lu des livres.
                c.o.d.

• Cas n° 2

Lorsque le participe passé est conjugué avec l'auxiliaire *avoir* et que le verbe a un complément d'objet direct placé devant, le participe passé s'accorde en genre et en nombre avec ce complément d'objet direct :

Voilà les livres que j'ai lus.
               c.o.d.

Regarde les livres qu'elle a lus.

C'est Emma qui les a lus.

Combien de livres a-t-elle lus ?

Quels livres a-t-elle lus ?

Lesquels a-t-elle lus.

Attention !

Certains verbes ont un participe passé invariable : *agir, appartenir, bavarder, bondir, briller, complaire, contribuer, daigner, défaillir, déplaire, dîner, discourir, dormir, douter, durer, équivaloir, errer, être, falloir, flotter, frémir, frissonner, geindre, gémir, grelotter, hésiter, insister, jouir, luire, lutter, mentir, nuire, officier, paître, pécher, plaire, pleuvoir, pouvoir, profiter, reluire, résister, résonner, ressembler, rire, sembler, siéger, souper, sourire, succéder, suffire, survivre, tarder, tousser, voyager...*

Les cas difficiles

• Le verbe conjugué avec *avoir* est suivi d'un infinitif :
– si le c.o.d. fait l'action exprimée par l'infinitif (sens actif), le participe s'accorde avec le c.o.d. :
  Les musiciens que j'ai entendus jouer étaient excellents.
  Je les ai entendus calomnier ta sœur.
– si le c.o.d. subit l'action exprimée par l'infinitif (sens passif), il n'y a pas d'accord :
  Les airs que j'ai entendu jouer étaient très beaux.
  Je les ai entendu calomnier. (Ils ont été calomniés)

• Le participe passé *fait* est suivi d'un infinitif, il reste invariable :
  *As-tu vu la robe que j'ai **fait** faire ?*
  *La robe que je me suis **fait** offrir pour mon anniversaire est magnifique.*

• Le participe passé est suivi d'un attribut du c.o.d. :
– le participe passé s'accorde en genre et en nombre avec le c.o.d. si celui-ci précède le participe :
  On l'a crue morte.
  Est-ce là la destinée qu'on lui a prédite exceptionnelle.
– le participe passé peut rester invariable si l'on considère qu'il forme avec l'attribut un bloc indissociable :
  Une vie qu'on aurait voulu heureuse.
  Hélène, qu'on avait cru si forte, s'est effondrée.

• Le participe passé a pour c.o.d. le pronom neutre *le (l')*, il reste invariable :
  Cette leçon est plus facile que je ne l'aurais pensé.
  Les enfants ont été plus sages que je ne l'avais prévu.

• Le participe passé a pour c.o.d. le pronom relatif *que* représentant deux antécédents coordonnés par *ainsi que, autant que, comme, de même que,* etc. :
– le participe passé s'accorde en genre et en nombre avec le premier antécédent si c'est sur lui qu'on met l'accent :
  C'est sa bonne volonté, tout autant que son dévouement, que j'ai admirée.
– le participe passé s'accorde en genre et en nombre avec les deux antécédents si l'on considère qu'ils font bloc :
  C'est ma mère ainsi que mon père que j'ai invités.

• Le participe passé a pour c.o.d. le pronom relatif *que* représentant deux antécédents joints par *ou* ou bien par *ni* :
– le participe passé s'accorde en genre et en nombre avec les deux antécédents si l'on considère les éléments coordonnés comme un ensemble :
  Ce n'est ni la couleur ni la forme que nous avions choisies.

– le participe passé s'accorde en genre et en nombre avec le second antécédent lorsque les éléments coordonnés sont considérés isolément :

C'est un homme ou une _femme que_ l'on a enlevée.

• Le participe passé a pour c.o.d. le pronom relatif _que_ représentant le groupe _un(e) des…, un(e) de…_ :
– le participe passé s'accorde le plus souvent en genre et en nombre avec le nom pluriel complément :

Je te rapporte déjà un des _livres que_ tu m'avais prêtés.

– le participe passé s'accorde avec _un(e)_ si l'on met l'accent sur l'élément isolé considéré :

J'ai cassé _un_ des verres _que_ tu m'as offert.

• Le verbe a pour c.o.d. un nom collectif suivi d'un complément au pluriel :
– le participe passé s'accorde en genre et en nombre avec le nom collectif si l'on met l'accent sur ce dernier et la quantité qu'il désigne :

Qu'il soit malade ne m'étonne pas, vu _la quantité_ de bonbons qu'il a mangée.
Le peu d'efforts qu'il a fait a payé.

– le participe passé s'accorde en genre et en nombre avec le complément au pluriel si c'est sur ce dernier qu'on veut mettre l'accent :

Qu'il soit malade ne m'étonne pas, vu la quantité de _bonbons_ qu'il a mangés.
Le peu d'_efforts_ qu'il a faits a payé.

• Le participe passé de verbes employés intransitivement comme _courir, coûter, dormir, durer, marcher, mesurer, peser, régner, reposer, vivre, valoir,_ etc., reste invariable, car le complément qui accompagne ces verbes et que l'on prend parfois pour un c.o.d. est en fait un complément circonstanciel :

Les deux heures que j'ai _dormi_ m'ont fait du bien.
Je ne regrette pas les cent francs que ce livre m'a _coûté_.
Les soixante-dix années qu'il a _vécu_ ont été bien remplies.
Les cent kilos qu'il a _pesé_ ne sont plus qu'un mauvais souvenir.

• Les verbes _courir, coûter, peser, valoir_ et _vivre_ sont employés transitivement dans un sens différent de leur sens habituel ; le participe passé s'accorde normalement en genre et en nombre avec le c.o.d. :

Tu n'imagines pas les dangers que j'ai _courus_.
Si tu savais les efforts que ce travail m'a _coûtés_ !

• Les participes passés _dit, dû, cru, pensé, permis, prévu, pu, su, voulu_ restent invariables lorsqu'ils ont pour c.o.d. :
– un infinitif :

Je n'ai pas reçu les encouragements que j'aurais _pensé_ recevoir.
Il a fait toutes les démarches qu'il a _cru_ devoir faire.

– une proposition ou un infinitif sous-entendus :

Il a fait toutes les démarches qu'il avait _dit_ (qu'il ferait).
Elle m'a rendu tous les services qu'elle a _pu_ (me rendre).

• Le participe passé, dans des constructions impersonnelles comme *il y a*, *il faut*, *il neige*, etc., reste invariable :
  *Il y a **eu** des centaines de lettres de réclamation.*

• Le participe passé est employé avec le pronom personnel *en* :
– il reste invariable si *en* est employé seul :
  Des fruits de mer, nous en avons mangé tout l'été.
  Des nouvelles de mes parents, j'en ai reçu hier.
– il peut s'accorder, mais ce n'est pas obligatoire, lorsque *en* est accompagné d'un adverbe de quantité :
  Des fruits de mer, combien on en a mangé(s) cet été !

Le participe passé employé sans auxiliaire

Le participe passé employé seul suit les règles d'accord de l'adjectif qualificatif.
Lorsqu'il est :
– épithète, il s'accorde en genre et en nombre avec le nom auquel il se rapporte :
  Elle a un visage fatigué ces derniers temps.
– attribut du sujet, il s'accorde en genre et en nombre avec le sujet :
  Emma semble fatiguée ces derniers temps.
– attribut du c.o.d., il s'accorde en genre et en nombre avec le c.o.d. :
  Je trouve Emma fatiguée ces derniers temps.
– apposé, il s'accorde en genre et en nombre avec le nom auquel il est apposé :
  Fatiguée, Emma décida d'aller faire une sieste.

Les cas difficiles

• Les participes *attendu, compris (non compris, y compris), entendu, excepté, ôté, supposé, vu* :
– restent invariables lorsqu'ils sont placés devant le nom :
  Toutes les pièces ont été nettoyées, y compris la cave.
  Tous ont été invités, excepté les enfants.
– s'accordent en genre et en nombre avec le nom auquel ils se rapportent lorsqu'ils sont placés derrière ce nom :
  Toutes les pièces ont été nettoyées, la cave comprise.
  Tous ont été invités, les enfants exceptés.

• *Étant donné, mis à part, passé,* même lorsqu'ils sont placés devant le nom, peuvent s'accorder en genre et en nombre avec ce nom :
   Passées les vacances, ils ne se revirent plus.
   Passé les vacances, ils ne se revirent plus.
Ils s'accordent obligatoirement quand ils sont placés derrière le nom :
   Les vacances passées, ils ne se revirent plus.

• *Ci-annexé, ci-inclus, ci-joint :*
– restent invariables lorsqu'ils ont la valeur d'un adverbe (pour vérifier si c'est le cas, on peut les remplacer par *ci-dessus, ci-dessous* ou *ci-contre*) :
   Veuillez trouver ci-joint (ci-dessous) les pièces demandées.
   Vous trouverez ci-annexé (ci-contre) les pièces demandées.
   Ci-inclus (ci-contre) les factures déjà payées.
– s'accordent en genre et en nombre avec le nom auquel ils se rapportent lorsqu'ils ont la valeur d'un adjectif qualificatif (pour vérifier si c'est le cas, on peut alors les remplacer par un adjectif qualificatif quelconque) :
   Veuillez examiner les pièces ci-jointes (comptables).
   Vous lirez les pièces ci-annexées (manuscrites).
   Les factures ci-incluses (principales) ont déjà été payées.

• *Approuvé, lu, vu* sont toujours invariables lorsqu'ils sont employés dans les locutions :
– « Lu et approuvé » :
   Faites précéder votre signature de la mention « Lu et approuvé ».
– « Vu » :
   Il fait toujours précéder sa signature de la mention « Vu ».

L'ACCORD DU PARTICIPE PASSÉ DES VERBES PRONOMINAUX

Pour bien accorder le participe passé des verbes pronominaux, il faut d'abord savoir de quel type est le verbe pronominal employé. On distingue les verbes pronominaux de sens réfléchi ou réciproque, les verbes pronominaux de sens passif et les verbes essentiellement pronominaux :

– un verbe pronominal est de « sens réfléchi » lorsque le sujet exerce l'action sur lui-même :
 Emma se lave.
– un verbe pronominal est de « sens réciproque » lorsque deux ou plusieurs êtres exercent une action l'un sur l'autre (les uns sur les autres) :
 Ils se regardent.
– un verbe est essentiellement pronominal lorsqu'il n'existe qu'à la forme pronominale. Dans ce type de verbes, le pronom *se* n'occupe aucune fonction :
 Il se sont enfuis.
– un verbe pronominal est de « sens passif » lorsque le sujet subit l'action :
 Mon livre se vend très bien. (est beaucoup vendu)

Les verbes pronominaux de sens réfléchi ou réciproque

• Cas n° 1 :
Lorsque le pronom réfléchi occupe la fonction de complément d'objet direct du verbe, le participe passé s'accorde en genre et en nombre avec le sujet :

Emma s' est lavée
sujet c.o.d. → *Emma a lavé « qui » ? « se »*
Elles se sont lavées → *Elles ont lavé « qui » ? « se »*
Ils se sont regardés → *Ils ont regardé « qui » ? « se »*

• Cas n° 2 :
Lorsque le pronom réfléchi occupe la fonction de complément d'objet indirect du verbe, le participe passé reste invariable :
Emma s'est lavé les mains → *Emma a lavé les mains « à qui » ?*
c.o.i.   « à se »
Ils se sont lavé les mains → *Ils ont lavé les mains « à qui » ?*
  « à se »
Elles se sont souri → *Elles ont souri « à qui » ? « à se »*

Attention !
Lorsque le verbe pronominal est précédé d'un complément d'objet direct, le participe passé s'accorde en genre et en nombre avec le c.o.d., même si le pronom réfléchi occupe la fonction de complément d'objet indirect :
 La lettre qu'ils se sont écrite → *La lettre qu'ils ont écrite « à qui » ?*
  c.o.d. c.o.i.   « à se »

Les verbes essentiellement pronominaux et les verbes pronominaux de sens passif

Le participe passé s'accorde toujours en genre et en nombre avec le sujet :

*Ils se sont en**fuis**.*
sujet
*Ses **livres** se sont ven**dus** par centaines de milliers.*
*Ils se sont souven**us** de toi.*

Les cas difficiles

• Le participe passé des verbes *se complaire, se convenir, se déplaire, se mentir, se nuire, se parler (à soi), se plaire, se ressembler, se rire de, se sourire, se succéder, se suffire, se survivre, s'en vouloir* reste toujours invariable :
*Ils se sont dé**plu** au premier regard.*
*Ils se sont **ri** de nous.*
*Elles se sont **souri** en cachette.*
*Ils s'en sont toujours **voulu** de ne pas avoir acheté cette maison.*

• Le verbe à la forme pronominale est suivi d'un infinitif :
– lorsque l'infinitif est de sens actif, le participe passé reste invariable :
*Elle s'est **entendu** appeler à l'aide dans son rêve.*
– lorsque l'infinitif est de sens passif, le participe passé s'accorde en genre et en nombre avec le sujet :
*Elle marchait dans la rue lorsqu'elle s'est **entendue** appeler par son prénom.*

• Le participe du verbe *se faire* est toujours invariable :
*Elle s'est **fait faire** une robe magnifique.*
*Les enfants se sont **fait gronder**.*
Sauf lorsqu'il est suivi d'un attribut du c.o.d. ; dans ce cas, il s'accorde en genre et en nombre avec l'attribut :
*Elle s'est **faite** religieuse.*

Tableaux de conjugaison

AUXILIAIRE : avoir

INDICATIF

Présent	Imparfait	Passé composé	Plus-que-parfait
j' ai	j' avais	j' ai eu	j' avais eu
tu as	tu avais	tu as eu	tu avais eu
il, elle a	il, elle avait	il, elle a eu	il, elle avait eu
nous avons	nous avions	nous avons eu	nous avions eu
vous avez	vous aviez	vous avez eu	vous aviez eu
ils, elles ont	ils, elles avaient	ils, elles ont eu	ils, elles avaient eu

Passé simple	Futur simple	Passé antérieur	Futur antérieur
j' eus	j' aurai	j' eus eu	j' aurai eu
tu eus	tu auras	tu eus eu	tu auras eu
il, elle eut	il, elle aura	il, elle eut eu	il, elle aura eu
nous eûmes	nous aurons	nous eûmes eu	nous aurons eu
vous eûtes	vous aurez	vous eûtes eu	vous aurez eu
ils, elles eurent	ils, elles auront	ils, elles eurent eu	ils, elles auront eu

SUBJONCTIF

Présent	Imparfait	Passé	Plus-que-parfait
Il faut que...	Il fallait que...	Il faut que...	Il fallait que...
j' aie	j' eusse	j' aie eu	j' eusse eu
tu aies	tu eusses	tu aies eu	tu eusses eu
il, elle ait	il, elle eût	il, elle ait eu	il, elle eût eu
nous ayons	nous eussions	nous ayons eu	nous eussions eu
vous ayez	vous eussiez	vous ayez eu	vous eussiez eu
ils, elles aient	ils, elles eussent	ils, elles aient eu	ils, elles eussent eu

CONDITIONNEL

Présent	Passé 1re forme	Passé 2e forme
j' aurais	j' aurais eu	j' eusse eu
tu aurais	tu aurais eu	tu eusses eu
il, elle aurait	il, elle aurait eu	il, elle eût eu
nous aurions	nous aurions eu	nous eussions eu
vous auriez	vous auriez eu	vous eussiez eu
ils, elles auraient	ils, elles auraient eu	ils, elles eussent eu

IMPÉRATIF

Présent	Passé
aie	aie eu
ayons	ayons eu
ayez	ayez eu

INFINITIF

Présent	Passé
avoir	avoir eu

PARTICIPE

Présent	Passé
ayant	eu(e)
	ayant eu

AUXILIAIRE : être

INDICATIF

Présent		Imparfait		Passé composé			Plus-que-parfait		
je	suis	j'	étais	j'	ai	été	j'	avais	été
tu	es	tu	étais	tu	as	été	tu	avais	été
il, elle	est	il, elle	était	il, elle	a	été	il, elle	avait	été
nous	sommes	nous	étions	nous	avons	été	nous	avions	été
vous	êtes	vous	étiez	vous	avez	été	vous	aviez	été
ils, elles	sont	ils, elles	étaient	ils, elles	ont	été	ils, elles	avaient	été

Passé simple		Futur simple		Passé antérieur			Futur antérieur		
je	fus	je	serai	j'	eus	été	j'	aurai	été
tu	fus	tu	seras	tu	eus	été	tu	auras	été
il, elle	fut	il, elle	sera	il, elle	eut	été	il, elle	aura	été
nous	fûmes	nous	serons	nous	eûmes	été	nous	aurons	été
vous	fûtes	vous	serez	vous	eûtes	été	vous	aurez	été
ils, elles	furent	ils, elles	seront	ils, elles	eurent	été	ils, elles	auront	été

SUBJONCTIF

Présent		Imparfait		Passé			Plus-que-parfait		
Il faut que...		*Il fallait que...*		*Il faut que...*			*Il fallait que...*		
je	sois	je	fusse	j'	aie	été	j'	eusse	été
tu	sois	tu	fusses	tu	aies	été	tu	eusses	été
il, elle	soit	il, elle	fût	il, elle	ait	été	il, elle	eût	été
nous	soyons	nous	fussions	nous	ayons	été	nous	eussions	été
vous	soyez	vous	fussiez	vous	ayez	été	vous	eussiez	été
ils, elles	soient	ils, elles	fussent	ils, elles	aient	été	ils, elles	eussent	été

CONDITIONNEL

Présent		Passé 1re forme			Passé 2e forme		
je	serais	j'	aurais	été	j'	eusse	été
tu	serais	tu	aurais	été	tu	eusses	été
il, elle	serait	il, elle	aurait	été	il, elle	eût	été
nous	serions	nous	aurions	été	nous	eussions	été
vous	seriez	vous	auriez	été	vous	eussiez	été
ils, elles	seraient	ils, elles	auraient	été	ils, elles	eussent	été

IMPÉRATIF

Présent	Passé
sois	aie été
soyons	ayons été
soyez	ayez été

INFINITIF

Présent	Passé
être	avoir été

PARTICIPE

Présent	Passé
étant	été
	ayant été

VOIX PASSIVE : être aimé

INDICATIF

Présent		Imparfait		Passé composé		Plus-que-parfait	
je	**suis** aimé(e)	j'	**étais** aimé(e)	j'	ai **été** aimé(e)	j'	avais **été** aimé(e)
tu	**es** aimé(e)	tu	**étais** aimé(e)	tu	as **été** aimé(e)	tu	avais **été** aimé(e)
il, elle	**est** aimé(e)	il, elle	**était** aimé(e)	il, elle	a **été** aimé(e)	il, elle	avait **été** aimé(e)
nous	**sommes** aimé(e)s	nous	**étions** aimé(e)s	nous	avons **été** aimé(e)s	nous	avions **été** aimé(e)s
vous	**êtes** aimé(e)s	vous	**étiez** aimé(e)s	vous	avez **été** aimé(e)s	vous	aviez **été** aimé(e)s
ils, elles	**sont** aimé(e)s	ils, elles	**étaient** aimé(e)s	ils, elles	ont **été** aimé(e)s	ils, elles	avaient **été** aimé(e)s

Passé simple		Futur simple		Passé antérieur		Futur antérieur	
je	**fus** aimé(e)	je	**serai** aimé(e)	j'	eus **été** aimé(e)	j'	aurai **été** aimé(e)
tu	**fus** aimé(e)	tu	**seras** aimé(e)	tu	eus **été** aimé(e)	tu	auras **été** aimé(e)
il, elle	**fut** aimé(e)	il, elle	**sera** aimé(e)	il, elle	eut **été** aimé(e)	il, elle	aura **été** aimé(e)
nous	**fûmes** aimé(e)s	nous	**serons** aimé(e)s	nous	eûmes **été** aimé(e)s	nous	aurons **été** aimé(e)s
vous	**fûtes** aimé(e)s	vous	**serez** aimé(e)s	vous	eûtes **été** aimé(e)s	vous	aurez **été** aimé(e)s
ils, elles	**furent** aimé(e)s	ils, elles	**seront** aimé(e)s	ils, elles	eurent **été** aimé(e)s	ils, elles	auront **été** aimé(e)s

SUBJONCTIF

Présent		Imparfait		Passé		Plus-que-parfait	
Il faut que...		*Il fallait que...*		*Il faut que...*		*Il fallait que...*	
je	**sois** aimé(e)	je	**fusse** aimé(e)	j'	aie **été** aimé(e)	j'	eusse **été** aimé(e)
tu	**sois** aimé(e)	tu	**fusses** aimé(e)	tu	aies **été** aimé(e)	tu	eusses **été** aimé(e)
il, elle	**soit** aimé(e)	il, elle	**fût** aimé(e)	il, elle	ait **été** aimé(e)	il, elle	eût **été** aimé(e)
nous	**soyons** aimé(e)s	nous	**fussions** aimé(e)s	nous	ayons **été** aimé(e)s	nous	eussions **été** aimé(e)s
vous	**soyez** aimé(e)s	vous	**fussiez** aimé(e)s	vous	ayez **été** aimé(e)s	vous	eussiez **été** aimé(e)s
ils, elles	**soient** aimé(e)s	ils, elles	**fussent** aimé(e)s	ils, elles	aient **été** aimé(e)s	ils, elles	eussent **été** aimé(e)s

CONDITIONNEL

Présent		Passé 1re forme		Passé 2e forme	
je	**serais** aimé(e)	j'	aurais **été** aimé(e)	j'	eusse **été** aimé(e)
tu	**serais** aimé(e)	tu	aurais **été** aimé(e)	tu	eusses **été** aimé(e)
il, elle	**serait** aimé(e)	il, elle	aurait **été** aimé(e)	il, elle	eût **été** aimé(e)
nous	**serions** aimé(e)s	nous	aurions **été** aimé(e)s	nous	eussions **été** aimé(e)s
vous	**seriez** aimé(e)s	vous	auriez **été** aimé(e)s	vous	eussiez **été** aimé(e)s
ils, elles	**seraient** aimé(e)s	ils, elles	auraient **été** aimé(e)s	ils, elles	eussent **été** aimé(e)s

IMPÉRATIF

Présent	Passé	
sois aimé(e)	aie **été** aimé(e)	
soyons aimé(e)s	ayons **été** aimé(e)s	
soyez aimé(e)s	ayez **été** aimé(e)s	

INFINITIF

Présent	Passé
être aimé(e)	avoir **été** aimé(e)

PARTICIPE

Présent	Passé
étant aimé(e)	aimé(e)
	(ayant **été**) aimé(e)

FORME PRONOMINALE : s'envoler

INDICATIF

Présent
je m' envole
tu t' envoles
il, elle s' envole
nous nous envolons
vous vous envolez
ils, elles s' envolent

Imparfait
je m' envolais
tu t' envolais
il, elle s' envolait
nous nous envolions
vous vous envoliez
ils, elles s' envolaient

Passé composé
je me suis envolé(e)
tu t' es envolé(e)
il, elle s' est envolé(e)
nous nous sommes envolé(e)s
vous vous êtes envolé(e)s
ils, elles se sont envolé(e)s

Plus-que-parfait
je m' étais envolé(e)
tu t' étais envolé(e)
il, elle s' était envolé(e)
nous nous étions envolé(e)s
vous vous étiez envolé(e)s
ils, elles s' étaient envolé(e)s

Passé simple
je m' envolai
tu t' envolas
il, elle s' envola
nous nous envolâmes
vous vous envolâtes
ils, elles s' envolèrent

Futur simple
je m' envolerai
tu t' envoleras
il, elle s' envolera
nous nous envolerons
vous vous envolerez
ils, elles s' envoleront

Passé antérieur
je me fus envolé(e)
tu te fus envolé(e)
il, elle se fut envolé(e)
nous nous fûmes envolé(e)s
vous vous fûtes envolé(e)s
ils, elles se furent envolé(e)s

Futur antérieur
je me serai envolé(e)
tu te seras envolé(e)
il, elle se sera envolé(e)
nous nous serons envolé(e)s
vous vous serez envolé(e)s
ils, elles se seront envolé(e)s

SUBJONCTIF

Présent
Il faut que...
je m' envole
tu t' envoles
il, elle s' envole
nous nous envolions
vous vous envoliez
ils, elles s' envolent

Imparfait
Il fallait que...
je m' envolasse
tu t' envolasses
il, elle s' envolât
nous nous envolassions
vous vous envolassiez
ils, elles s' envolassent

Passé
Il faut que...
je me sois envolé(e)
tu te sois envolé(e)
il, elle se soit envolé(e)
nous nous soyons envolé(e)s
vous vous soyez envolé(e)s
ils, elles se soient envolé(e)s

Plus-que-parfait
Il fallait que...
je me fusse envolé(e)
tu te fusses envolé(e)
il, elle se fût envolé(e)
nous nous fussions envolé(e)s
vous vous fussiez envolé(e)s
ils, elles se fussent envolé(e)s

CONDITIONNEL

Présent
je m' envolerais
tu t' envolerais
il, elle s' envolerait
nous nous envolerions
vous vous envoleriez
ils, elles s' envoleraient

Passé 1re forme
je me serais envolé(e)
tu te serais envolé(e)
il, elle se serait envolé(e)
nous nous serions envolé(e)s
vous vous seriez envolé(e)s
ils, elles se seraient envolé(e)s

Passé 2e forme
je me fusse envolé(e)
tu te fusses envolé(e)
il, elle se fût envolé(e)
nous nous fussions envolé(e)s
vous vous fussiez envolé(e)s
ils, elles se fussent envolé(e)s

IMPÉRATIF

Présent
envole-toi
envolons-nous
envolez-vous

Passé
(inusité)

INFINITIF

Présent
s'envoler

Passé
s'être envolé(e)

PARTICIPE

Présent
s'envolant

Passé
s'étant envolé(e)

● VERBES MODÈLES DU 1er GROUPE

verbes en	n°	modèle	autres verbes	particularités orthographiques
-er	81	parler	chanter, aimer...	présent en -e, -es, -e, -ons, -ez, -ent ; p. simple en -ai, -as, -a, -âmes, -âtes, -èrent ; p. passé en -é(e) ; p. pst en -ant
-cer	63	commencer	avancer, effacer...	alternance c/ç
-scer	59	acquiescer	s'immiscer	alternance sc/sç
-quer	78	marquer	vaquer, appliquer...	permanence de qu
-ger	77	manger	déménager, bouger...	alternance g/ge
-guer	68	distinguer	naviguer, conjuguer...	permanence de gu
arguer	61			emploi du tréma
-ayer	82	payer	balayer, rayer...	alternance y/i y suivi de i y ou i suivis de e muet
-eyer	73	grasseyer	faseyer, volleyer...	permanence du y y suivi de i y suivi de e muet
-oyer	69	employer	aboyer, côtoyer...	alternance y/i y suivi de i i suivi de e muet
-envoyer	71	envoyer	renvoyer	alternance y/i y suivi de i changement de radical au futur simple de l'indicatif et au présent du conditionnel
-uyer	70	ennuyer	essuyer, appuyer...	alternance y/i y suivi de i i suivi de e muet
-ier	83	prier	crier, manier...	doublement du i i suivi de e muet
-gner	89	signer	cogner, gagner...	gn suivi de i
-iller	62	briller	piller, habiller...	ll suivi de i

-llier	80	pallier	allier, rallier...	doublement du i i suivi de e muet
-ailler	90	travailler	tailler, bailler...	ll suivi de i
-eiller	87	réveiller	surveiller, conseiller...	ll suivi de i
-ouiller	79	mouiller	rouiller, débrouiller...	ll suivi de i

-e(m, n, p, s, v, vr)er	88	semer	lever, mener, peser, sevrer...	alternance e/è
-ecer	66	dépecer	clamecer	alternance e/è alternance c/ç
-eter	58	acheter	breveter, fureter...	alternance e/è
	75	jeter	caqueter, cacheter...	doublement du t
-eler	72	geler	démanteler, écarteler...	alternance e/è
	60	appeler	chanceler, épeler...	doublement du l
-eller	74	interpeller	exceller, libeller...	permanence des deux l ll suivi de i

-éer	64	créer	agréer, suppléer...	é suivi de e muet
rapiécer	84			alternance é/è alternance c/ç
-é(br, ch, cr, d, gl, gr, j, l, m, n, p, r, s, t, tr, vr)er	57	accéder	considérer, ébrécher, exécrer, galéjer, léser, pénétrer, recéper, régler...	alternance é/è
-éger	56	abréger	alléger, protéger...	alternance é/è alternance g/ge
-égner	85	régner	imprégner	alternance é/è gn suivi de i
-éguer	65	déléguer	alléguer, léguer...	alternance é/è permanence de gu
-équer	67	disséquer	hypothéquer, réséquer...	alternance é/è permanence de qu

-uer	86	remuer	suer, muer...	u suivi de e muet
-ouer	76	louer	trouer, clouer...	u suivi de e muet

VERBES EN -éger : abréger

INDICATIF

Présent	Imparfait	Passé composé	Plus-que-parfait
j' abrège	j' abrégeais	j' ai abrégé	j' avais abrégé
tu abrèges	tu abrégeais	tu as abrégé	tu avais abrégé
il, elle abrège	il, elle abrégeait	il, elle a abrégé	il, elle avait abrégé
nous abrégeons	nous abrégions	nous avons abrégé	nous avions abrégé
vous abrégez	vous abrégiez	vous avez abrégé	vous aviez abrégé
ils, elles abrègent	ils, elles abrégeaient	ils, elles ont abrégé	ils, elles avaient abrégé

Passé simple	Futur simple	Passé antérieur	Futur antérieur
j' abrégeai	j' abrégerai	j' eus abrégé	j' aurai abrégé
tu abrégeas	tu abrégeras	tu eus abrégé	tu auras abrégé
il, elle abrégea	il, elle abrégera	il, elle eut abrégé	il, elle aura abrégé
nous abrégeâmes	nous abrégerons	nous eûmes abrégé	nous aurons abrégé
vous abrégeâtes	vous abrégerez	vous eûtes abrégé	vous aurez abrégé
ils, elles abrégèrent	ils, elles abrégeront	ils, elles eurent abrégé	ils, elles auront abrégé

SUBJONCTIF

Présent	Imparfait	Passé	Plus-que-parfait
Il faut que...	Il fallait que...	Il faut que...	Il fallait que...
j' abrège	j' abrégeasse	j' aie abrégé	j' eusse abrégé
tu abrèges	tu abrégeasses	tu aies abrégé	tu eusses abrégé
il, elle abrège	il, elle abrégeât	il, elle ait abrégé	il, elle eût abrégé
nous abrégions	nous abrégeassions	nous ayons abrégé	nous eussions abrégé
vous abrégiez	vous abrégeassiez	vous ayez abrégé	vous eussiez abrégé
ils, elles abrègent	ils, elles abrégeassent	ils, elles aient abrégé	ils, elles eussent abrégé

CONDITIONNEL

Présent	Passé 1re forme	Passé 2e forme
j' abrégerais	j' aurais abrégé	j' eusse abrégé
tu abrégerais	tu aurais abrégé	tu eusses abrégé
il, elle abrégerait	il, elle aurait abrégé	il, elle eût abrégé
nous abrégerions	nous aurions abrégé	nous eussions abrégé
vous abrégeriez	vous auriez abrégé	vous eussiez abrégé
ils, elles abrégeraient	ils, elles auraient abrégé	ils, elles eussent abrégé

IMPÉRATIF

Présent	Passé
abrège	aie abrégé
abrégeons	ayons abrégé
abrégez	ayez abrégé

INFINITIF

Présent	Passé
abréger	avoir abrégé

PARTICIPE

Présent	Passé
abrégeant	abrégé(e)
	ayant abrégé

REMARQUES

● **é** devient **è** :
- aux trois personnes du singulier et à la 3e personne du pluriel du présent de l'indicatif et du subjonctif ;
- à la 2e personne du singulier du présent de l'impératif.
▶ Au futur simple de l'indicatif et au présent du conditionnel, le **é** est généralement prononcé [ɛ], d'où la tolérance d'écriture maintenant admise qui consiste à remplacer le **é** par un **è** à toutes les personnes de ces temps.
● **g** devient **ge** devant **a** et **o** pour garder le son [ʒ].

VERBES EN -é(consonnes)er : accéder

INDICATIF

Présent		Imparfait		Passé composé			Plus-que-parfait		
j'	accède	j'	accédais	j'	ai	accédé	j'	avais	accédé
tu	accèdes	tu	accédais	tu	as	accédé	tu	avais	accédé
il, elle	accède	il, elle	accédait	il, elle	a	accédé	il, elle	avait	accédé
nous	accédons	nous	accédions	nous	avons	accédé	nous	avions	accédé
vous	accédez	vous	accédiez	vous	avez	accédé	vous	aviez	accédé
ils, elles	accèdent	ils, elles	accédaient	ils, elles	ont	accédé	ils, elles	avaient	accédé

Passé simple		Futur simple		Passé antérieur			Futur antérieur		
j'	accédai	j'	accéderai	j'	eus	accédé	j'	aurai	accédé
tu	accédas	tu	accéderas	tu	eus	accédé	tu	auras	accédé
il, elle	accéda	il, elle	accédera	il, elle	eut	accédé	il, elle	aura	accédé
nous	accédâmes	nous	accéderons	nous	eûmes	accédé	nous	aurons	accédé
vous	accédâtes	vous	accéderez	vous	eûtes	accédé	vous	aurez	accédé
ils, elles	accédèrent	ils, elles	accéderont	ils, elles	eurent	accédé	ils, elles	auront	accédé

SUBJONCTIF

Présent		Imparfait		Passé			Plus-que-parfait		
*Il faut **que...***		*Il fallait **que...***		*Il faut **que...***			*Il fallait **que...***		
j'	accède	j'	accédasse	j'	aie	accédé	j'	eusse	accédé
tu	accèdes	tu	accédasses	tu	aies	accédé	tu	eusses	accédé
il, elle	accède	il, elle	accédât	il, elle	ait	accédé	il, elle	eût	accédé
nous	accédions	nous	accédassions	nous	ayons	accédé	nous	eussions	accédé
vous	accédiez	vous	accédassiez	vous	ayez	accédé	vous	eussiez	accédé
ils, elles	accèdent	ils, elles	accédassent	ils, elles	aient	accédé	ils, elles	eussent	accédé

CONDITIONNEL

Présent		Passé 1re forme			Passé 2e forme		
j'	accéderais	j'	aurais	accédé	j'	eusse	accédé
tu	accéderais	tu	aurais	accédé	tu	eusses	accédé
il, elle	accéderait	il, elle	aurait	accédé	il, elle	eût	accédé
nous	accéderions	nous	aurions	accédé	nous	eussions	accédé
vous	accéderiez	vous	auriez	accédé	vous	eussiez	accédé
ils, elles	accéderaient	ils, elles	auraient	accédé	ils, elles	eussent	accédé

IMPÉRATIF

Présent	Passé
accède	aie accédé
accédons	ayons accédé
accédez	ayez accédé

INFINITIF

Présent	Passé
accéder	avoir accédé

PARTICIPE

Présent	Passé
accédant	accédé
	ayant accédé

REMARQUES

é devient è :
- aux trois personnes du singulier et à la 3e personne du pluriel du présent de l'indicatif et du subjonctif ;
- à la 2e personne du singulier du présent de l'impératif.

► Au futur simple de l'indicatif et au présent du conditionnel, le **é** est généralement prononcé [ɛ], d'où la tolérance d'écriture admise qui consiste à remplacer le **é** par un **è** à toutes les personnes de ces temps.

► Les verbes en ***-é(consonnes)er*** correspondent à : ***-é(br, ch, cr, d, gl, gr, j, l, m, n, p, r, s, t, tr, vr)er***.

VERBES EN -eter : acheter

INDICATIF

Présent		Imparfait		Passé composé			Plus-que-parfait		
j'	achète	j'	achetais	j'	ai	acheté	j'	avais	acheté
tu	achètes	tu	achetais	tu	as	acheté	tu	avais	acheté
il, elle	achète	il, elle	achetait	il, elle	a	acheté	il, elle	avait	acheté
nous	achetons	nous	achetions	nous	avons	acheté	nous	avions	acheté
vous	achetez	vous	achetiez	vous	avez	acheté	vous	aviez	acheté
ils, elles	achètent	ils, elles	achetaient	ils, elles	ont	acheté	ils, elles	avaient	acheté

Passé simple		Futur simple		Passé antérieur			Futur antérieur		
j'	achetai	j'	achèterai	j'	eus	acheté	j'	aurai	acheté
tu	achetas	tu	achèteras	tu	eus	acheté	tu	auras	acheté
il, elle	acheta	il, elle	achètera	il, elle	eut	acheté	il, elle	aura	acheté
nous	achetâmes	nous	achèterons	nous	eûmes	acheté	nous	aurons	acheté
vous	achetâtes	vous	achèterez	vous	eûtes	acheté	vous	aurez	acheté
ils, elles	achetèrent	ils, elles	achèteront	ils, elles	eurent	acheté	ils, elles	auront	acheté

SUBJONCTIF

Présent		Imparfait		Passé			Plus-que-parfait		
Il faut que...		Il fallait que...		Il faut que...			Il fallait que...		
j'	achète	j'	achetasse	j'	aie	acheté	j'	eusse	acheté
tu	achètes	tu	achetasses	tu	aies	acheté	tu	eusses	acheté
il, elle	achète	il, elle	achetât	il, elle	ait	acheté	il, elle	eût	acheté
nous	achetions	nous	achetassions	nous	ayons	acheté	nous	eussions	acheté
vous	achetiez	vous	achetassiez	vous	ayez	acheté	vous	eussiez	acheté
ils, elles	achètent	ils, elles	achetassent	ils, elles	aient	acheté	ils, elles	eussent	acheté

CONDITIONNEL

Présent		Passé 1re forme			Passé 2e forme		
j'	achèterais	j'	aurais	acheté	j'	eusse	acheté
tu	achèterais	tu	aurais	acheté	tu	eusses	acheté
il, elle	achèterait	il, elle	aurait	acheté	il, elle	eût	acheté
nous	achèterions	nous	aurions	acheté	nous	eussions	acheté
vous	achèteriez	vous	auriez	acheté	vous	eussiez	acheté
ils, elles	achèteraient	ils, elles	auraient	acheté	ils, elles	eussent	acheté

IMPÉRATIF

Présent	Passé
achète	aie acheté
achetons	ayons acheté
achetez	ayez acheté

INFINITIF

Présent	Passé
acheter	avoir acheté

PARTICIPE

Présent	Passé
achetant	acheté(e)
	ayant acheté

● e devient è :
- aux trois personnes du singulier et à la 3e personne du pluriel du présent de l'indicatif et du subjonctif ;
- à la 2e personne du singulier du présent de l'impératif ;
- à toutes les personnes du futur simple de l'indicatif et du présent du conditionnel.
▶ Se conjuguent sur le modèle d'acheter : bégueter, bouveter, breveter, corseter, crocheter, fileter, fureter, haleter, préacheter, racheter.
Les autres verbes en -eter se conjuguent sur le modèle de jeter (cf. jeter, 75).

INDICATIF

Présent		Imparfait		Passé composé			Plus-que-parfait		
j'	acquiesce	j'	acquiesçais	j'	ai	acquiescé	j'	avais	acquiescé
tu	acquiesces	tu	acquiesçais	tu	as	acquiescé	tu	avais	acquiescé
il, elle	acquiesce	il, elle	acquiesçait	il, elle	a	acquiescé	il, elle	avait	acquiescé
nous	acquiesçons	nous	acquiescions	nous	avons	acquiescé	nous	avions	acquiescé
vous	acquiescez	vous	acquiesciez	vous	avez	acquiescé	vous	aviez	acquiescé
ils, elles	acquiescent	ils, elles	acquiesçaient	ils, elles	ont	acquiescé	ils, elles	avaient	acquiescé

Passé simple		Futur simple		Passé antérieur			Futur antérieur		
j'	acquiesçai	j'	acquiescerai	j'	eus	acquiescé	j'	aurai	acquiescé
tu	acquiesças	tu	acquiesceras	tu	eus	acquiescé	tu	auras	acquiescé
il, elle	acquiesça	il, elle	acquiescera	il, elle	eut	acquiescé	il, elle	aura	acquiescé
nous	acquiesçâmes	nous	acquiescerons	nous	eûmes	acquiescé	nous	aurons	acquiescé
vous	acquiesçâtes	vous	acquiescerez	vous	eûtes	acquiescé	vous	aurez	acquiescé
ils, elles	acquiescèrent	ils, elles	acquiesceront	ils, elles	eurent	acquiescé	ils, elles	auront	acquiescé

SUBJONCTIF

Présent		Imparfait		Passé			Plus-que-parfait		
Il faut que...		*Il fallait que...*		*Il faut que...*			*Il fallait que...*		
j'	acquiesce	j'	acquiesçasse	j'	aie	acquiescé	j'	eusse	acquiescé
tu	acquiesces	tu	acquiesçasses	tu	aies	acquiescé	tu	eusses	acquiescé
il, elle	acquiesce	il, elle	acquiesçât	il, elle	ait	acquiescé	il, elle	eût	acquiescé
nous	acquiescions	nous	acquiesçassions	nous	ayons	acquiescé	nous	eussions	acquiescé
vous	acquiesciez	vous	acquiesçassiez	vous	ayez	acquiescé	vous	eussiez	acquiescé
ils, elles	acquiescent	ils, elles	acquiesçassent	ils, elles	aient	acquiescé	ils, elles	eussent	acquiescé

CONDITIONNEL

Présent		Passé 1re forme			Passé 2e forme		
j'	acquiescerais	j'	aurais	acquiescé	j'	eusse	acquiescé
tu	acquiescerais	tu	aurais	acquiescé	tu	eusses	acquiescé
il, elle	acquiescerait	il, elle	aurait	acquiescé	il, elle	eût	acquiescé
nous	acquiescerions	nous	aurions	acquiescé	nous	eussions	acquiescé
vous	acquiesceriez	vous	auriez	acquiescé	vous	eussiez	acquiescé
ils, elles	acquiesceraient	ils, elles	auraient	acquiescé	ils, elles	eussent	acquiescé

IMPÉRATIF

Présent	Passé
acquiesce	aie acquiescé
acquiesçons	ayons acquiescé
acquiescez	ayez acquiescé

INFINITIF

Présent	Passé
acquiescer	avoir acquiescé

PARTICIPE

Présent	Passé
acquiesçant	acquiescé
	ayant acquiescé

REMARQUES

● **c** devient **ç** devant **a** et **o** pour garder le son [s] :
- à la 1re personne du pluriel du présent de l'indicatif et de l'impératif ;
- aux trois personnes du singulier et à la 3e personne du pluriel de l'imparfait de l'indicatif ;
- à toutes les personnes de l'imparfait du subjonctif et du passé simple de l'indicatif (sauf à la 3e personne du pluriel du passé simple) ;
- au participe présent.

VERBES EN -eler : appeler

INDICATIF

Présent	Imparfait	Passé composé	Plus-que-parfait
j' appelle	j' appelais	j' ai appelé	j' avais appelé
tu appelles	tu appelais	tu as appelé	tu avais appelé
il, elle appelle	il, elle appelait	il, elle a appelé	il, elle avait appelé
nous appelons	nous appelions	nous avons appelé	nous avions appelé
vous appelez	vous appeliez	vous avez appelé	vous aviez appelé
ils, elles appellent	ils, elles appelaient	ils, elles ont appelé	ils, elles avaient appelé

Passé simple	Futur simple	Passé antérieur	Futur antérieur
j' appelai	j' appellerai	j' eus appelé	j' aurai appelé
tu appelas	tu appelleras	tu eus appelé	tu auras appelé
il, elle appela	il, elle appellera	il, elle eut appelé	il, elle aura appelé
nous appelâmes	nous appellerons	nous eûmes appelé	nous aurons appelé
vous appelâtes	vous appellerez	vous eûtes appelé	vous aurez appelé
ils, elles appelèrent	ils, elles appelleront	ils, elles eurent appelé	ils, elles auront appelé

SUBJONCTIF

Présent	Imparfait	Passé	Plus-que-parfait
Il faut que...	Il fallait que...	Il faut que...	Il fallait que...
j' appelle	j' appelasse	j' aie appelé	j' eusse appelé
tu appelles	tu appelasses	tu aies appelé	tu eusses appelé
il, elle appelle	il, elle appelât	il, elle ait appelé	il, elle eût appelé
nous appelions	nous appelassions	nous ayons appelé	nous eussions appelé
vous appeliez	vous appelassiez	vous ayez appelé	vous eussiez appelé
ils, elles appellent	ils, elles appelassent	ils, elles aient appelé	ils, elles eussent appelé

CONDITIONNEL

Présent	Passé 1re forme	Passé 2e forme
j' appellerais	j' aurais appelé	j' eusse appelé
tu appellerais	tu aurais appelé	tu eusses appelé
il, elle appellerait	il, elle aurait appelé	il, elle eût appelé
nous appellerions	nous aurions appelé	nous eussions appelé
vous appelleriez	vous auriez appelé	vous eussiez appelé
ils, elles appelleraient	ils, elles auraient appelé	ils, elles eussent appelé

IMPÉRATIF

Présent	Passé
appelle	aie appelé
appelons	ayons appelé
appelez	ayez appelé

INFINITIF

Présent	Passé
appeler	avoir appelé

PARTICIPE

Présent	Passé
appelant	appelé(e)
	ayant appelé

REMARQUES

● l devient ll :
- aux trois personnes du singulier et à la 3e personne du pluriel du présent de l'indicatif et du subjonctif ;
- à la 2e personne du singulier du présent de l'impératif ;
- à toutes les personnes du futur simple de l'indicatif et du présent du conditionnel.
▶ Exceptions : *aciseler, celer, ciseler, congeler, se crêpeler, déceler, décongeler, dégeler* (être ou avoir), *déman-teler, écarteler, embreler, s'encasteler, épinceler, friseler, geler, harceler, marteler, modeler, peler, receler, recon-geler, regeler, remodeler, surgeler* ne doublent pas le l, mais changent le e du radical en è (cf. *geler*, 72).

arguer

INDICATIF

Présent		Imparfait		Passé composé			Plus-que-parfait		
j'	arguë	j'	arguais	j'	ai	argué	j'	avais	argué
tu	arguës	tu	arguais	tu	as	argué	tu	avais	argué
il, elle	arguë	il, elle	arguait	il, elle	a	argué	il, elle	avait	argué
nous	arguons	nous	arguïons	nous	avons	argué	nous	avions	argué
vous	arguez	vous	arguïez	vous	avez	argué	vous	aviez	argué
ils, elles	arguënt	ils, elles	arguaient	ils, elles	ont	argué	ils, elles	avaient	argué

Passé simple		Futur simple		Passé antérieur			Futur antérieur		
j'	arguai	j'	arguërai	j'	eus	argué	j'	aurai	argué
tu	arguas	tu	arguëras	tu	eus	argué	tu	auras	argué
il, elle	argua	il, elle	arguëra	il, elle	eut	argué	il, elle	aura	argué
nous	arguâmes	nous	arguërons	nous	eûmes	argué	nous	aurons	argué
vous	arguâtes	vous	arguërez	vous	eûtes	argué	vous	aurez	argué
ils, elles	arguèrent	ils, elles	arguëront	ils, elles	eurent	argué	ils, elles	auront	argué

SUBJONCTIF

Présent		Imparfait		Passé			Plus-que-parfait		
Il faut que...		Il fallait que...		Il faut que...			Il fallait que...		
j'	arguë	j'	arguasse	j'	aie	argué	j'	eusse	argué
tu	arguës	tu	arguasses	tu	aies	argué	tu	eusses	argué
il, elle	arguë	il, elle	arguât	il, elle	ait	argué	il, elle	eût	argué
nous	arguïons	nous	arguassions	nous	ayons	argué	nous	eussions	argué
vous	arguïez	vous	arguassiez	vous	ayez	argué	vous	eussiez	argué
ils, elles	arguënt	ils, elles	arguassent	ils, elles	aient	argué	ils, elles	eussent	argué

CONDITIONNEL

Présent		Passé 1re forme			Passé 2e forme		
j'	arguërais	j'	aurais	argué	j'	eusse	argué
tu	arguërais	tu	aurais	argué	tu	eusses	argué
il, elle	arguërait	il, elle	aurait	argué	il, elle	eût	argué
nous	arguërions	nous	aurions	argué	nous	eussions	argué
vous	arguëriez	vous	auriez	argué	vous	eussiez	argué
ils, elles	arguëraient	ils, elles	auraient	argué	ils, elles	eussent	argué

IMPÉRATIF		INFINITIF		PARTICIPE	
Présent	Passé	Présent	Passé	Présent	Passé
arguë	aie argué	arguer	avoir argué	arguant	argué(e)
arguons	ayons argué				ayant argué
arguez	ayez argué				

REMARQUES

● **e devient ë :**
- aux trois personnes du singulier et à la 3e personne du pluriel du présent de l'indicatif et du subjonctif ;
- à la 2e personne du singulier du présent de l'impératif ;
- à toutes les personnes du futur simple de l'indicatif et du présent du conditionnel.
● **i devient ï** aux 1res et 2es personnes du pluriel de l'imparfait de l'indicatif et du présent du subjonctif.
▶ L'usage du tréma n'est plus obligatoire, mais sa présence sur le **e** et le **i** indique qu'il faut prononcer le **u** et non pas l'inclure dans la prononciation du son [g] orthographié **gu**.

VERBES EN -iller : briller

INDICATIF

Présent		Imparfait		Passé composé			Plus-que-parfait		
je	brille	je	brillais	j'	ai	brillé	j'	avais	brillé
tu	brilles	tu	brillais	tu	as	brillé	tu	avais	brillé
il, elle	brille	il, elle	brillait	il, elle	a	brillé	il, elle	avait	brillé
nous	brillons	nous	brillions	nous	avons	brillé	nous	avions	brillé
vous	brillez	vous	brilliez	vous	avez	brillé	vous	aviez	brillé
ils, elles	brillent	ils, elles	brillaient	ils, elles	ont	brillé	ils, elles	avaient	brillé

Passé simple		Futur simple		Passé antérieur			Futur antérieur		
je	brillai	je	brillerai	j'	eus	brillé	j'	aurai	brillé
tu	brillas	tu	brilleras	tu	eus	brillé	tu	auras	brillé
il, elle	brilla	il, elle	brillera	il, elle	eut	brillé	il, elle	aura	brillé
nous	brillâmes	nous	brillerons	nous	eûmes	brillé	nous	aurons	brillé
vous	brillâtes	vous	brillerez	vous	eûtes	brillé	vous	aurez	brillé
ils, elles	brillèrent	ils, elles	brilleront	ils, elles	eurent	brillé	ils, elles	auront	brillé

SUBJONCTIF

Présent		Imparfait		Passé			Plus-que-parfait		
Il faut que...		Il fallait que...		Il faut que...			Il fallait que...		
je	brille	je	brillasse	j'	aie	brillé	j'	eusse	brillé
tu	brilles	tu	brillasses	tu	aies	brillé	tu	eusses	brillé
il, elle	brille	il, elle	brillât	il, elle	ait	brillé	il, elle	eût	brillé
nous	brillions	nous	brillassions	nous	ayons	brillé	nous	eussions	brillé
vous	brilliez	vous	brillassiez	vous	ayez	brillé	vous	eussiez	brillé
ils, elles	brillent	ils, elles	brillassent	ils, elles	aient	brillé	ils, elles	eussent	brillé

CONDITIONNEL

Présent		Passé 1ʳᵉ forme			Passé 2ᵉ forme		
je	brillerais	j'	aurais	brillé	j'	eusse	brillé
tu	brillerais	tu	aurais	brillé	tu	eusses	brillé
il, elle	brillerait	il, elle	aurait	brillé	il, elle	eût	brillé
nous	brillerions	nous	aurions	brillé	nous	eussions	brillé
vous	brilleriez	vous	auriez	brillé	vous	eussiez	brillé
ils, elles	brilleraient	ils, elles	auraient	brillé	ils, elles	eussent	brillé

IMPÉRATIF

Présent	Passé
brille	aie brillé
brillons	ayons brillé
brillez	ayez brillé

INFINITIF

Présent	Passé
briller	avoir brillé

PARTICIPE

Présent	Passé
brillant	brillé
	ayant brillé

REMARQUES

● Il devient lli aux 1ʳᵉˢ et 2ᵉˢ personnes du pluriel de l'imparfait de l'indicatif et du présent du subjonctif.

VERBES EN -cer : commencer

63

1er groupe

INDICATIF

Présent	Imparfait	Passé composé	Plus-que-parfait
je commence	je commençais	j' ai commencé	j' avais commencé
tu commences	tu commençais	tu as commencé	tu avais commencé
il, elle commence	il, elle commençait	il, elle a commencé	il, elle avait commencé
nous commençons	nous commencions	nous avons commencé	nous avions commencé
vous commencez	vous commenciez	vous avez commencé	vous aviez commencé
ils, elles commencent	ils, elles commençaient	ils, elles ont commencé	ils, elles avaient commencé

Passé simple	Futur simple	Passé antérieur	Futur antérieur
je commençai	je commencerai	j' eus commencé	j' aurai commencé
tu commenças	tu commenceras	tu eus commencé	tu auras commencé
il, elle commença	il, elle commencera	il, elle eut commencé	il, elle aura commencé
nous commençâmes	nous commencerons	nous eûmes commencé	nous aurons commencé
vous commençâtes	vous commencerez	vous eûtes commencé	vous aurez commencé
ils, elles commencèrent	ils, elles commenceront	ils, elles eurent commencé	ils, elles auront commencé

SUBJONCTIF

Présent	Imparfait	Passé	Plus-que-parfait
Il faut que...	Il fallait que...	Il faut que...	Il fallait que...
je commence	je commençasse	j' aie commencé	j' eusse commencé
tu commences	tu commençasses	tu aies commencé	tu eusses commencé
il, elle commence	il, elle commençât	il, elle ait commencé	il, elle eût commencé
nous commencions	nous commençassions	nous ayons commencé	nous eussions commencé
vous commenciez	vous commençassiez	vous ayez commencé	vous eussiez commencé
ils, elles commencent	ils, elles commençassent	ils, elles aient commencé	ils, elles eussent commencé

CONDITIONNEL

Présent	Passé 1re forme	Passé 2e forme
je commencerais	j' aurais commencé	j' eusse commencé
tu commencerais	tu aurais commencé	tu eusses commencé
il, elle commencerait	il, elle aurait commencé	il, elle eût commencé
nous commencerions	nous aurions commencé	nous eussions commencé
vous commenceriez	vous auriez commencé	vous eussiez commencé
ils, elles commenceraient	ils, elles auraient commencé	ils, elles eussent commencé

IMPÉRATIF

Présent	Passé
commence	aie commencé
commençons	ayons commencé
commencez	ayez commencé

INFINITIF

Présent	Passé
commencer	avoir commencé

PARTICIPE

Présent	Passé
commençant	commencé(e)
	ayant commencé

REMARQUES

● c devient ç devant a et o pour garder le son [s] :
- à la 1re personne du pluriel du présent de l'indicatif et de l'impératif ;
- aux trois personnes du singulier et à la 3e personne du pluriel de l'imparfait de l'indicatif ;
- à toutes les personnes de l'imparfait du subjonctif et du passé simple de l'indicatif (sauf à la 3e personne du pluriel du passé simple) ;
- au participe présent.

VERBES EN -éer : créer

INDICATIF

Présent	Imparfait	Passé composé	Plus-que-parfait
je crée	je créais	j' ai créé	j' avais créé
tu crées	tu créais	tu as créé	tu avais créé
il, elle crée	il, elle créait	il, elle a créé	il, elle avait créé
nous créons	nous créions	nous avons créé	nous avions créé
vous créez	vous créiez	vous avez créé	vous aviez créé
ils, elles créent	ils, elles créaient	ils, elles ont créé	ils, elles avaient créé

Passé simple	Futur simple	Passé antérieur	Futur antérieur
je créai	je créerai	j' eus créé	j' aurai créé
tu créas	tu créeras	tu eus créé	tu auras créé
il, elle créa	il, elle créera	il, elle eut créé	il, elle aura créé
nous créâmes	nous créerons	nous eûmes créé	nous aurons créé
vous créâtes	vous créerez	vous eûtes créé	vous aurez créé
ils, elles créèrent	ils, elles créeront	ils, elles eurent créé	ils, elles auront créé

SUBJONCTIF

Présent	Imparfait	Passé	Plus-que-parfait
Il faut que...	Il fallait que...	Il faut que...	Il fallait que...
je crée	je créasse	j' aie créé	j' eusse créé
tu crées	tu créasses	tu aies créé	tu eusses créé
il, elle crée	il, elle créât	il, elle ait créé	il, elle eût créé
nous créions	nous créassions	nous ayons créé	nous eussions créé
vous créiez	vous créassiez	vous ayez créé	vous eussiez créé
ils, elles créent	ils, elles créassent	ils, elles aient créé	ils, elles eussent créé

CONDITIONNEL

Présent	Passé 1re forme	Passé 2e forme
je créerais	j' aurais créé	j' eusse créé
tu créerais	tu aurais créé	tu eusses créé
il, elle créerait	il, elle aurait créé	il, elle eût créé
nous créerions	nous aurions créé	nous eussions créé
vous créeriez	vous auriez créé	vous eussiez créé
ils, elles créeraient	ils, elles auraient créé	ils, elles eussent créé

IMPÉRATIF

Présent	Passé
crée	aie créé
créons	ayons créé
créez	ayez créé

INFINITIF

Présent	Passé
créer	avoir créé

PARTICIPE

Présent	Passé
créant	créé(e)
	ayant créé

REMARQUES

● é est suivi d'un **e** :
- à l'infinitif ;
- aux trois personnes du singulier et à la 3e personne du pluriel du présent de l'indicatif et du subjonctif ;
- à la 2e personne du singulier du présent de l'impératif ;
- à toutes les personnes du futur simple de l'indicatif et du présent du conditionnel. Pour ne pas l'oublier, il faut se rappeler que le futur simple de l'indicatif et le présent du conditionnel ajoutent leurs terminaisons à l'infinitif du verbe.
▶ Au participe passé féminin, éé devient ééе : créée, créées.

VERBES EN -éguer : **déléguer**

INDICATIF

Présent		Imparfait		Passé composé			Plus-que-parfait		
je	délègue	je	déléguais	j'	ai	délégué	j'	avais	délégué
tu	délègues	tu	déléguais	tu	as	délégué	tu	avais	délégué
il, elle	délègue	il, elle	déléguait	il, elle	a	délégué	il, elle	avait	délégué
nous	déléguons	nous	déléguions	nous	avons	délégué	nous	avions	délégué
vous	déléguez	vous	déléguiez	vous	avez	délégué	vous	aviez	délégué
ils, elles	délèguent	ils, elles	déléguaient	ils, elles	ont	délégué	ils, elles	avaient	délégué

Passé simple		Futur simple		Passé antérieur			Futur antérieur		
je	déléguai	je	déléguerai	j'	eus	délégué	j'	aurai	délégué
tu	déléguas	tu	délégueras	tu	eus	délégué	tu	auras	délégué
il, elle	délégua	il, elle	déléguera	il, elle	eut	délégué	il, elle	aura	délégué
nous	déléguâmes	nous	déléguerons	nous	eûmes	délégué	nous	aurons	délégué
vous	déléguâtes	vous	déléguerez	vous	eûtes	délégué	vous	aurez	délégué
ils, elles	déléguèrent	ils, elles	délégueront	ils, elles	eurent	délégué	ils, elles	auront	délégué

SUBJONCTIF

Présent		Imparfait		Passé			Plus-que-parfait		
Il faut que...		Il fallait que...		Il faut que...			Il fallait que...		
je	délègue	je	déléguasse	j'	aie	délégué	j'	eusse	délégué
tu	délègues	tu	déléguasses	tu	aies	délégué	tu	eusses	délégué
il, elle	délègue	il, elle	déléguât	il, elle	ait	délégué	il, elle	eût	délégué
nous	déléguions	nous	déléguassions	nous	ayons	délégué	nous	eussions	délégué
vous	déléguiez	vous	déléguassiez	vous	ayez	délégué	vous	eussiez	délégué
ils, elles	délèguent	ils, elles	déléguassent	ils, elles	aient	délégué	ils, elles	eussent	délégué

CONDITIONNEL

Présent		Passé 1re forme			Passé 2e forme		
je	déléguerais	j'	aurais	délégué	j'	eusse	délégué
tu	déléguerais	tu	aurais	délégué	tu	eusses	délégué
il, elle	déléguerait	il, elle	aurait	délégué	il, elle	eût	délégué
nous	déléguerions	nous	aurions	délégué	nous	eussions	délégué
vous	délégueriez	vous	auriez	délégué	vous	eussiez	délégué
ils, elles	délégueraient	ils, elles	auraient	délégué	ils, elles	eussent	délégué

IMPÉRATIF

Présent	Passé
délègue	aie délégué
déléguons	ayons délégué
déléguez	ayez délégué

INFINITIF

Présent	Passé
déléguer	avoir délégué

PARTICIPE

Présent	Passé
déléguant	délégué(e)
	ayant délégué

REMARQUES

● **é** devient **è** :
- aux trois personnes du singulier et à la 3e personne du pluriel du présent de l'indicatif et du subjonctif ;
- à la 2e personne du singulier du présent de l'impératif.
▶ Au futur simple de l'indicatif et au présent du conditionnel, le **é** est généralement prononcé [ɛ], d'où la tolérance d'écriture maintenant admise qui consiste à remplacer le **é** par un **è** à toutes les personnes de ces temps.
● **gu** reste **gu**, même devant **a** et **o**.

66

1er groupe

VERBES EN -ecer : dépecer

INDICATIF

Présent
je dépèce
tu dépèces
il, elle dépèce
nous dépeçons
vous dépecez
ils, elles dépècent

Imparfait
je dépeçais
tu dépeçais
il, elle dépeçait
nous dépecions
vous dépeciez
ils, elles dépeçaient

Passé composé
j' ai dépecé
tu as dépecé
il, elle a dépecé
nous avons dépecé
vous avez dépecé
ils, elles ont dépecé

Plus-que-parfait
j' avais dépecé
tu avais dépecé
il, elle avait dépecé
nous avions dépecé
vous aviez dépecé
ils, elles avaient dépecé

Passé simple
je dépeçai
tu dépeças
il, elle dépeça
nous dépeçâmes
vous dépeçâtes
ils, elles dépecèrent

Futur simple
je dépècerai
tu dépèceras
il, elle dépècera
nous dépècerons
vous dépècerez
ils, elles dépèceront

Passé antérieur
j' eus dépecé
tu eus dépecé
il, elle eut dépecé
nous eûmes dépecé
vous eûtes dépecé
ils, elles eurent dépecé

Futur antérieur
j' aurai dépecé
tu auras dépecé
il, elle aura dépecé
nous aurons dépecé
vous aurez dépecé
ils, elles auront dépecé

SUBJONCTIF

Présent
Il faut que...
je dépèce
tu dépèces
il, elle dépèce
nous dépecions
vous dépeciez
ils, elles dépècent

Imparfait
Il fallait que...
je dépeçasse
tu dépeçasses
il, elle dépeçât
nous dépeçassions
vous dépeçassiez
ils, elles dépeçassent

Passé
Il faut que...
j' aie dépecé
tu aies dépecé
il, elle ait dépecé
nous ayons dépecé
vous ayez dépecé
ils, elles aient dépecé

Plus-que-parfait
Il fallait que...
j' eusse dépecé
tu eusses dépecé
il, elle eût dépecé
nous eussions dépecé
vous eussiez dépecé
ils, elles eussent dépecé

CONDITIONNEL

Présent
je dépècerais
tu dépècerais
il, elle dépècerait
nous dépècerions
vous dépèceriez
ils, elles dépèceraient

Passé 1re forme
j' aurais dépecé
tu aurais dépecé
il, elle aurait dépecé
nous aurions dépecé
vous auriez dépecé
ils, elles auraient dépecé

Passé 2e forme
j' eusse dépecé
tu eusses dépecé
il, elle eût dépecé
nous eussions dépecé
vous eussiez dépecé
ils, elles eussent dépecé

IMPÉRATIF

Présent
dépèce
dépeçons
dépecez

Passé
aie dépecé
ayons dépecé
ayez dépecé

INFINITIF

Présent
dépecer

Passé
avoir dépecé

PARTICIPE

Présent
dépeçant

Passé
dépecé(e)
ayant dépecé

REMARQUES

● e devient è :
- aux trois personnes du singulier et à la 3e personne du pluriel du présent de l'indicatif et du subjonctif;
- à la 2e personne du singulier du présent de l'impératif;
- à toutes les personnes du futur simple de l'indicatif et du présent du conditionnel.
● c devient ç devant a et o pour garder le son [s].

66

Présent		Imparfait		Passé composé			Plus-que-parfait		
je	dissèque	je	disséquais	j'	ai	disséqué	j'	avais	disséqué
tu	dissèques	tu	disséquais	tu	as	disséqué	tu	avais	disséqué
il, elle	dissèque	il, elle	disséquait	il, elle	a	disséqué	il, elle	avait	disséqué
nous	disséquons	nous	disséquions	nous	avons	disséqué	nous	avions	disséqué
vous	disséquez	vous	disséquiez	vous	avez	disséqué	vous	aviez	disséqué
ils, elles	dissèquent	ils, elles	disséquaient	ils, elles	ont	disséqué	ils, elles	avaient	disséqué

Passé simple		Futur simple		Passé antérieur			Futur antérieur		
je	disséquai	je	disséquerai	j'	eus	disséqué	j'	aurai	disséqué
tu	disséquas	tu	disséqueras	tu	eus	disséqué	tu	auras	disséqué
il, elle	disséqua	il, elle	disséquera	il, elle	eut	disséqué	il, elle	aura	disséqué
nous	disséquâmes	nous	disséquerons	nous	eûmes	disséqué	nous	aurons	disséqué
vous	disséquâtes	vous	disséquerez	vous	eûtes	disséqué	vous	aurez	disséqué
ils, elles	disséquèrent	ils, elles	disséqueront	ils, elles	eurent	disséqué	ils, elles	auront	disséqué

SUBJONCTIF

Présent		Imparfait		Passé			Plus-que-parfait		
Il faut que...		Il fallait que...		Il faut que...			Il fallait que...		
je	dissèque	je	disséquasse	j'	aie	disséqué	j'	eusse	disséqué
tu	dissèques	tu	disséquasses	tu	aies	disséqué	tu	eusses	disséqué
il, elle	dissèque	il, elle	disséquât	il, elle	ait	disséqué	il, elle	eût	disséqué
nous	disséquions	nous	disséquassions	nous	ayons	disséqué	nous	eussions	disséqué
vous	disséquiez	vous	disséquassiez	vous	ayez	disséqué	vous	eussiez	disséqué
ils, elles	dissèquent	ils, elles	disséquassent	ils, elles	aient	disséqué	ils, elles	eussent	disséqué

CONDITIONNEL

Présent		Passé 1re forme			Passé 2e forme		
je	disséquerais	j'	aurais	disséqué	j'	eusse	disséqué
tu	disséquerais	tu	aurais	disséqué	tu	eusses	disséqué
il, elle	disséquerait	il, elle	aurait	disséqué	il, elle	eût	disséqué
nous	disséquerions	nous	aurions	disséqué	nous	eussions	disséqué
vous	disséqueriez	vous	auriez	disséqué	vous	eussiez	disséqué
ils, elles	disséqueraient	ils, elles	auraient	disséqué	ils, elles	eussent	disséqué

IMPÉRATIF

Présent	Passé
dissèque	aie disséqué
disséquons	ayons disséqué
disséquez	ayez disséqué

INFINITIF

Présent	Passé
disséquer	avoir disséqué

PARTICIPE

Présent	Passé
disséquant	disséqué(e)
	ayant disséqué

REMARQUES

● é devient è :
- aux trois personnes du singulier et à la 3e personne du pluriel du présent de l'indicatif et du subjonctif ;
- à la 2e personne du singulier du présent de l'impératif.
▶ Au futur simple de l'indicatif et au présent du conditionnel, le é est généralement prononcé [ɛ], d'où la tolérance d'écriture maintenant admise qui consiste à remplacer le é par un è à toutes les personnes de ces temps.
▶ qu est conservé à toutes les formes.

VERBES EN -guer : distinguer

INDICATIF

Présent		Imparfait		Passé composé			Plus-que-parfait		
je	distingue	je	distinguais	j'	ai	distingué	j'	avais	distingué
tu	distingues	tu	distinguais	tu	as	distingué	tu	avais	distingué
il, elle	distingue	il, elle	distinguait	il, elle	a	distingué	il, elle	avait	distingué
nous	distinguons	nous	distinguions	nous	avons	distingué	nous	avions	distingué
vous	distinguez	vous	distinguiez	vous	avez	distingué	vous	aviez	distingué
ils, elles	distinguent	ils, elles	distinguaient	ils, elles	ont	distingué	ils, elles	avaient	distingué

Passé simple		Futur simple		Passé antérieur			Futur antérieur		
je	distinguai	je	distinguerai	j'	eus	distingué	j'	aurai	distingué
tu	distinguas	tu	distingueras	tu	eus	distingué	tu	auras	distingué
il, elle	distingua	il, elle	distinguera	il, elle	eut	distingué	il, elle	aura	distingué
nous	distinguâmes	nous	distinguerons	nous	eûmes	distingué	nous	aurons	distingué
vous	distinguâtes	vous	distinguerez	vous	eûtes	distingué	vous	aurez	distingué
ils, elles	distinguèrent	ils, elles	distingueront	ils, elles	eurent	distingué	ils, elles	auront	distingué

SUBJONCTIF

Présent		Imparfait		Passé			Plus-que-parfait		
Il faut que...		*Il fallait que...*		*Il faut que...*			*Il fallait que...*		
je	distingue	je	distinguasse	j'	aie	distingué	j'	eusse	distingué
tu	distingues	tu	distinguasses	tu	aies	distingué	tu	eusses	distingué
il, elle	distingue	il, elle	distinguât	il, elle	ait	distingué	il, elle	eût	distingué
nous	distinguions	nous	distinguassions	nous	ayons	distingué	nous	eussions	distingué
vous	distinguiez	vous	distinguassiez	vous	ayez	distingué	vous	eussiez	distingué
ils, elles	distinguent	ils, elles	distinguassent	ils, elles	aient	distingué	ils, elles	eussent	distingué

CONDITIONNEL

Présent		Passé 1re forme			Passé 2e forme		
je	distinguerais	j'	aurais	distingué	j'	eusse	distingué
tu	distinguerais	tu	aurais	distingué	tu	eusses	distingué
il, elle	distinguerait	il, elle	aurait	distingué	il, elle	eût	distingué
nous	distinguerions	nous	aurions	distingué	nous	eussions	distingué
vous	distingueriez	vous	auriez	distingué	vous	eussiez	distingué
ils, elles	distingueraient	ils, elles	auraient	distingué	ils, elles	eussent	distingué

IMPÉRATIF

Présent	Passé
distingue	aie distingué
distinguons	ayons distingué
distinguez	ayez distingué

INFINITIF

Présent	Passé
distinguer	avoir distingué

PARTICIPE

Présent	Passé
distinguant	distingué(e)
	ayant distingué

REMARQUES

● **gu** reste **gu** même devant **a** et **o**.
▶ **gu** devient **g** pour l'adjectif verbal des verbes *déléguer, divaguer, extravaguer, fatiguer, intriguer, naviguer, zigzaguer* : *le personnel navigant*.

VERBES EN -oyer : employer

INDICATIF

Présent		Imparfait		Passé composé			Plus-que-parfait		
j'	emploie	j'	employais	j'	ai	employé	j'	avais	employé
tu	emploies	tu	employais	tu	as	employé	tu	avais	employé
il, elle	emploie	il, elle	employait	il, elle	a	employé	il, elle	avait	employé
nous	employons	nous	employions	nous	avons	employé	nous	avions	employé
vous	employez	vous	employiez	vous	avez	employé	vous	aviez	employé
ils, elles	emploient	ils, elles	employaient	ils, elles	ont	employé	ils, elles	avaient	employé

Passé simple		Futur simple		Passé antérieur			Futur antérieur		
j'	employai	j'	emploierai	j'	eus	employé	j'	aurai	employé
tu	employas	tu	emploieras	tu	eus	employé	tu	auras	employé
il, elle	employa	il, elle	emploiera	il, elle	eut	employé	il, elle	aura	employé
nous	employâmes	nous	emploierons	nous	eûmes	employé	nous	aurons	employé
vous	employâtes	vous	emploierez	vous	eûtes	employé	vous	aurez	employé
ils, elles	employèrent	ils, elles	emploieront	ils, elles	eurent	employé	ils, elles	auront	employé

SUBJONCTIF

Présent		Imparfait		Passé			Plus-que-parfait		
Il faut que...		Il fallait que...		Il faut que...			Il fallait que...		
j'	emploie	j'	employasse	j'	aie	employé	j'	eusse	employé
tu	emploies	tu	employasses	tu	aies	employé	tu	eusses	employé
il, elle	emploie	il, elle	employât	il, elle	ait	employé	il, elle	eût	employé
nous	employions	nous	employassions	nous	ayons	employé	nous	eussions	employé
vous	employiez	vous	employassiez	vous	ayez	employé	vous	eussiez	employé
ils, elles	emploient	ils, elles	employassent	ils, elles	aient	employé	ils, elles	eussent	employé

CONDITIONNEL

Présent		Passé 1re forme			Passé 2e forme		
j'	emploierais	j'	aurais	employé	j'	eusse	employé
tu	emploierais	tu	aurais	employé	tu	eusses	employé
il, elle	emploierait	il, elle	aurait	employé	il, elle	eût	employé
nous	emploierions	nous	aurions	employé	nous	eussions	employé
vous	emploieriez	vous	auriez	employé	vous	eussiez	employé
ils, elles	emploieraient	ils, elles	auraient	employé	ils, elles	eussent	employé

IMPÉRATIF

Présent	Passé
emploie	aie employé
employons	ayons employé
employez	ayez employé

INFINITIF

Présent	Passé
employer	avoir employé

PARTICIPE

Présent	Passé
employant	employé(e)
	ayant employé

REMARQUES

● y devient **obligatoirement i** devant **e** muet :
- aux trois personnes du singulier et à la 3e personne du pluriel du présent de l'indicatif et du subjonctif;
- à la 2e personne du singulier du présent de l'impératif ;
- à toutes les personnes du futur simple de l'indicatif et du présent du conditionnel.
● y devient **yi** aux 1res et 2es personnes du pluriel de l'imparfait de l'indicatif et du présent du subjonctif.
● i est suivi d'un **e** à toutes les personnes du futur simple de l'indicatif et du présent du conditionnel. Étant donné qu'il ne se prononce pas, on a souvent tendance à l'oublier à l'écrit.

VERBES EN -uyer : ennuyer

INDICATIF

Présent		Imparfait		Passé composé			Plus-que-parfait		
j'	ennuie	j'	ennuyais	j'	ai	ennuyé	j'	avais	ennuyé
tu	ennuies	tu	ennuyais	tu	as	ennuyé	tu	avais	ennuyé
il, elle	ennuie	il, elle	ennuyait	il, elle	a	ennuyé	il, elle	avait	ennuyé
nous	ennuyons	nous	ennuyions	nous	avons	ennuyé	nous	avions	ennuyé
vous	ennuyez	vous	ennuyiez	vous	avez	ennuyé	vous	aviez	ennuyé
ils, elles	ennuient	ils, elles	ennuyaient	ils, elles	ont	ennuyé	ils, elles	avaient	ennuyé

Passé simple		Futur simple		Passé antérieur			Futur antérieur		
j'	ennuyai	j'	ennuierai	j'	eus	ennuyé	j'	aurai	ennuyé
tu	ennuyas	tu	ennuieras	tu	eus	ennuyé	tu	auras	ennuyé
il, elle	ennuya	il, elle	ennuiera	il, elle	eut	ennuyé	il, elle	aura	ennuyé
nous	ennuyâmes	nous	ennuierons	nous	eûmes	ennuyé	nous	aurons	ennuyé
vous	ennuyâtes	vous	ennuierez	vous	eûtes	ennuyé	vous	aurez	ennuyé
ils, elles	ennuyèrent	ils, elles	ennuieront	ils, elles	eurent	ennuyé	ils, elles	auront	ennuyé

SUBJONCTIF

Présent		Imparfait		Passé			Plus-que-parfait		
Il faut que...		Il fallait que...		Il faut que...			Il fallait que...		
j'	ennuie	j'	ennuyasse	j'	aie	ennuyé	j'	eusse	ennuyé
tu	ennuies	tu	ennuyasses	tu	aies	ennuyé	tu	eusses	ennuyé
il, elle	ennuie	il, elle	ennuyât	il, elle	ait	ennuyé	il, elle	eût	ennuyé
nous	ennuyions	nous	ennuyassions	nous	ayons	ennuyé	nous	eussions	ennuyé
vous	ennuyiez	vous	ennuyassiez	vous	ayez	ennuyé	vous	eussiez	ennuyé
ils, elles	ennuient	ils, elles	ennuyassent	ils, elles	aient	ennuyé	ils, elles	eussent	ennuyé

CONDITIONNEL

Présent		Passé 1re forme			Passé 2e forme		
j'	ennuierais	j'	aurais	ennuyé	j'	eusse	ennuyé
tu	ennuierais	tu	aurais	ennuyé	tu	eusses	ennuyé
il, elle	ennuierait	il, elle	aurait	ennuyé	il, elle	eût	ennuyé
nous	ennuierions	nous	aurions	ennuyé	nous	eussions	ennuyé
vous	ennuieriez	vous	auriez	ennuyé	vous	eussiez	ennuyé
ils, elles	ennuieraient	ils, elles	auraient	ennuyé	ils, elles	eussent	ennuyé

IMPÉRATIF

Présent	Passé
ennuie	aie ennuyé
ennuyons	ayons ennuyé
ennuyez	ayez ennuyé

INFINITIF

Présent	Passé
ennuyer	avoir ennuyé

PARTICIPE

Présent	Passé
ennuyant	ennuyé(e)
	ayant ennuyé

REMARQUES

● y devient obligatoirement i devant e muet :
- aux trois personnes du singulier et à la 3e personne du pluriel du présent de l'indicatif et du subjonctif;
- à la 2e personne du singulier du présent de l'impératif ;
- à toutes les personnes du futur simple de l'indicatif et du présent du conditionnel.
● y devient yi aux 1res et 2es personnes du pluriel de l'imparfait de l'indicatif et du présent du subjonctif.
● i est suivi d'un e à toutes les personnes du futur simple de l'indicatif et du présent du conditionnel.
Étant donné qu'il ne se prononce pas, on a souvent tendance à l'oublier à l'écrit.

VERBES EN -envoyer : envoyer

INDICATIF

Présent	Imparfait	Passé composé	Plus-que-parfait
j' **envoie**	j' **envoyais**	j' ai envoyé	j' avais envoyé
tu **envoies**	tu **envoyais**	tu as envoyé	tu avais envoyé
il, elle **envoie**	il, elle **envoyait**	il, elle a envoyé	il, elle avait envoyé
nous **envoyons**	nous **envoyions**	nous avons envoyé	nous avions envoyé
vous **envoyez**	vous **envoyiez**	vous avez envoyé	vous aviez envoyé
ils, elles **envoient**	ils, elles **envoyaient**	ils, elles ont envoyé	ils, elles avaient envoyé

Passé simple	Futur simple	Passé antérieur	Futur antérieur
j' **envoyai**	j' **enverrai**	j' eus envoyé	j' aurai envoyé
tu **envoyas**	tu **enverras**	tu eus envoyé	tu auras envoyé
il, elle **envoya**	il, elle **enverra**	il, elle eut envoyé	il, elle aura envoyé
nous **envoyâmes**	nous **enverrons**	nous eûmes envoyé	nous aurons envoyé
vous **envoyâtes**	vous **enverrez**	vous eûtes envoyé	vous aurez envoyé
ils, elles **envoyèrent**	ils, elles **enverront**	ils, elles eurent envoyé	ils, elles auront envoyé

SUBJONCTIF

Présent	Imparfait	Passé	Plus-que-parfait
Il faut que...	Il fallait que...	Il faut que...	Il fallait que...
j' **envoie**	j' **envoyasse**	j' aie envoyé	j' eusse envoyé
tu **envoies**	tu **envoyasses**	tu aies envoyé	tu eusses envoyé
il, elle **envoie**	il, elle **envoyât**	il, elle ait envoyé	il, elle eût envoyé
nous **envoyions**	nous **envoyassions**	nous ayons envoyé	nous eussions envoyé
vous **envoyiez**	vous **envoyassiez**	vous ayez envoyé	vous eussiez envoyé
ils, elles **envoient**	ils, elles **envoyassent**	ils, elles aient envoyé	ils, elles eussent envoyé

CONDITIONNEL

Présent	Passé 1re forme	Passé 2e forme
j' **enverrais**	j' aurais envoyé	j' eusse envoyé
tu **enverrais**	tu aurais envoyé	tu eusses envoyé
il, elle **enverrait**	il, elle aurait envoyé	il, elle eût envoyé
nous **enverrions**	nous aurions envoyé	nous eussions envoyé
vous **enverriez**	vous auriez envoyé	vous eussiez envoyé
ils, elles **enverraient**	ils, elles auraient envoyé	ils, elles eussent envoyé

IMPÉRATIF

Présent	Passé
envoie	aie envoyé
envoyons	ayons envoyé
envoyez	ayez envoyé

INFINITIF

Présent	Passé
envoyer	avoir envoyé

PARTICIPE

Présent	Passé
envoyant	envoyé(e)
	ayant envoyé

REMARQUES

● y devient **obligatoirement i** devant e muet :
- aux trois personnes du singulier et à la 3e personne du pluriel du présent de l'indicatif et du subjonctif ;
- à la 2e personne du singulier du présent de l'impératif.
● y devient **yi** aux 1res et 2es personnes du pluriel de l'imparfait de l'indicatif et du présent du subjonctif.
● Au futur simple de l'indicatif et au présent du conditionnel, les formes sont construites sur le radical **enverr**.

VERBES EN -eler : geler

INDICATIF

Présent		Imparfait		Passé composé			Plus-que-parfait		
je	gèle	je	gelais	j'	ai	gelé	j'	avais	gelé
tu	gèles	tu	gelais	tu	as	gelé	tu	avais	gelé
il, elle	gèle	il, elle	gelait	il, elle	a	gelé	il, elle	avait	gelé
nous	gelons	nous	gelions	nous	avons	gelé	nous	avions	gelé
vous	gelez	vous	geliez	vous	avez	gelé	vous	aviez	gelé
ils, elles	gèlent	ils, elles	gelaient	ils, elles	ont	gelé	ils, elles	avaient	gelé

Passé simple		Futur simple		Passé antérieur			Futur antérieur		
je	gelai	je	gèlerai	j'	eus	gelé	j'	aurai	gelé
tu	gelas	tu	gèleras	tu	eus	gelé	tu	auras	gelé
il, elle	gela	il, elle	gèlera	il, elle	eut	gelé	il, elle	aura	gelé
nous	gelâmes	nous	gèlerons	nous	eûmes	gelé	nous	aurons	gelé
vous	gelâtes	vous	gèlerez	vous	eûtes	gelé	vous	aurez	gelé
ils, elles	gelèrent	ils, elles	gèleront	ils, elles	eurent	gelé	ils, elles	auront	gelé

SUBJONCTIF

Présent		Imparfait		Passé			Plus-que-parfait		
Il faut que...		Il fallait que...		Il faut que...			Il fallait que...		
je	gèle	je	gelasse	j'	aie	gelé	j'	eusse	gelé
tu	gèles	tu	gelasses	tu	aies	gelé	tu	eusses	gelé
il, elle	gèle	il, elle	gelât	il, elle	ait	gelé	il, elle	eût	gelé
nous	gelions	nous	gelassions	nous	ayons	gelé	nous	eussions	gelé
vous	geliez	vous	gelassiez	vous	ayez	gelé	vous	eussiez	gelé
ils, elles	gèlent	ils, elles	gelassent	ils, elles	aient	gelé	ils, elles	eussent	gelé

CONDITIONNEL

Présent		Passé 1re forme			Passé 2e forme		
je	gèlerais	j'	aurais	gelé	j'	eusse	gelé
tu	gèlerais	tu	aurais	gelé	tu	eusses	gelé
il, elle	gèlerait	il, elle	aurait	gelé	il, elle	eût	gelé
nous	gèlerions	nous	aurions	gelé	nous	eussions	gelé
vous	gèleriez	vous	auriez	gelé	vous	eussiez	gelé
ils, elles	gèleraient	ils, elles	auraient	gelé	ils, elles	eussent	gelé

IMPÉRATIF | INFINITIF | PARTICIPE

Présent	Passé	Présent	Passé	Présent	Passé
gèle	aie gelé	geler	avoir gelé	gelant	gelé(e)
gelons	ayons gelé				ayant gelé
gelez	ayez gelé				

REMARQUES

● e devient è :
- aux trois personnes du singulier et à la 3e personne du pluriel du présent de l'indicatif et du subjonctif ;
- à la 2e personne du singulier du présent de l'impératif ;
- à toutes les personnes du futur simple de l'indicatif et du présent du conditionnel.
▶ Se conjuguent sur le modèle de *geler* : *aciseler, celer, ciseler, congeler, se crêpeler, déceler, décongeler, dégeler, démanteler, écarteler, embreler, s'encasteler, épinceler, friseler, harceler, marteler, modeler, peler, receler, recongeler, regeler, remodeler, surgeler*. Les autres verbes en -eler se conjuguent sur le modèle d'*appeler* (cf. 60).

VERBES EN -eyer : grasseyer

INDICATIF

Présent		Imparfait		Passé composé			Plus-que-parfait		
je	grasseye	je	grasseyais	j'	ai	grasseyé	j'	avais	grasseyé
tu	grasseyes	tu	grasseyais	tu	as	grasseyé	tu	avais	grasseyé
il, elle	grasseye	il, elle	grasseyait	il, elle	a	grasseyé	il, elle	avait	grasseyé
nous	grasseyons	nous	grasseyions	nous	avons	grasseyé	nous	avions	grasseyé
vous	grasseyez	vous	grasseyiez	vous	avez	grasseyé	vous	aviez	grasseyé
ils, elles	grasseyent	ils, elles	grasseyaient	ils, elles	ont	grasseyé	ils, elles	avaient	grasseyé

Passé simple		Futur simple		Passé antérieur			Futur antérieur		
je	grasseyai	je	grasseyerai	j'	eus	grasseyé	j'	aurai	grasseyé
tu	grasseyas	tu	grasseyeras	tu	eus	grasseyé	tu	auras	grasseyé
il, elle	grasseya	il, elle	grasseyera	il, elle	eut	grasseyé	il, elle	aura	grasseyé
nous	grasseyâmes	nous	grasseyerons	nous	eûmes	grasseyé	nous	aurons	grasseyé
vous	grasseyâtes	vous	grasseyerez	vous	eûtes	grasseyé	vous	aurez	grasseyé
ils, elles	grasseyèrent	ils, elles	grasseyeront	ils, elles	eurent	grasseyé	ils, elles	auront	grasseyé

SUBJONCTIF

Présent		Imparfait		Passé			Plus-que-parfait		
Il faut que...		Il fallait que...		Il faut que...			Il fallait que...		
je	grasseye	je	grasseyasse	j'	aie	grasseyé	j'	eusse	grasseyé
tu	grasseyes	tu	grasseyasses	tu	aies	grasseyé	tu	eusses	grasseyé
il, elle	grasseye	il, elle	grasseyât	il, elle	ait	grasseyé	il, elle	eût	grasseyé
nous	grasseyions	nous	grasseyassions	nous	ayons	grasseyé	nous	eussions	grasseyé
vous	grasseyiez	vous	grasseyassiez	vous	ayez	grasseyé	vous	eussiez	grasseyé
ils, elles	grasseyent	ils, elles	grasseyassent	ils, elles	aient	grasseyé	ils, elles	eussent	grasseyé

CONDITIONNEL

Présent		Passé 1re forme			Passé 2e forme		
je	grasseyerais	j'	aurais	grasseyé	j'	eusse	grasseyé
tu	grasseyerais	tu	aurais	grasseyé	tu	eusses	grasseyé
il, elle	grasseyerait	il, elle	aurait	grasseyé	il, elle	eût	grasseyé
nous	grasseyerions	nous	aurions	grasseyé	nous	eussions	grasseyé
vous	grasseyeriez	vous	auriez	grasseyé	vous	eussiez	grasseyé
ils, elles	grasseyeraient	ils, elles	auraient	grasseyé	ils, elles	eussent	grasseyé

IMPÉRATIF

Présent	Passé
grasseye	aie grasseyé
grasseyons	ayons grasseyé
grasseyez	ayez grasseyé

INFINITIF

Présent	Passé
grasseyer	avoir grasseyé

PARTICIPE

Présent	Passé
grasseyant	grasseyé(e)
	ayant grasseyé

REMARQUES

● y devient yi aux 1res et 2es personnes du pluriel de l'imparfait de l'indicatif et du présent du subjonctif.
● y est suivi d'un e à toutes les personnes du futur simple de l'indicatif et du présent du conditionnel. Pour ne pas l'oublier, il faut se rappeler que le futur simple de l'indicatif et le présent du conditionnel ajoutent leurs terminaisons à l'infinitif du verbe.
▶ y est conservé à toutes les formes, à la différence des verbes en -ayer, -oyer et -uyer.

VERBES EN -eller : interpeller

INDICATIF

Présent		Imparfait		Passé composé			Plus-que-parfait		
j'	interpelle	j'	interpellais	j'	ai	interpellé	j'	avais	interpellé
tu	interpelles	tu	interpellais	tu	as	interpellé	tu	avais	interpellé
il, elle	interpelle	il, elle	interpellait	il, elle	a	interpellé	il, elle	avait	interpellé
nous	interpellons	nous	interpellions	nous	avons	interpellé	nous	avions	interpellé
vous	interpellez	vous	interpelliez	vous	avez	interpellé	vous	aviez	interpellé
ils, elles	interpellent	ils, elles	interpellaient	ils, elles	ont	interpellé	ils, elles	avaient	interpellé

Passé simple		Futur simple		Passé antérieur			Futur antérieur		
j'	interpellai	j'	interpellerai	j'	eus	interpellé	j'	aurai	interpellé
tu	interpellas	tu	interpelleras	tu	eus	interpellé	tu	auras	interpellé
il, elle	interpella	il, elle	interpellera	il, elle	eut	interpellé	il, elle	aura	interpellé
nous	interpellâmes	nous	interpellerons	nous	eûmes	interpellé	nous	aurons	interpellé
vous	interpellâtes	vous	interpellerez	vous	eûtes	interpellé	vous	aurez	interpellé
ils, elles	interpellèrent	ils, elles	interpelleront	ils, elles	eurent	interpellé	ils, elles	auront	interpellé

SUBJONCTIF

Présent		Imparfait		Passé			Plus-que-parfait		
Il faut que...		Il fallait que...		Il faut que...			Il fallait que...		
j'	interpelle	j'	interpellasse	j'	aie	interpellé	j'	eusse	interpellé
tu	interpelles	tu	interpellasses	tu	aies	interpellé	tu	eusses	interpellé
il, elle	interpelle	il, elle	interpellât	il, elle	ait	interpellé	il, elle	eût	interpellé
nous	interpellions	nous	interpellassions	nous	ayons	interpellé	nous	eussions	interpellé
vous	interpelliez	vous	interpellassiez	vous	ayez	interpellé	vous	eussiez	interpellé
ils, elles	interpellent	ils, elles	interpellassent	ils, elles	aient	interpellé	ils, elles	eussent	interpellé

CONDITIONNEL

Présent		Passé 1re forme			Passé 2e forme		
j'	interpellerais	j'	aurais	interpellé	j'	eusse	interpellé
tu	interpellerais	tu	aurais	interpellé	tu	eusses	interpellé
il, elle	interpellerait	il, elle	aurait	interpellé	il, elle	eût	interpellé
nous	interpellerions	nous	aurions	interpellé	nous	eussions	interpellé
vous	interpelleriez	vous	auriez	interpellé	vous	eussiez	interpellé
ils, elles	interpelleraient	ils, elles	auraient	interpellé	ils, elles	eussent	interpellé

IMPÉRATIF

Présent	Passé
interpelle	aie interpellé
interpellons	ayons interpellé
interpellez	ayez interpellé

INFINITIF

Présent	Passé
interpeller	avoir interpellé

PARTICIPE

Présent	Passé
interpellant	interpellé(e)
	ayant interpellé

REMARQUES

● Le verbe *interpeller* garde **ll** à toutes les formes, même lorsque **e** se prononce [ə] et non [ɛ] ; c'est le cas :
– aux 1res et 2es personnes du pluriel du présent de l'indicatif, du subjonctif et de l'impératif ;
– à toutes les personnes de l'imparfait et du passé simple de l'indicatif ;
– à toutes les personnes de l'imparfait et du passé simple du subjonctif ;
– à l'infinitif et au participe, présent et passé.
● **ll** devient **lli** aux 1res et 2es personnes du pluriel de l'imparfait de l'indicatif et du présent du subjonctif.

VERBES EN -eter : jeter

INDICATIF

Présent	Imparfait	Passé composé	Plus-que-parfait
je jette	je jetais	j' ai jeté	j' avais jeté
tu jettes	tu jetais	tu as jeté	tu avais jeté
il, elle jette	il, elle jetait	il, elle a jeté	il, elle avait jeté
nous jetons	nous jetions	nous avons jeté	nous avions jeté
vous jetez	vous jetiez	vous avez jeté	vous aviez jeté
ils, elles jettent	ils, elles jetaient	ils, elles ont jeté	ils, elles avaient jeté

Passé simple	Futur simple	Passé antérieur	Futur antérieur
je jetai	je jetterai	j' eus jeté	j' aurai jeté
tu jetas	tu jetteras	tu eus jeté	tu auras jeté
il, elle jeta	il, elle jettera	il, elle eut jeté	il, elle aura jeté
nous jetâmes	nous jetterons	nous eûmes jeté	nous aurons jeté
vous jetâtes	vous jetterez	vous eûtes jeté	vous aurez jeté
ils, elles jetèrent	ils, elles jetteront	ils, elles eurent jeté	ils, elles auront jeté

SUBJONCTIF

Présent	Imparfait	Passé	Plus-que-parfait
Il faut que...	*Il fallait que...*	*Il faut que...*	*Il fallait que...*
je jette	je jetasse	j' aie jeté	j' eusse jeté
tu jettes	tu jetasses	tu aies jeté	tu eusses jeté
il, elle jette	il, elle jetât	il, elle ait jeté	il, elle eût jeté
nous jetions	nous jetassions	nous ayons jeté	nous eussions jeté
vous jetiez	vous jetassiez	vous ayez jeté	vous eussiez jeté
ils, elles jettent	ils, elles jetassent	ils, elles aient jeté	ils, elles eussent jeté

CONDITIONNEL

Présent	Passé 1re forme	Passé 2e forme
je jetterais	j' aurais jeté	j' eusse jeté
tu jetterais	tu aurais jeté	tu eusses jeté
il, elle jetterait	il, elle aurait jeté	il, elle eût jeté
nous jetterions	nous aurions jeté	nous eussions jeté
vous jetteriez	vous auriez jeté	vous eussiez jeté
ils, elles jetteraient	ils, elles auraient jeté	ils, elles eussent jeté

IMPÉRATIF

Présent	Passé
jette	aie jeté
jetons	ayons jeté
jetez	ayez jeté

INFINITIF

Présent	Passé
jeter	avoir jeté

PARTICIPE

Présent	Passé
jetant	jeté(e)
	ayant jeté

REMARQUES

● t devient **tt** :
- aux trois personnes du singulier et à la 3e personne du pluriel du présent de l'indicatif et du subjonctif ;
- à la 2e personne du singulier du présent de l'impératif ;
- à toutes les personnes du futur simple de l'indicatif et du présent du conditionnel.
▶ Exceptions : *acheter, bégueter, bouveter, breveter, corseter, crocheter, fileter, fureter, haleter, préacheter, racheter* ne doublent pas le **t**, mais changent le **e** du radical en **è** (cf. *acheter*, 58).

VERBES EN -ouer : **louer**

INDICATIF

Présent		Imparfait		Passé composé			Plus-que-parfait		
je	loue	je	louais	j'	ai	loué	j'	avais	loué
tu	loues	tu	louais	tu	as	loué	tu	avais	loué
il, elle	loue	il, elle	louait	il, elle	a	loué	il, elle	avait	loué
nous	louons	nous	louions	nous	avons	loué	nous	avions	loué
vous	louez	vous	louiez	vous	avez	loué	vous	aviez	loué
ils, elles	louent	ils, elles	louaient	ils, elles	ont	loué	ils, elles	avaient	loué

Passé simple		Futur simple		Passé antérieur			Futur antérieur		
je	louai	je	louerai	j'	eus	loué	j'	aurai	loué
tu	louas	tu	loueras	tu	eus	loué	tu	auras	loué
il, elle	loua	il, elle	louera	il, elle	eut	loué	il, elle	aura	loué
nous	louâmes	nous	louerons	nous	eûmes	loué	nous	aurons	loué
vous	louâtes	vous	louerez	vous	eûtes	loué	vous	aurez	loué
ils, elles	louèrent	ils, elles	loueront	ils, elles	eurent	loué	ils, elles	auront	loué

SUBJONCTIF

Présent		Imparfait		Passé			Plus-que-parfait		
Il faut que...		*Il fallait que...*		*Il faut que...*			*Il fallait que...*		
je	loue	je	louasse	j'	aie	loué	j'	eusse	loué
tu	loues	tu	louasses	tu	aies	loué	tu	eusses	loué
il, elle	loue	il, elle	louât	il, elle	ait	loué	il, elle	eût	loué
nous	louions	nous	louassions	nous	ayons	loué	nous	eussions	loué
vous	louiez	vous	louassiez	vous	ayez	loué	vous	eussiez	loué
ils, elles	louent	ils, elles	louassent	ils, elles	aient	loué	ils, elles	eussent	loué

CONDITIONNEL

Présent		Passé 1re forme			Passé 2e forme		
je	louerais	j'	aurais	loué	j'	eusse	loué
tu	louerais	tu	aurais	loué	tu	eusses	loué
il, elle	louerait	il, elle	aurait	loué	il, elle	eût	loué
nous	louerions	nous	aurions	loué	nous	eussions	loué
vous	loueriez	vous	auriez	loué	vous	eussiez	loué
ils, elles	loueraient	ils, elles	auraient	loué	ils, elles	eussent	loué

IMPÉRATIF

Présent	Passé
loue	aie loué
louons	ayons loué
louez	ayez loué

INFINITIF

Présent	Passé
louer	avoir loué

PARTICIPE

Présent	Passé
louant	loué(e)
	ayant loué

● u est suivi d'un **e** à toutes les personnes du futur simple de l'indicatif et du présent du conditionnel. Pour ne pas l'oublier, il faut se rappeler que le futur simple de l'indicatif et le présent du conditionnel ajoutent leurs terminaisons à l'infinitif du verbe.

INDICATIF

Présent		Imparfait		Passé composé			Plus-que-parfait		
je	mange	je	mangeais	j'	ai	mangé	j'	avais	mangé
tu	manges	tu	mangeais	tu	as	mangé	tu	avais	mangé
il, elle	mange	il, elle	mangeait	il, elle	a	mangé	il, elle	avait	mangé
nous	mangeons	nous	mangions	nous	avons	mangé	nous	avions	mangé
vous	mangez	vous	mangiez	vous	avez	mangé	vous	aviez	mangé
ils, elles	mangent	ils, elles	mangeaient	ils, elles	ont	mangé	ils, elles	avaient	mangé

Passé simple		Futur simple		Passé antérieur			Futur antérieur		
je	mangeai	je	mangerai	j'	eus	mangé	j'	aurai	mangé
tu	mangeas	tu	mangeras	tu	eus	mangé	tu	auras	mangé
il, elle	mangea	il, elle	mangera	il, elle	eut	mangé	il, elle	aura	mangé
nous	mangeâmes	nous	mangerons	nous	eûmes	mangé	nous	aurons	mangé
vous	mangeâtes	vous	mangerez	vous	eûtes	mangé	vous	aurez	mangé
ils, elles	mangèrent	ils, elles	mangeront	ils, elles	eurent	mangé	ils, elles	auront	mangé

SUBJONCTIF

Présent		Imparfait		Passé			Plus-que-parfait		
Il faut que...		Il fallait que...		Il faut que...			Il fallait que...		
je	mange	je	mangeasse	j'	aie	mangé	j'	eusse	mangé
tu	manges	tu	mangeasses	tu	aies	mangé	tu	eusses	mangé
il, elle	mange	il, elle	mangeât	il, elle	ait	mangé	il, elle	eût	mangé
nous	mangions	nous	mangeassions	nous	ayons	mangé	nous	eussions	mangé
vous	mangiez	vous	mangeassiez	vous	ayez	mangé	vous	eussiez	mangé
ils, elles	mangent	ils, elles	mangeassent	ils, elles	aient	mangé	ils, elles	eussent	mangé

CONDITIONNEL

Présent		Passé 1re forme			Passé 2e forme		
je	mangerais	j'	aurais	mangé	j'	eusse	mangé
tu	mangerais	tu	aurais	mangé	tu	eusses	mangé
il, elle	mangerait	il, elle	aurait	mangé	il, elle	eût	mangé
nous	mangerions	nous	aurions	mangé	nous	eussions	mangé
vous	mangeriez	vous	auriez	mangé	vous	eussiez	mangé
ils, elles	mangeraient	ils, elles	auraient	mangé	ils, elles	eussent	mangé

IMPÉRATIF

Présent	Passé
mange	aie mangé
mangeons	ayons mangé
mangez	ayez mangé

INFINITIF

Présent	Passé
manger	avoir mangé

PARTICIPE

Présent	Passé
mangeant	mangé(e)
	ayant mangé

REMARQUES

● **g** devient **ge** devant **a** et **o** pour garder le son [ʒ] :
- à la 1re personne du pluriel du présent de l'indicatif et de l'impératif ;
- aux trois personnes du singulier et à la 3e personne du pluriel de l'imparfait de l'indicatif ;
- aux trois personnes du singulier, aux 1re et 2e personnes du pluriel du passé simple de l'indicatif ;
- à toutes les personnes de l'imparfait du subjonctif ;
- au participe présent.

VERBES EN -quer : marquer

INDICATIF

Présent	Imparfait	Passé composé	Plus-que-parfait
je marque	je marquais	j' ai marqué	j' avais marqué
tu marques	tu marquais	tu as marqué	tu avais marqué
il, elle marque	il, elle marquait	il, elle a marqué	il, elle avait marqué
nous marquons	nous marquions	nous avons marqué	nous avions marqué
vous marquez	vous marquiez	vous avez marqué	vous aviez marqué
ils, elles marquent	ils, elles marquaient	ils, elles ont marqué	ils, elles avaient marqué

Passé simple	Futur simple	Passé antérieur	Futur antérieur
je marquai	je marquerai	j' eus marqué	j' aurai marqué
tu marquas	tu marqueras	tu eus marqué	tu auras marqué
il, elle marqua	il, elle marquera	il, elle eut marqué	il, elle aura marqué
nous marquâmes	nous marquerons	nous eûmes marqué	nous aurons marqué
vous marquâtes	vous marquerez	vous eûtes marqué	vous aurez marqué
ils, elles marquèrent	ils, elles marqueront	ils, elles eurent marqué	ils, elles auront marqué

SUBJONCTIF

Présent	Imparfait	Passé	Plus-que-parfait
Il faut que...	Il fallait que...	Il faut que...	Il fallait que...
je marque	je marquasse	j' aie marqué	j' eusse marqué
tu marques	tu marquasses	tu aies marqué	tu eusses marqué
il, elle marque	il, elle marquât	il, elle ait marqué	il, elle eût marqué
nous marquions	nous marquassions	nous ayons marqué	nous eussions marqué
vous marquiez	vous marquassiez	vous ayez marqué	vous eussiez marqué
ils, elles marquent	ils, elles marquassent	ils, elles aient marqué	ils, elles eussent marqué

CONDITIONNEL

Présent	Passé 1re forme	Passé 2e forme
je marquerais	j' aurais marqué	j' eusse marqué
tu marquerais	tu aurais marqué	tu eusses marqué
il, elle marquerait	il, elle aurait marqué	il, elle eût marqué
nous marquerions	nous aurions marqué	nous eussions marqué
vous marqueriez	vous auriez marqué	vous eussiez marqué
ils, elles marqueraient	ils, elles auraient marqué	ils, elles eussent marqué

IMPÉRATIF

Présent	Passé
marque	aie marqué
marquons	ayons marqué
marquez	ayez marqué

INFINITIF

Présent	Passé
marquer	avoir marqué

PARTICIPE

Présent	Passé
marquant	marqué(e)
	ayant marqué

REMARQUES

▶ qu est conservé à toutes les formes.
▶ qu devient c pour l'adjectif verbal des verbes *communiquer, provoquer, suffoquer, vaquer* : *des portes communicantes.*

VERBES EN -ouiller : **mouiller**

INDICATIF

Présent		Imparfait		Passé composé			Plus-que-parfait		
je	mouille	je	mouillais	j'	ai	mouillé	j'	avais	mouillé
tu	mouilles	tu	mouillais	tu	as	mouillé	tu	avais	mouillé
il, elle	mouille	il, elle	mouillait	il, elle	a	mouillé	il, elle	avait	mouillé
nous	mouillons	nous	mouillions	nous	avons	mouillé	nous	avions	mouillé
vous	mouillez	vous	mouilliez	vous	avez	mouillé	vous	aviez	mouillé
ils, elles	mouillent	ils, elles	mouillaient	ils, elles	ont	mouillé	ils, elles	avaient	mouillé

Passé simple		Futur simple		Passé antérieur			Futur antérieur		
je	mouillai	je	mouillerai	j'	eus	mouillé	j'	aurai	mouillé
tu	mouillas	tu	mouilleras	tu	eus	mouillé	tu	auras	mouillé
il, elle	mouilla	il, elle	mouillera	il, elle	eut	mouillé	il, elle	aura	mouillé
nous	mouillâmes	nous	mouillerons	nous	eûmes	mouillé	nous	aurons	mouillé
vous	mouillâtes	vous	mouillerez	vous	eûtes	mouillé	vous	aurez	mouillé
ils, elles	mouillèrent	ils, elles	mouilleront	ils, elles	eurent	mouillé	ils, elles	auront	mouillé

SUBJONCTIF

Présent		Imparfait		Passé			Plus-que-parfait		
Il faut que...		Il fallait que...		Il faut que...			Il fallait que...		
je	mouille	je	mouillasse	j'	aie	mouillé	j'	eusse	mouillé
tu	mouilles	tu	mouillasses	tu	aies	mouillé	tu	eusses	mouillé
il, elle	mouille	il, elle	mouillât	il, elle	ait	mouillé	il, elle	eût	mouillé
nous	mouillions	nous	mouillassions	nous	ayons	mouillé	nous	eussions	mouillé
vous	mouilliez	vous	mouillassiez	vous	ayez	mouillé	vous	eussiez	mouillé
ils, elles	mouillent	ils, elles	mouillassent	ils, elles	aient	mouillé	ils, elles	eussent	mouillé

CONDITIONNEL

Présent		Passé 1re forme			Passé 2e forme		
je	mouillerais	j'	aurais	mouillé	j'	eusse	mouillé
tu	mouillerais	tu	aurais	mouillé	tu	eusses	mouillé
il, elle	mouillerait	il, elle	aurait	mouillé	il, elle	eût	mouillé
nous	mouillerions	nous	aurions	mouillé	nous	eussions	mouillé
vous	mouilleriez	vous	auriez	mouillé	vous	eussiez	mouillé
ils, elles	mouilleraient	ils, elles	auraient	mouillé	ils, elles	eussent	mouillé

IMPÉRATIF

Présent	Passé
mouille	aie mouillé
mouillons	ayons mouillé
mouillez	ayez mouillé

INFINITIF

Présent	Passé
mouiller	avoir mouillé

PARTICIPE

Présent	Passé
mouillant	mouillé(e)
	ayant mouillé

REMARQUES

● Il devient **lli** aux 1res et 2es personnes du pluriel de l'imparfait de l'indicatif et du présent du subjonctif.

80 · 1er groupe

VERBES EN -llier : pallier

INDICATIF

Présent		Imparfait		Passé composé			Plus-que-parfait		
je	pallie	je	palliais	j'	ai	pallié	j'	avais	pallié
tu	pallies	tu	palliais	tu	as	pallié	tu	avais	pallié
il, elle	pallie	il, elle	palliait	il, elle	a	pallié	il, elle	avait	pallié
nous	pallions	nous	palliions	nous	avons	pallié	nous	avions	pallié
vous	palliez	vous	palliiez	vous	avez	pallié	vous	aviez	pallié
ils, elles	pallient	ils, elles	palliaient	ils, elles	ont	pallié	ils, elles	avaient	pallié

Passé simple		Futur simple		Passé antérieur			Futur antérieur		
je	palliai	je	pallierai	j'	eus	pallié	j'	aurai	pallié
tu	pallias	tu	pallieras	tu	eus	pallié	tu	auras	pallié
il, elle	pallia	il, elle	palliera	il, elle	eut	pallié	il, elle	aura	pallié
nous	palliâmes	nous	pallierons	nous	eûmes	pallié	nous	aurons	pallié
vous	palliâtes	vous	pallierez	vous	eûtes	pallié	vous	aurez	pallié
ils, elles	pallièrent	ils, elles	pallieront	ils, elles	eurent	pallié	ils, elles	auront	pallié

SUBJONCTIF

Présent		Imparfait		Passé			Plus-que-parfait		
Il faut que...		Il fallait que...		Il faut que...			Il fallait que...		
je	pallie	je	palliasse	j'	aie	pallié	j'	eusse	pallié
tu	pallies	tu	palliasses	tu	aies	pallié	tu	eusses	pallié
il, elle	pallie	il, elle	palliât	il, elle	ait	pallié	il, elle	eût	pallié
nous	palliions	nous	palliassions	nous	ayons	pallié	nous	eussions	pallié
vous	palliiez	vous	palliassiez	vous	ayez	pallié	vous	eussiez	pallié
ils, elles	pallient	ils, elles	palliassent	ils, elles	aient	pallié	ils, elles	eussent	pallié

CONDITIONNEL

Présent		Passé 1re forme			Passé 2e forme		
je	pallierais	j'	aurais	pallié	j'	eusse	pallié
tu	pallierais	tu	aurais	pallié	tu	eusses	pallié
il, elle	pallierait	il, elle	aurait	pallié	il, elle	eût	pallié
nous	pallierions	nous	aurions	pallié	nous	eussions	pallié
vous	pallieriez	vous	auriez	pallié	vous	eussiez	pallié
ils, elles	pallieraient	ils, elles	auraient	pallié	ils, elles	eussent	pallié

IMPÉRATIF

Présent	Passé
pallie	aie pallié
pallions	ayons pallié
palliez	ayez pallié

INFINITIF

Présent	Passé
pallier	avoir pallié

PARTICIPE

Présent	Passé
palliant	pallié(e)
	ayant pallié

REMARQUES

● i devient ii aux 1res et 2es personnes du pluriel de l'imparfait de l'indicatif et du présent du subjonctif.
● i est suivi d'un e à toutes les personnes du futur simple de l'indicatif et du présent du conditionnel. Pour ne pas l'oublier, il faut se rappeler que le futur simple de l'indicatif et le présent du conditionnel ajoutent leurs terminaisons à l'infinitif du verbe.

VERBES EN -er : parler

81

1er groupe

INDICATIF

Présent		Imparfait		Passé composé			Plus-que-parfait		
je	parle	je	parlais	j'	ai	parlé	j'	avais	parlé
tu	parles	tu	parlais	tu	as	parlé	tu	avais	parlé
il, elle	parle	il, elle	parlait	il, elle	a	parlé	il, elle	avait	parlé
nous	parlons	nous	parlions	nous	avons	parlé	nous	avions	parlé
vous	parlez	vous	parliez	vous	avez	parlé	vous	aviez	parlé
ils, elles	parlent	ils, elles	parlaient	ils, elles	ont	parlé	ils, elles	avaient	parlé

Passé simple		Futur simple		Passé antérieur			Futur antérieur		
je	parlai	je	parlerai	j'	eus	parlé	j'	aurai	parlé
tu	parlas	tu	parleras	tu	eus	parlé	tu	auras	parlé
il, elle	parla	il, elle	parlera	il, elle	eut	parlé	il, elle	aura	parlé
nous	parlâmes	nous	parlerons	nous	eûmes	parlé	nous	aurons	parlé
vous	parlâtes	vous	parlerez	vous	eûtes	parlé	vous	aurez	parlé
ils, elles	parlèrent	ils, elles	parleront	ils, elles	eurent	parlé	ils, elles	auront	parlé

SUBJONCTIF

Présent		Imparfait		Passé			Plus-que-parfait		
Il faut que...		Il fallait que...		Il faut que...			Il fallait que...		
je	parle	je	parlasse	j'	aie	parlé	j'	eusse	parlé
tu	parles	tu	parlasses	tu	aies	parlé	tu	eusses	parlé
il, elle	parle	il, elle	parlât	il, elle	ait	parlé	il, elle	eût	parlé
nous	parlions	nous	parlassions	nous	ayons	parlé	nous	eussions	parlé
vous	parliez	vous	parlassiez	vous	ayez	parlé	vous	eussiez	parlé
ils, elles	parlent	ils, elles	parlassent	ils, elles	aient	parlé	ils, elles	eussent	parlé

CONDITIONNEL

Présent		Passé 1re forme			Passé 2e forme		
je	parlerais	j'	aurais	parlé	j'	eusse	parlé
tu	parlerais	tu	aurais	parlé	tu	eusses	parlé
il, elle	parlerait	il, elle	aurait	parlé	il, elle	eût	parlé
nous	parlerions	nous	aurions	parlé	nous	eussions	parlé
vous	parleriez	vous	auriez	parlé	vous	eussiez	parlé
ils, elles	parleraient	ils, elles	auraient	parlé	ils, elles	eussent	parlé

IMPÉRATIF

Présent	Passé
parle	aie parlé
parlons	ayons parlé
parlez	ayez parlé

INFINITIF

Présent	Passé
parler	avoir parlé

PARTICIPE

Présent	Passé
parlant	parlé(e)
	ayant parlé

82

1er groupe

VERBES EN -ayer : payer

INDICATIF

Présent		Imparfait		Passé composé			Plus-que-parfait		
je	paye/paie	je	payais	j'	ai	payé	j'	avais	payé
tu	payes/paies	tu	payais	tu	as	payé	tu	avais	payé
il, elle	paye/paie	il, elle	payait	il, elle	a	payé	il, elle	avait	payé
nous	payons	nous	payions	nous	avons	payé	nous	avions	payé
vous	payez	vous	payiez	vous	avez	payé	vous	aviez	payé
ils, elles	payent/paient	ils, elles	payaient	ils, elles	ont	payé	ils, elles	avaient	payé

Passé simple		Futur simple		Passé antérieur			Futur antérieur		
je	payai	je	payerai/paierai	j'	eus	payé	j'	aurai	payé
tu	payas	tu	payeras/paieras	tu	eus	payé	tu	auras	payé
il, elle	paya	il, elle	payera/paiera	il, elle	eut	payé	il, elle	aura	payé
nous	payâmes	nous	payerons/paierons	nous	eûmes	payé	nous	aurons	payé
vous	payâtes	vous	payerez/paierez	vous	eûtes	payé	vous	aurez	payé
ils, elles	payèrent	ils, elles	payeront/paieront	ils, elles	eurent	payé	ils, elles	auront	payé

SUBJONCTIF

Présent		Imparfait		Passé			Plus-que-parfait		
Il faut que...		Il fallait que...		Il faut que...			Il fallait que...		
je	paye/paie	je	payasse	j'	aie	payé	j'	eusse	payé
tu	payes/paies	tu	payasses	tu	aies	payé	tu	eusses	payé
il, elle	paye/paie	il, elle	payât	il, elle	ait	payé	il, elle	eût	payé
nous	payions	nous	payassions	nous	ayons	payé	nous	eussions	payé
vous	payiez	vous	payassiez	vous	ayez	payé	vous	eussiez	payé
ils, elles	payent/paient	ils, elles	payassent	ils, elles	aient	payé	ils, elles	eussent	payé

CONDITIONNEL

Présent		Passé 1re forme			Passé 2e forme		
je	payerais/paierais	j'	aurais	payé	j'	eusse	payé
tu	payerais/paierais	tu	aurais	payé	tu	eusses	payé
il, elle	payerait/paierait	il, elle	aurait	payé	il, elle	eût	payé
nous	payerions/paierions	nous	aurions	payé	nous	eussions	payé
vous	payeriez/paieriez	vous	auriez	payé	vous	eussiez	payé
ils, elles	payeraient/paieraient	ils, elles	auraient	payé	ils, elles	eussent	payé

IMPÉRATIF

Présent	Passé
paye/paie	aie payé
payons	ayons payé
payez	ayez payé

INFINITIF

Présent	Passé
payer	avoir payé

PARTICIPE

Présent	Passé
payant	payé(e)
	ayant payé

REMARQUES

● **y** peut être remplacé par **i** :
- aux trois personnes du singulier et à la 3e personne du pluriel du présent de l'indicatif et du subjonctif ;
- à la 2e personne du singulier du présent de l'impératif ;
- à toutes les personnes du futur simple de l'indicatif et du présent du conditionnel.
● **y** devient **yi** aux 1res et 2es personnes du pluriel de l'imparfait de l'indicatif et du présent du subjonctif.
● **y** ou **i** sont suivis d'un **e** à toutes les personnes du futur simple de l'indicatif et du présent du conditionnel.

VERBES EN -ier : prier

INDICATIF

Présent	Imparfait	Passé composé	Plus-que-parfait
je prie	je priais	j' ai prié	j' avais prié
tu pries	tu priais	tu as prié	tu avais prié
il, elle prie	il, elle priait	il, elle a prié	il, elle avait prié
nous prions	nous priions	nous avons prié	nous avions prié
vous priez	vous priiez	vous avez prié	vous aviez prié
ils, elles prient	ils, elles priaient	ils, elles ont prié	ils, elles avaient prié

Passé simple	Futur simple	Passé antérieur	Futur antérieur
je priai	je prierai	j' eus prié	j' aurai prié
tu prias	tu prieras	tu eus prié	tu auras prié
il, elle pria	il, elle priera	il, elle eut prié	il, elle aura prié
nous priâmes	nous prierons	nous eûmes prié	nous aurons prié
vous priâtes	vous prierez	vous eûtes prié	vous aurez prié
ils, elles prièrent	ils, elles prieront	ils, elles eurent prié	ils, elles auront prié

SUBJONCTIF

Présent	Imparfait	Passé	Plus-que-parfait
Il faut que...	Il fallait que...	Il faut que...	Il fallait que...
je prie	je priasse	j' aie prié	j' eusse prié
tu pries	tu priasses	tu aies prié	tu eusses prié
il, elle prie	il, elle priât	il, elle ait prié	il, elle eût prié
nous priions	nous priassions	nous ayons prié	nous eussions prié
vous priiez	vous priassiez	vous ayez prié	vous eussiez prié
ils, elles prient	ils, elles priassent	ils, elles aient prié	ils, elles eussent prié

CONDITIONNEL

Présent	Passé 1re forme	Passé 2e forme
je prierais	j' aurais prié	j' eusse prié
tu prierais	tu aurais prié	tu eusses prié
il, elle prierait	il, elle aurait prié	il, elle eût prié
nous prierions	nous aurions prié	nous eussions prié
vous prieriez	vous auriez prié	vous eussiez prié
ils, elles prieraient	ils, elles auraient prié	ils, elles eussent prié

IMPÉRATIF

Présent	Passé
prie	aie prié
prions	ayons prié
priez	ayez prié

INFINITIF

Présent	Passé
prier	avoir prié

PARTICIPE

Présent	Passé
priant	prié(e)
	ayant prié

REMARQUES

● i devient ii aux 1res et 2es personnes du pluriel de l'imparfait de l'indicatif et du présent du subjonctif.
● i est suivi d'un e à toutes les personnes du futur simple de l'indicatif et du présent du conditionnel. Pour ne pas l'oublier, il faut se rappeler que le futur simple de l'indicatif et le présent du conditionnel ajoutent leurs terminaisons à l'infinitif du verbe.

rapiécer

INDICATIF

Présent	Imparfait	Passé composé	Plus-que-parfait
je rapièce	je rapiéçais	j' ai rapiécé	j' avais rapiécé
tu rapièces	tu rapiéçais	tu as rapiécé	tu avais rapiécé
il, elle rapièce	il, elle rapiéçait	il, elle a rapiécé	il, elle avait rapiécé
nous rapiéçons	nous rapiécions	nous avons rapiécé	nous avions rapiécé
vous rapiécez	vous rapiéciez	vous avez rapiécé	vous aviez rapiécé
ils, elles rapiècent	ils, elles rapiéçaient	ils, elles ont rapiécé	ils, elles avaient rapiécé

Passé simple	Futur simple	Passé antérieur	Futur antérieur
je rapiéçai	je rapiécerai	j' eus rapiécé	j' aurai rapiécé
tu rapiéças	tu rapiéceras	tu eus rapiécé	tu auras rapiécé
il, elle rapiéça	il, elle rapiécera	il, elle eut rapiécé	il, elle aura rapiécé
nous rapiéçâmes	nous rapiécerons	nous eûmes rapiécé	nous aurons rapiécé
vous rapiéçâtes	vous rapiécerez	vous eûtes rapiécé	vous aurez rapiécé
ils, elles rapiécèrent	ils, elles rapiéceront	ils, elles eurent rapiécé	ils, elles auront rapiécé

SUBJONCTIF

Présent Il faut que...	Imparfait Il fallait que...	Passé Il faut que...	Plus-que-parfait Il fallait que...
je rapièce	je rapiéçasse	j' aie rapiécé	j' eusse rapiécé
tu rapièces	tu rapiéçasses	tu aies rapiécé	tu eusses rapiécé
il, elle rapièce	il, elle rapiéçât	il, elle ait rapiécé	il, elle eût rapiécé
nous rapiécions	nous rapiéçassions	nous ayons rapiécé	nous eussions rapiécé
vous rapiéciez	vous rapiéçassiez	vous ayez rapiécé	vous eussiez rapiécé
ils, elles rapiècent	ils, elles rapiéçassent	ils, elles aient rapiécé	ils, elles eussent rapiécé

CONDITIONNEL

Présent	Passé 1ʳᵉ forme	Passé 2ᵉ forme
je rapiécerais	j' aurais rapiécé	j' eusse rapiécé
tu rapiécerais	tu aurais rapiécé	tu eusses rapiécé
il, elle rapiécerait	il, elle aurait rapiécé	il, elle eût rapiécé
nous rapiécerions	nous aurions rapiécé	nous eussions rapiécé
vous rapiéceriez	vous auriez rapiécé	vous eussiez rapiécé
ils, elles rapiéceraient	ils, elles auraient rapiécé	ils, elles eussent rapiécé

IMPÉRATIF

Présent	Passé
rapièce	aie rapiécé
rapiéçons	ayons rapiécé
rapiécez	ayez rapiécé

INFINITIF

Présent	Passé
rapiécer	avoir rapiécé

PARTICIPE

Présent	Passé
rapiéçant	rapiécé(e)
	ayant rapiécé

REMARQUES

● é devient è :
- aux trois personnes du singulier et à la 3ᵉ personne du pluriel du présent de l'indicatif et du subjonctif ;
- à la 2ᵉ personne du singulier du présent de l'impératif.
▶ Au futur simple de l'indicatif et au présent du conditionnel, le é est généralement prononcé [ɛ], d'où la tolérance d'écriture maintenant admise qui consiste à remplacer le é par un è à toutes les personnes de ces temps.
● c devient ç devant a et o pour garder le son [s].

INDICATIF

Présent		Imparfait		Passé composé			Plus-que-parfait		
je	règne	je	régnais	j'	ai	régné	j'	avais	régné
tu	règnes	tu	régnais	tu	as	régné	tu	avais	régné
il, elle	règne	il, elle	régnait	il, elle	a	régné	il, elle	avait	régné
nous	régnons	nous	régnions	nous	avons	régné	nous	avions	régné
vous	régnez	vous	régniez	vous	avez	régné	vous	aviez	régné
ils, elles	règnent	ils, elles	régnaient	ils, elles	ont	régné	ils, elles	avaient	régné

Passé simple		Futur simple		Passé antérieur			Futur antérieur		
je	régnai	je	régnerai	j'	eus	régné	j'	aurai	régné
tu	régnas	tu	régneras	tu	eus	régné	tu	auras	régné
il, elle	régna	il, elle	régnera	il, elle	eut	régné	il, elle	aura	régné
nous	régnâmes	nous	régnerons	nous	eûmes	régné	nous	aurons	régné
vous	régnâtes	vous	régnerez	vous	eûtes	régné	vous	aurez	régné
ils, elles	régnèrent	ils, elles	régneront	ils, elles	eurent	régné	ils, elles	auront	régné

SUBJONCTIF

Présent		Imparfait		Passé			Plus-que-parfait		
Il faut que...		Il fallait que...		Il faut que...			Il fallait que...		
je	règne	je	régnasse	j'	aie	régné	j'	eusse	régné
tu	règnes	tu	régnasses	tu	aies	régné	tu	eusses	régné
il, elle	règne	il, elle	régnât	il, elle	ait	régné	il, elle	eût	régné
nous	régnions	nous	régnassions	nous	ayons	régné	nous	eussions	régné
vous	régniez	vous	régnassiez	vous	ayez	régné	vous	eussiez	régné
ils, elles	règnent	ils, elles	régnassent	ils, elles	aient	régné	ils, elles	eussent	régné

CONDITIONNEL

Présent		Passé 1re forme			Passé 2e forme		
je	régnerais	j'	aurais	régné	j'	eusse	régné
tu	régnerais	tu	aurais	régné	tu	eusses	régné
il, elle	régnerait	il, elle	aurait	régné	il, elle	eût	régné
nous	régnerions	nous	aurions	régné	nous	eussions	régné
vous	régneriez	vous	auriez	régné	vous	eussiez	régné
ils, elles	régneraient	ils, elles	auraient	régné	ils, elles	eussent	régné

IMPÉRATIF

Présent	Passé
règne	aie régné
régnons	ayons régné
régnez	ayez régné

INFINITIF

Présent	Passé
régner	avoir régné

PARTICIPE

Présent	Passé
régnant	régné(e)
	ayant régné

REMARQUES

● **é** devient **è** :
- aux trois personnes du singulier et à la 3e personne du pluriel du présent de l'indicatif et du subjonctif ;
- à la 2e personne du singulier du présent de l'impératif.
▶ Au futur simple de l'indicatif et au présent du conditionnel, le **é** est généralement prononcé [ɛ], d'où la tolérance d'écriture maintenant admise qui consiste à remplacer le **é** par un **è** à toutes les personnes de ces temps.
● **gn** devient **gni** aux 1res et 2es personnes du pluriel de l'imparfait de l'indicatif et du présent du subjonctif.

VERBES EN -uer : remuer

INDICATIF

Présent	Imparfait	Passé composé	Plus-que-parfait
je remue	je remuais	j' ai remué	j' avais remué
tu remues	tu remuais	tu as remué	tu avais remué
il, elle remue	il, elle remuait	il, elle a remué	il, elle avait remué
nous remuons	nous remuions	nous avons remué	nous avions remué
vous remuez	vous remuiez	vous avez remué	vous aviez remué
ils, elles remuent	ils, elles remuaient	ils, elles ont remué	ils, elles avaient remué

Passé simple	Futur simple	Passé antérieur	Futur antérieur
je remuai	je remuerai	j' eus remué	j' aurai remué
tu remuas	tu remueras	tu eus remué	tu auras remué
il, elle remua	il, elle remuera	il, elle eut remué	il, elle aura remué
nous remuâmes	nous remuerons	nous eûmes remué	nous aurons remué
vous remuâtes	vous remuerez	vous eûtes remué	vous aurez remué
ils, elles remuèrent	ils, elles remueront	ils, elles eurent remué	ils, elles auront remué

SUBJONCTIF

Présent	Imparfait	Passé	Plus-que-parfait
Il faut que...	Il fallait que...	Il faut que...	Il fallait que...
je remue	je remuasse	j' aie remué	j' eusse remué
tu remues	tu remuasses	tu aies remué	tu eusses remué
il, elle remue	il, elle remuât	il, elle ait remué	il, elle eût remué
nous remuions	nous remuassions	nous ayons remué	nous eussions remué
vous remuiez	vous remuassiez	vous ayez remué	vous eussiez remué
ils, elles remuent	ils, elles remuassent	ils, elles aient remué	ils, elles eussent remué

CONDITIONNEL

Présent	Passé 1re forme	Passé 2e forme
je remuerais	j' aurais remué	j' eusse remué
tu remuerais	tu aurais remué	tu eusses remué
il, elle remuerait	il, elle aurait remué	il, elle eût remué
nous remuerions	nous aurions remué	nous eussions remué
vous remueriez	vous auriez remué	vous eussiez remué
ils, elles remueraient	ils, elles auraient remué	ils, elles eussent remué

IMPÉRATIF

Présent	Passé
remue	aie remué
remuons	ayons remué
remuez	ayez remué

INFINITIF

Présent	Passé
remuer	avoir remué

PARTICIPE

Présent	Passé
remuant	remué(e)
	ayant remué

REMARQUES

u est suivi d'un e à toutes les personnes du futur simple de l'indicatif et du présent du conditionnel. Pour ne pas l'oublier, il faut se rappeler que le futur simple de l'indicatif et le présent du conditionnel ajoutent leurs terminaisons à l'infinitif du verbe.

VERBES EN -eiller : réveiller

INDICATIF

Présent		Imparfait		Passé composé			Plus-que-parfait		
je	réveille	je	réveillais	j'	ai	réveillé	j'	avais	réveillé
tu	réveilles	tu	réveillais	tu	as	réveillé	tu	avais	réveillé
il, elle	réveille	il, elle	réveillait	il, elle	a	réveillé	il, elle	avait	réveillé
nous	réveillons	nous	réveillions	nous	avons	réveillé	nous	avions	réveillé
vous	réveillez	vous	réveilliez	vous	avez	réveillé	vous	aviez	réveillé
ils, elles	réveillent	ils, elles	réveillaient	ils, elles	ont	réveillé	ils, elles	avaient	réveillé

Passé simple		Futur simple		Passé antérieur			Futur antérieur		
je	réveillai	je	réveillerai	j'	eus	réveillé	j'	aurai	réveillé
tu	réveillas	tu	réveilleras	tu	eus	réveillé	tu	auras	réveillé
il, elle	réveilla	il, elle	réveillera	il, elle	eut	réveillé	il, elle	aura	réveillé
nous	réveillâmes	nous	réveillerons	nous	eûmes	réveillé	nous	aurons	réveillé
vous	réveillâtes	vous	réveillerez	vous	eûtes	réveillé	vous	aurez	réveillé
ils, elles	réveillèrent	ils, elles	réveilleront	ils, elles	eurent	réveillé	ils, elles	auront	réveillé

SUBJONCTIF

Présent		Imparfait		Passé			Plus-que-parfait		
Il faut que...		*Il fallait que...*		*Il faut que...*			*Il fallait que...*		
je	réveille	je	réveillasse	j'	aie	réveillé	j'	eusse	réveillé
tu	réveilles	tu	réveillasses	tu	aies	réveillé	tu	eusses	réveillé
il, elle	réveille	il, elle	réveillât	il, elle	ait	réveillé	il, elle	eût	réveillé
nous	réveillions	nous	réveillassions	nous	ayons	réveillé	nous	eussions	réveillé
vous	réveilliez	vous	réveillassiez	vous	ayez	réveillé	vous	eussiez	réveillé
ils, elles	réveillent	ils, elles	réveillassent	ils, elles	aient	réveillé	ils, elles	eussent	réveillé

CONDITIONNEL

Présent		Passé 1re forme			Passé 2e forme		
je	réveillerais	j'	aurais	réveillé	j'	eusse	réveillé
tu	réveillerais	tu	aurais	réveillé	tu	eusses	réveillé
il, elle	réveillerait	il, elle	aurait	réveillé	il, elle	eût	réveillé
nous	réveillerions	nous	aurions	réveillé	nous	eussions	réveillé
vous	réveilleriez	vous	auriez	réveillé	vous	eussiez	réveillé
ils, elles	réveilleraient	ils, elles	auraient	réveillé	ils, elles	eussent	réveillé

IMPÉRATIF

Présent	Passé
réveille	aie réveillé
réveillons	ayons réveillé
réveillez	ayez réveillé

INFINITIF

Présent	Passé
réveiller	avoir réveillé

PARTICIPE

Présent	Passé
réveillant	réveillé(e)
	ayant réveillé

● Il devient **lli** aux 1res et 2es personnes du pluriel de l'imparfait de l'indicatif et du présent du subjonctif.

VERBES EN -e(consonnes)er : semer

INDICATIF

Présent		Imparfait		Passé composé			Plus-que-parfait		
je	sème	je	semais	j'	ai	semé	j'	avais	semé
tu	sèmes	tu	semais	tu	as	semé	tu	avais	semé
il, elle	sème	il, elle	semait	il, elle	a	semé	il, elle	avait	semé
nous	semons	nous	semions	nous	avons	semé	nous	avions	semé
vous	semez	vous	semiez	vous	avez	semé	vous	aviez	semé
ils, elles	sèment	ils, elles	semaient	ils, elles	ont	semé	ils, elles	avaient	semé

Passé simple		Futur simple		Passé antérieur			Futur antérieur		
je	semai	je	sèmerai	j'	eus	semé	j'	aurai	semé
tu	semas	tu	sèmeras	tu	eus	semé	tu	auras	semé
il, elle	sema	il, elle	sèmera	il, elle	eut	semé	il, elle	aura	semé
nous	semâmes	nous	sèmerons	nous	eûmes	semé	nous	aurons	semé
vous	semâtes	vous	sèmerez	vous	eûtes	semé	vous	aurez	semé
ils, elles	semèrent	ils, elles	sèmeront	ils, elles	eurent	semé	ils, elles	auront	semé

SUBJONCTIF

Présent		Imparfait		Passé			Plus-que-parfait		
Il faut que...		*Il fallait que...*		*Il faut que...*			*Il fallait que...*		
je	sème	je	semasse	j'	aie	semé	j'	eusse	semé
tu	sèmes	tu	semasses	tu	aies	semé	tu	eusses	semé
il, elle	sème	il, elle	semât	il, elle	ait	semé	il, elle	eût	semé
nous	semions	nous	semassions	nous	ayons	semé	nous	eussions	semé
vous	semiez	vous	semassiez	vous	ayez	semé	vous	eussiez	semé
ils, elles	sèment	ils, elles	semassent	ils, elles	aient	semé	ils, elles	eussent	semé

CONDITIONNEL

Présent		Passé 1re forme			Passé 2e forme		
je	sèmerais	j'	aurais	semé	j'	eusse	semé
tu	sèmerais	tu	aurais	semé	tu	eusses	semé
il, elle	sèmerait	il, elle	aurait	semé	il, elle	eût	semé
nous	sèmerions	nous	aurions	semé	nous	eussions	semé
vous	sèmeriez	vous	auriez	semé	vous	eussiez	semé
ils, elles	sèmeraient	ils, elles	auraient	semé	ils, elles	eussent	semé

IMPÉRATIF

Présent	Passé
sème	aie semé
semons	ayons semé
semez	ayez semé

INFINITIF

Présent	Passé
semer	avoir semé

PARTICIPE

Présent	Passé
semant	semé(e)
	ayant semé

REMARQUES

● e devient è :
- aux trois personnes du singulier et à la 3e personne du pluriel du présent de l'indicatif et du subjonctif ;
- à la 2e personne du singulier du présent de l'impératif ;
- à toutes les personnes du futur simple de l'indicatif et du présent du conditionnel.
▶ Les verbes en -e(consonnes)er correspondent à : -e(m, n, p, s, v, vr)er.

VERBES EN -gner : signer

INDICATIF

Présent		Imparfait		Passé composé			Plus-que-parfait		
je	signe	je	signais	j'	ai	signé	j'	avais	signé
tu	signes	tu	signais	tu	as	signé	tu	avais	signé
il, elle	signe	il, elle	signait	il, elle	a	signé	il, elle	avait	signé
nous	signons	nous	signions	nous	avons	signé	nous	avions	signé
vous	signez	vous	signiez	vous	avez	signé	vous	aviez	signé
ils, elles	signent	ils, elles	signaient	ils, elles	ont	signé	ils, elles	avaient	signé

Passé simple		Futur simple		Passé antérieur			Futur antérieur		
je	signai	je	signerai	j'	eus	signé	j'	aurai	signé
tu	signas	tu	signeras	tu	eus	signé	tu	auras	signé
il, elle	signa	il, elle	signera	il, elle	eut	signé	il, elle	aura	signé
nous	signâmes	nous	signerons	nous	eûmes	signé	nous	aurons	signé
vous	signâtes	vous	signerez	vous	eûtes	signé	vous	aurez	signé
ils, elles	signèrent	ils, elles	signeront	ils, elles	eurent	signé	ils, elles	auront	signé

SUBJONCTIF

Présent		Imparfait		Passé			Plus-que-parfait		
Il faut que...		*Il fallait que...*		*Il faut que...*			*Il fallait que...*		
je	signe	je	signasse	j'	aie	signé	j'	eusse	signé
tu	signes	tu	signasses	tu	aies	signé	tu	eusses	signé
il, elle	signe	il, elle	signât	il, elle	ait	signé	il, elle	eût	signé
nous	signions	nous	signassions	nous	ayons	signé	nous	eussions	signé
vous	signiez	vous	signassiez	vous	ayez	signé	vous	eussiez	signé
ils, elles	signent	ils, elles	signassent	ils, elles	aient	signé	ils, elles	eussent	signé

CONDITIONNEL

Présent		Passé 1re forme			Passé 2e forme		
je	signerais	j'	aurais	signé	j'	eusse	signé
tu	signerais	tu	aurais	signé	tu	eusses	signé
il, elle	signerait	il, elle	aurait	signé	il, elle	eût	signé
nous	signerions	nous	aurions	signé	nous	eussions	signé
vous	signeriez	vous	auriez	signé	vous	eussiez	signé
ils, elles	signeraient	ils, elles	auraient	signé	ils, elles	eussent	signé

IMPÉRATIF

Présent	Passé
signe	aie signé
signons	ayons signé
signez	ayez signé

INFINITIF

Présent	Passé
signer	avoir signé

PARTICIPE

Présent	Passé
signant	signé(e)
	ayant signé

REMARQUES

● **gn** devient **gni** aux 1res et 2es personnes du pluriel de l'imparfait de l'indicatif et du présent du subjonctif.

VERBES EN -ailler : travailler

INDICATIF

Présent	Imparfait	Passé composé	Plus-que-parfait
je travaille	je travaillais	j' ai travaillé	j' avais travaillé
tu travailles	tu travaillais	tu as travaillé	tu avais travaillé
il, elle travaille	il, elle travaillait	il, elle a travaillé	il, elle avait travaillé
nous travaillons	nous travaillions	nous avons travaillé	nous avions travaillé
vous travaillez	vous travailliez	vous avez travaillé	vous aviez travaillé
ils, elles travaillent	ils, elles travaillaient	ils, elles ont travaillé	ils, elles avaient travaillé

Passé simple	Futur simple	Passé antérieur	Futur antérieur
je travaillai	je travaillerai	j' eus travaillé	j' aurai travaillé
tu travaillas	tu travailleras	tu eus travaillé	tu auras travaillé
il, elle travailla	il, elle travaillera	il, elle eut travaillé	il, elle aura travaillé
nous travaillâmes	nous travaillerons	nous eûmes travaillé	nous aurons travaillé
vous travaillâtes	vous travaillerez	vous eûtes travaillé	vous aurez travaillé
ils, elles travaillèrent	ils, elles travailleront	ils, elles eurent travaillé	ils, elles auront travaillé

SUBJONCTIF

Présent	Imparfait	Passé	Plus-que-parfait
Il faut que...	*Il fallait que...*	*Il faut que...*	*Il fallait que...*
je travaille	je travaillasse	j' aie travaillé	j' eusse travaillé
tu travailles	tu travaillasses	tu aies travaillé	tu eusses travaillé
il, elle travaille	il, elle travaillât	il, elle ait travaillé	il, elle eût travaillé
nous travaillions	nous travaillassions	nous ayons travaillé	nous eussions travaillé
vous travailliez	vous travaillassiez	vous ayez travaillé	vous eussiez travaillé
ils, elles travaillent	ils, elles travaillassent	ils, elles aient travaillé	ils, elles eussent travaillé

CONDITIONNEL

Présent	Passé 1re forme	Passé 2e forme
je travaillerais	j' aurais travaillé	j' eusse travaillé
tu travaillerais	tu aurais travaillé	tu eusses travaillé
il, elle travaillerait	il, elle aurait travaillé	il, elle eût travaillé
nous travaillerions	nous aurions travaillé	nous eussions travaillé
vous travailleriez	vous auriez travaillé	vous eussiez travaillé
ils, elles travailleraient	ils, elles auraient travaillé	ils, elles eussent travaillé

IMPÉRATIF

Présent	Passé
travaille	aie travaillé
travaillons	ayons travaillé
travaillez	ayez travaillé

INFINITIF

Présent	Passé
travailler	avoir travaillé

PARTICIPE

Présent	Passé
travaillant	travaillé(e)
	ayant travaillé

REMARQUES

● Il devient **lli** aux 1res et 2es personnes du pluriel de l'imparfait de l'indicatif et du présent du subjonctif.
▶ â reste â dans les verbes *bâiller* et *entrebâiller*.

● VERBES MODÈLES DU 2ᵉ GROUPE

verbes en	n°	modèle	autres verbes	particularités orthographiques
-ir	92	finir	rougir, salir...	présent en -is, -is, -it, -issons, -issez, -issent ; p. simple en -is, -is, -it, -îmes, -îtes, -irent ; alternance -i-/-iss- ; p. passé en -i(e) ; p. pst en -issant
-haïr	93	haïr	s'entre-haïr	emploi du tréma

VERBES EN -ir : finir

INDICATIF

Présent		Imparfait		Passé composé			Plus-que-parfait		
je	finis	je	finissais	j'	ai	fini	j'	avais	fini
tu	finis	tu	finissais	tu	as	fini	tu	avais	fini
il, elle	finit	il, elle	finissait	il, elle	a	fini	il, elle	avait	fini
nous	finissons	nous	finissions	nous	avons	fini	nous	avions	fini
vous	finissez	vous	finissiez	vous	avez	fini	vous	aviez	fini
ils, elles	finissent	ils, elles	finissaient	ils, elles	ont	fini	ils, elles	avaient	fini

Passé simple		Futur simple		Passé antérieur			Futur antérieur		
je	finis	je	finirai	j'	eus	fini	j'	aurai	fini
tu	finis	tu	finiras	tu	eus	fini	tu	auras	fini
il, elle	finit	il, elle	finira	il, elle	eut	fini	il, elle	aura	fini
nous	finîmes	nous	finirons	nous	eûmes	fini	nous	aurons	fini
vous	finîtes	vous	finirez	vous	eûtes	fini	vous	aurez	fini
ils, elles	finirent	ils, elles	finiront	ils, elles	eurent	fini	ils, elles	auront	fini

SUBJONCTIF

Présent		Imparfait		Passé			Plus-que-parfait		
Il faut que...		*Il fallait que...*		*Il faut que...*			*Il fallait que...*		
je	finisse	je	finisse	j'	aie	fini	j'	eusse	fini
tu	finisses	tu	finisses	tu	aies	fini	tu	eusses	fini
il, elle	finisse	il, elle	finît	il, elle	ait	fini	il, elle	eût	fini
nous	finissions	nous	finissions	nous	ayons	fini	nous	eussions	fini
vous	finissiez	vous	finissiez	vous	ayez	fini	vous	eussiez	fini
ils, elles	finissent	ils, elles	finissent	ils, elles	aient	fini	ils, elles	eussent	fini

CONDITIONNEL

Présent		Passé 1re forme			Passé 2e forme		
je	finirais	j'	aurais	fini	j'	eusse	fini
tu	finirais	tu	aurais	fini	tu	eusses	fini
il, elle	finirait	il, elle	aurait	fini	il, elle	eût	fini
nous	finirions	nous	aurions	fini	nous	eussions	fini
vous	finiriez	vous	auriez	fini	vous	eussiez	fini
ils, elles	finiraient	ils, elles	auraient	fini	ils, elles	eussent	fini

IMPÉRATIF

Présent	Passé
finis	aie fini
finissons	ayons fini
finissez	ayez fini

INFINITIF

Présent	Passé
finir	avoir fini

PARTICIPE

Présent	Passé
finissant	fini(e)
	ayant fini

VERBES EN -haïr : haïr

INDICATIF

Présent		Imparfait		Passé composé			Plus-que-parfait		
je	hais	je	haïssais	j'	ai	haï	j'	avais	haï
tu	hais	tu	haïssais	tu	as	haï	tu	avais	haï
il, elle	hait	il, elle	haïssait	il, elle	a	haï	il, elle	avait	haï
nous	haïssons	nous	haïssions	nous	avons	haï	nous	avions	haï
vous	haïssez	vous	haïssiez	vous	avez	haï	vous	aviez	haï
ils, elles	haïssent	ils, elles	haïssaient	ils, elles	ont	haï	ils, elles	avaient	haï

Passé simple		Futur simple		Passé antérieur			Futur antérieur		
je	haïs	je	haïrai	j'	eus	haï	j'	aurai	haï
tu	haïs	tu	haïras	tu	eus	haï	tu	auras	haï
il, elle	haït	il, elle	haïra	il, elle	eut	haï	il, elle	aura	haï
nous	haïmes	nous	haïrons	nous	eûmes	haï	nous	aurons	haï
vous	haïtes	vous	haïrez	vous	eûtes	haï	vous	aurez	haï
ils, elles	haïrent	ils, elles	haïront	ils, elles	eurent	haï	ils, elles	auront	haï

SUBJONCTIF

Présent		Imparfait		Passé			Plus-que-parfait		
Il faut que...		Il fallait que...		Il faut que...			Il fallait que...		
je	haïsse	je	haïsse	j'	aie	haï	j'	eusse	haï
tu	haïsses	tu	haïsses	tu	aies	haï	tu	eusses	haï
il, elle	haïsse	il, elle	haït	il, elle	ait	haï	il, elle	eût	haï
nous	haïssions	nous	haïssions	nous	ayons	haï	nous	eussions	haï
vous	haïssiez	vous	haïssiez	vous	ayez	haï	vous	eussiez	haï
ils, elles	haïssent	ils, elles	haïssent	ils, elles	aient	haï	ils, elles	eussent	haï

CONDITIONNEL

Présent		Passé 1ʳᵉ forme			Passé 2ᵉ forme		
je	haïrais	j'	aurais	haï	j'	eusse	haï
tu	haïrais	tu	aurais	haï	tu	eusses	haï
il, elle	haïrait	il, elle	aurait	haï	il, elle	eût	haï
nous	haïrions	nous	aurions	haï	nous	eussions	haï
vous	haïriez	vous	auriez	haï	vous	eussiez	haï
ils, elles	haïraient	ils, elles	auraient	haï	ils, elles	eussent	haï

IMPÉRATIF

Présent	Passé
hais	aie haï
haïssons	ayons haï
haïssez	ayez haï

INFINITIF

Présent	Passé
haïr	avoir haï

PARTICIPE

Présent	Passé
haïssant	haï(e)
	ayant haï

REMARQUES

● ï devient i :
- aux trois personnes du singulier du présent de l'indicatif ;
- à la 2ᵉ personne du singulier du présent de l'impératif.
● ï reste î :
- à la 1ʳᵉ et à la 2ᵉ personne du pluriel du passé simple de l'indicatif ;
- à la 3ᵉ personne du singulier de l'imparfait du subjonctif.

● VERBES MODÈLES DU 3e GROUPE EN -IR

verbes en	n°	modèle	autres verbes	particularités orthographiques
-IR				présent en **-s, -s, -t** ; p. simple en **-is**
-bouillir	**113**	**bouillir**	débouillir, rebouillir	présent en **-s, -s, -t** ; alternance **-bou-/-bouill-** ; p. simple en **-bouillis** ; p. passé en **-bouilli(e)** ; p. pst en **-bouillant**
-dormir	**130**	**dormir**	endormir, redormir, rendormir	présent en **-s, -s, -t** ; alternance **-dor-/-dorm-** ; p. simple en **-dormis** ; p. passé en **-dormi(e)** ; p. pst en **-dormant**
-entir	**138**	**mentir**	assentir, consentir, démentir, pressentir, se repentir, ressentir, sentir	présent en **-s, -s, -t** ; p. simple en **-entis** ; p. passé en **-enti(e)** ; p. pst en **-entant**
-fuir	**133**	**fuir**	s'enfuir	présent en **-s, -s, -t** ; alternance **-fui-/-fuy-** ; p. simple en **-fuis** ; p. passé en **-fui(e)** ; p. pst en **-fuyant**
-partir	**147**	**partir**	départir (avoir), repartir (être), repartir (avoir)	présent en **-s, -s, -t** ; p. simple en **-partis** ; p. passé en **-parti(e)** ; p. pst en **-partant**
-quérir	**107**	**acquérir**	conquérir, s'enquérir, reconquérir, requérir	présent en **-s, -s, -t** ; alternance **-quier-/ -quér-/-quièr-/-querr-** ; p. simple en **-quis** ; p. passé en **-quis(e)** ; p. pst en **-quérant**
-servir	**162**	**servir**	desservir, resservir	présent en **-s, -s, -t** ; alternance **-ser-/-serv-** ; p. simple en **-servis** ; p. passé en **-servi(e)** ; p. pst en **-servant**
-sortir	**163**	**sortir**	ressortir	présent en **-s, -s, -t** ; p. simple en **-sortis** ; p. passé en **-sorti(e)** ; p. pst en **-sortant**

-IR				présent en -s, -s, -t ; p. simple en -us
-courir	122	courir	accourir, concourir, discourir, encourir, parcourir, recourir, secourir	présent en -s, -s, -t ; alternance -cour-/-courr- ; p. simple en -courus ; p. passé en -couru(e) ; p. pst en -courant
mourir	142			présent en -s, -s, -t ; alternance mour-/meur-/mourr- ; p. simple mourus ; p. passé mort(e) ; p. pst mourant

-IR				présent en -s, -s, -t ; p. simple en -ins
-tenir	169	tenir	s'abstenir, appartenir, contenir, détenir, entretenir, maintenir, obtenir, retenir, soutenir	présent en -s, -s, -t ; alternance -tien-/-ten- ; p. simple en -tins ; p. passé en -tenu(e) ; p. pst en -tenant
-venir	176	venir	circonvenir, contrevenir, convenir, devenir, disconvenir, intervenir, obvenir, parvenir, prévenir, provenir, redevenir, se ressouvenir, revenir, souvenir, subvenir, survenir	présent en -s, -s, -t ; alternance -vien-/-ven- ; p. simple en -vins ; p. passé en -venu(e) ; p. pst en -venant

-IR				présent en -ts, -ts, -t ; p. simple en -is
-vêtir	177	vêtir	dévêtir, revêtir	présent en -ts, -ts, -t ; p. simple en -vêtis ; p. passé en -vêtu(e) ; p. pst en -vêtant

-IR				présent en -e, -es, -e ; p. simple en -is
-cueillir	126	cueillir	accueillir, recueillir	présent en -e, -es, -e ; p. simple en -cueillis ; p. passé en -cueilli(e) ; p. pst en -cueillant
défaillir	127			présent en -e, -es, -e ; p. simple défaillis ; p. passé défailli ; p. pst défaillant

offrir	145			présent en -e, -es, -e ; p. simple offris ; p. passé offert(e) ; p. pst offrant
-ouvrir	146	ouvrir	couvrir, découvrir, entrouvrir, recouvrir, redécouvrir, rouvrir	présent en -e, -es, -e ; p. simple en -ouvris ; p. passé en -ouvert(e) ; p. pst en -ouvrant
-saillir	172	tressaillir	assaillir	présent en -e, -es, -e ; p. simple en -saillis ; p. passé en -sailli(e) ; p. pst en -saillant
souffrir	164			présent en -e, -es, -e ; p. simple souffris ; p. passé souffert(e) ; p. pst souffrant

● *VERBES MODÈLES DU 3e GROUPE EN -OIR*

verbes en	n°	modèle	autres verbes	particularités orthographiques
-OIR			présent en -s, -s, -t ; p. simple en -is	
-asseoir	109	asseoir	rasseoir	présent en -s, -s, -t / -ds, -ds, -d ; alternance -assoi-/-assoy-/ -assie-/-assey-/-ass- ; p. simple en -assis ; p. passé en -assis(e) ; p. pst en -asseyant/-assoyant
prévoir	154			présent en -s, -s, -t ; alternance prévoi-/prévoy- ; p. simple prévis ; p. passé prévu(e) ; p. pst prévoyant
surseoir	167			présent en -s, -s, -t ; alternance sursoi-/sursoy-/ surseoir- ; p. simple sursis ; p. passé sursis(e) ; p. pst sursoyant

-voir	179	voir	entrevoir, revoir	présent en -s, -s, -t ; alternance -voi-/-voy-/-verr- ; p. simple en -vis ; p. passé en -vu(e) ; p. pst en -voyant
-OIR			**présent en -s, -s, -t ; p. simple en -us**	
-cevoir	156	recevoir	apercevoir, concevoir, décevoir, entrapercevoir, percevoir	présent en -s, -s, -t ; alternance -çoi-/-cev- ; p. simple en -çus ; p. passé en -çu(e) ; p. pst en -cevant
-devoir	128	devoir	redevoir	présent en -s, -s, -t ; alternance -doi-/-dev- ; p. simple en -dus ; p. passé en -dû/-due ; p. pst en -devant
-mouvoir	155	promouvoir	émouvoir, mouvoir	présent en -s, -s, -t ; alternance -meu-/-mouv- ; p. simple en -mus ; p. passé en -mu(e), sauf mû/mue (de mouvoir) ; p. pst en -mouvant
-pourvoir	151	pourvoir	dépourvoir	présent en -s, -s, -t ; alternance -pourvoi-/ -pourvoy- ; p. simple en -pourvus ; p. passé en -pourvu(e) ; p. pst en -pourvoyant
savoir	161			présent en -s, -s, -t ; alternance sai-/sav-/sach-/ saur- ; p. simple sus ; p. passé su(e) ; p. pst sachant
-OIR			**présent en -x, -x, -t ; p. simple en -us**	
pouvoir	152			présent en -x, -x, -t ; alternance peu-/pouv-/ puiss-/pourr- ; p. simple pus ; p. passé pu ; p. pst pouvant

-valoir	174	**valoir**	équi**valoir**, pré**valoir** re**valoir**	présent en **-x, -x, -t** ; alternance **-vau-/-val-/ -vaill-/-vaudr-** ; p. simple en **-valus** ; p. passé en **-valu(e)** ; p. pst en **-valant**
-vouloir	180	**vouloir**	re**vouloir**	présent en **-x, -x, -t** ; alternance **-veu-/-voul-/ -veuill-/-voudr-** ; p. simple en **-voulus** ; p. passé en **-voulu(e)** ; p. pst en **voulant**

● *VERBES MODÈLES DU 3ᵉ GROUPE EN -RE*

verbes en	n°	modèle	autres verbes	particularités orthographiques
-DRE			présent en **-ds, -ds, -d** ; p. simple en **-is**	
-coudre	121	**coudre**	dé**coudre**, re**coudre**	présent en **-ds, -ds, -d** ; alternance **-coud-/-cous-** ; p. simple en **-cousis** ; p. passé en **-cousu(e)** ; p. pst en **-cousant**
-endre	175	**vendre**	ap**pendre**, at**tendre**, condes**cendre**, dé**fendre**, dé**pendre**, des**cendre**, dé**tendre**, dis**tendre**, en**tendre**, é**tendre**, **fendre**, mé**vendre**, **pendre**, pour**fendre**, pré**tendre**, redes**cendre**, réen**tendre**, re**fendre**, **rendre**, re**pendre**, re**tendre**, re**vendre**, sous-en**tendre**, sous-**tendre**, sus**pendre**, **tendre**	présent en **-ds, -ds, -d** ; p. simple en **-endis** ; p. passé en **-endu(e)** ; p. présent en **-endant**
-épandre	157	**répandre**	**épandre**	présent en **-ds, -ds, -d** ; p. simple en **-épandis** ; p. passé en **-épandu(e)** ; p. pst en **-épandant**

-ondre	170	**tondre**	conf**ondre**, correspondre, fondre, morfondre, parfondre, pondre, refondre, répondre, retondre, surtondre	présent en **-ds, -ds, -d** ; p. simple en **-ondis** ; p. passé en **-ondu(e)** ; p. pst en **-ondant**
-ordre	140	**mordre**	démordre, détordre, distordre, remordre, retordre, tordre	présent en **-ds, -ds, -d** ; p. simple en **-ordis** ; p. passé en **-ordu(e)** ; p. pst en **-ordant**
-perdre	149	**perdre**	éperdre, reperdre	présent en **-ds, -ds, -d** ; p. simple en **-perdis** ; p. passé en **-perdu(e)** ; p. pst en **-perdant**
-prendre	153	**prendre**	apprendre, comprendre, déprendre, désapprendre, entreprendre, éprendre, se méprendre, rapprendre, réapprendre, reprendre, surprendre	présent en **-ds, -ds, -d** ; alternance **-prend-/-pren-** ; p. simple en **-pris** ; p. passé en **-pris(e)** ; p. pst en **-prenant**

-DRE			présent en **-ds, -ds, -d** ; p. simple en **-us**	
-moudre	141	**moudre**	émoudre, remoudre	présent en **-ds, -ds, -d, -moulons, -moulez, -moulent** ; alternance **-moud-/-moul-** ; p. simple en **-moulus** ; p. passé en **-moulu(e)** ; p. pst en **-moulant**

-INDRE			présent en **-s, -s, -t** ; p. simple en **-is**	
-aindre	123	**craindre**	contraindre, plaindre	présent en **-s, -s, -t** ; alternance **-ain-/-aign-** ; p. simple en **-aignis** ; p. passé en **-aint(e)** ; p. pst en **-aignant**
-eindre	148	**peindre**	atteindre, aveindre, ceindre, dépeindre, déteindre, enceindre, éteindre, feindre, geindre, repeindre, reteindre, teindre	présent en **-s, -s, -t** ; alternance **-ein-/-eign-** ; p. simple en **-eignis** ; p. passé en **-eint(e)** ; p. pst en **-eignant**

-oindre	134	joindre	adjoindre, conjoindre, disjoindre, enjoindre, oindre, poindre, rejoindre	présent en -s, -s, -t ; alternance -oin-/-oign- ; p. simple en -oignis ; p. passé en -oint(e) ; p. pst en -oignant
-reindre	110	astreindre	empreindre, enfreindre, étreindre, restreindre, rétreindre	présent en -s, -s, -t ; alternance -rein-/-reign- ; p. simple en -reignis ; p. passé en -reint(e) ; p. pst en -reignant

-SOUDRE				présent en **-s, -s, -t** ; p. simple en **-us**
-soudre	105	absoudre	dissoudre	présent en -s, -s, -t ; alternance -sou-/-sol-/-solv- ; p. simple en -solus (rare) ; p. passé en -sous/-soute ; p. pst en -solvant
résoudre	158			présent en -s, -s, -t ; alternance résou-/résolv- ; p. simple résolus ; p. passé résolu(e) ; p. pst résolvant

-TTRE				perdent un **t** du radical au présent : **-ts, -ts, -t** ; p. simple en **-is**
-battre	111	battre	abattre, combattre, contrebattre, débattre, s'ébattre, embattre, s'entrebattre, rabattre, rebattre, soubattre	présent en -ts, -ts, -t ; alternance -bat-/-batt- ; p. simple en -battis ; p. passé en -battu(e) ; p. pst en -battant
-mettre	139	mettre	admettre, commettre, compromettre, décommettre, démettre, émettre, s'entremettre, mainmettre, omettre, permettre, promettre, réadmettre, remettre, retransmettre, soumettre, transmettre	présent en -ts, -ts, -t ; alternance -met-/-mett- ; p. simple en -mis ; p. passé en -mis(e) ; p. pst en -mettant

-TRE	perdent le **t** du radical au présent : **-s, -s, -t** ; p. simple en **-us** sauf **naître**			
-aître	118	connaître	apparaître, comparaître, entr'apparaître, disparaître, méconnaître, paraître, réapparaître, recomparaître, reconnaître, repaître, reparaître, transparaître	présent en **-s, -s, -t** ; alternance **-ai-/-aî-/-aiss-** ; p. simple en **-us** ; p. passé en **-u(e)** ; p. pst en **-aissant** ; accent circonflexe
croître	125			présent en **-s, -s, -t** ; alternance **croî-/croiss-** ; p. simple **crûs** ; p. passé **crû, crue** ; p. pst **croissant**
-croître	106	accroître	décroître, recroître	présent en **-s, -s, -t** ; alternance **-crois-/-croî-/ -croiss-** ; p. simple en **-crus** ; p. passé en **-cru(e)**, sauf **recrû/recrue** (de recroître) ; p. pst en **-croissant**
naître	143			présent en **-s, -s, -t, naissons, naissez, naissent** ; alternance **nai-/-naiss-/naqu-** ; p. simple **naquis** ; p. passé **né(e)** ; p. pst **naissant** ; accent circonflexe

-IRE	présent en **-s, -s, -t** ; p. simple en **-is** sauf **lire** et ses composés			
circoncire	114			présent en **-s, -s, -t** ; p. simple **circoncis** ; p. passé **circoncis(e)** ; p. pst **circoncisant**
-confire	117	confire	déconfire	présent en **-s, -s, -t** ; p. simple en **-confis** ; p. passé en **-confit(e)** ; p. pst en **-confisant**
-crire	131	écrire	circonscrire, décrire, inscrire, prescrire, proscrire, récrire, réécrire, réinscrire, retranscrire, souscrire, transcrire	présent en **-s, -s, -t** ; alternance **-cri-/-criv-** ; p. simple en **-crivis** ; p. passé en **-crit(e)** ; p. pst en **-crivant**

-dire	129	**dire**	redire	présent en **-s, -s, -t,** **-disons, -dites, -disent;** alternance **-di-/-dis-** ; p. simple en **-dis** ; p. passé en **-dit(e)** ; p. pst en **-disant**
	120	contre**dire**	dé**dire**, inter**dire**, mé**dire**, pré**dire**	présent en **-s, -s, -t,** **-disons, -disez, -disent** ; alternance **-di-/-dis-** ; p. simple en **-dis** ; p. passé en **-dit(e)** ; p. pst en **-disant**
-lire	135	**lire**	é**lire**, réé**lire**, re**lire**	présent en **-s, -s, -t** ; alternance **-li-/-lis-** ; p. simple en **-lus** ; p. passé en **-lu(e)** ; p. pst en **-lisant**
maudire	137			présent en **-s, -s, -t,** **-issons, -issez, -issent** ; alternance **maudi-/** **maudiss-** ; p. simple **maudis** ; p. passé **maudit(e)** ; p. pst **maudissant**
-rire	159	**rire**	sou**rire**	présent en **-s, -s, -t** ; p. simple en **-ris** ; p. passé en **-ri** ; p. pst en **-riant**
suffire	165			présent en **-s, -s, -t** ; p. simple **suffis** ; p. passé **suffi** ; p. pst **suffisant**

-AIRE				**présent en -s, -s, -t ; p. simple en -is ou -us**
-faire	132	**faire**	contre**faire**, dé**faire**, redé**faire**, re**faire**, satis**faire**, sur**faire**	présent en **-s, -s, -t,** **-faisons, -faites, -font** ; alternance **-fai-/-fer-** ; p. simple en **-fis** ; p. passé en **-fait(e)** ; p. pst en **-faisant**
-plaire	150	**plaire**	com**plaire**, dé**plaire**	présent en **-s, -s, -t** ; alternance **-plai-/-plais-** ; p. simple en **-plus** ; p. passé en **-plu** ; p. pst en **-plaisant**

-raire	171	traire	abstraire, distraire, extraire, portraire, raire, rentraire, retraire, soustraire	présent en -s, -s, -t ; alternance -rai-/-ray- ; p. passé en -rait(e) ; p. pst en -rayant
taire	168			présent en -s, -s, -t ; p. simple tus ; p. passé tu(e) ; p. pst taisant

-OIRE				présent en -s, -s, -t ; p. simple en -us
-boire	112	boire	emboire	présent en -s, -s, -t ; alternance -boi-/-bu-/-buv-/-boiv- ; p. simple en -bus ; p. passé en -bu(e) ; p. pst en -buvant
croire	124			présent en -s, -s, -t ; alternance croi-/croy- ; p. simple crus ; p. passé cru(e) ; p. pst croyant

-UIRE				présent en -s, -s, -t ; p. simple en -is
-uire	116	conduire	coproduire, cuire, décuire, déduire, éconduire, enduire, induire, introduire, se méconduire, produire, reconduire, recuire, réduire, réintroduire, reproduire, retraduire, séduire, surproduire, traduire	présent en -s, -s, -t ; alternance -ui-/-uis- ; p. simple en -uis ; p. passé en -uit(e) ; p. pst en -uisant
-luire	136	luire	reluire	présent en -s, -s, -t ; alternance -lui-/-luis- ; p. simple en -luisis ; p. passé en -lui ; p. pst en -luisant
-nuire	144	nuire	s'entrenuire, s'entre-nuire	présent en -s, -s, -t ; p. simple en -nuisis ; p. passé en -nui ; p. pst en -nuisant
-truire	119	construire	s'autodétruire, déconstruire, détruire, s'entre-détruire, instruire, reconstruire	présent en -s, -s, -t ; p. simple en -truisis ; p. passé en -truit(e) ; p. pst en -truisant

-clure, -rompre, -suivre, -vaincre, -vivre

-clure	115	con**clure**	ex**clure**, in**clure**, oc**clure**	présent en **-s, -s, -t** ; p. simple en **-clus** ; p. passé en **-clu(e)**, sauf in**clus(e)**, oc**clus(e)** ; p. pst en **-cluant**
-rompre	160	**rompre**	cor**rompre**, inter**rompre**	présent en **-s, -s, -t** ; p. simple en **-rompis** ; p. passé en **-rompu(e)** ; p. pst en **-rompant**
-suivre	166	**suivre**	pour**suivre**	présent en **-s, -s, -t** ; alternance **-sui-/-suiv-** ; p. simple en **-suivis** ; p. passé en **-suivi(e)** ; p. pst en **-suivant**
-vaincre	173	**vaincre**	con**vaincre**	présent en **-cs, -cs, -c** ; alternance **-vainc-/-vainqu-** ; p. simple en **-vainquis** ; p. passé en **-vaincu(e)** ; p. pst en **-vainquant**
-vivre	178	**vivre**	re**vivre**, sur**vivre**	présent en **-s, -s, -t** ; alternance **-vi-/-viv-/-véc-** ; p. simple en **-vécus** ; p. passé en **-vécu(e)** ; p. pst en **-vivant**

● *VERBE MODÈLE DU 3e GROUPE EN -ER*

verbe en	n°	modèle	autres verbes	particularités orthographiques
aller	108			présent en **vais, vas, va, allons, allez, vont** ; alternance **va(i)-/-all-/-ir-/-aill-** ; p. simple **allai** ; p. passé **allé(e)** ; p. pst **allant**

INDICATIF

Présent		Imparfait		Passé composé			Plus-que-parfait		
j'	absous	j'	absolvais	j'	ai	absous	j'	avais	absous
tu	absous	tu	absolvais	tu	as	absous	tu	avais	absous
il, elle	absout	il, elle	absolvait	il, elle	a	absous	il, elle	avait	absous
nous	absolvons	nous	absolvions	nous	avons	absous	nous	avions	absous
vous	absolvez	vous	absolviez	vous	avez	absous	vous	aviez	absous
ils, elles	absolvent	ils, elles	absolvaient	ils, elles	ont	absous	ils, elles	avaient	absous

Passé simple (rare)		Futur simple		Passé antérieur			Futur antérieur		
j'	absolus	j'	absoudrai	j'	eus	absous	j'	aurai	absous
tu	absolus	tu	absoudras	tu	eus	absous	tu	auras	absous
il, elle	absolut	il, elle	absoudra	il, elle	eut	absous	il, elle	aura	absous
nous	absolûmes	nous	absoudrons	nous	eûmes	absous	nous	aurons	absous
vous	absolûtes	vous	absoudrez	vous	eûtes	absous	vous	aurez	absous
ils, elles	absolurent	ils, elles	absoudront	ils, elles	eurent	absous	ils, elles	auront	absous

SUBJONCTIF

Présent		Imparfait (rare)		Passé			Plus-que-parfait		
Il faut *que*...		Il fallait *que*...		Il faut *que*...			Il fallait *que*...		
j'	absolve	j'	absolusse	j'	aie	absous	j'	eusse	absous
tu	absolves	tu	absolusses	tu	aies	absous	tu	eusses	absous
il, elle	absolve	il, elle	absolût	il, elle	ait	absous	il, elle	eût	absous
nous	absolvions	nous	absolussions	nous	ayons	absous	nous	eussions	absous
vous	absolviez	vous	absolussiez	vous	ayez	absous	vous	eussiez	absous
ils, elles	absolvent	ils, elles	absolussent	ils, elles	aient	absous	ils, elles	eussent	absous

CONDITIONNEL

Présent		Passé 1re forme			Passé 2e forme		
j'	absoudrais	j'	aurais	absous	j'	eusse	absous
tu	absoudrais	tu	aurais	absous	tu	eusses	absous
il, elle	absoudrait	il, elle	aurait	absous	il, elle	eût	absous
nous	absoudrions	nous	aurions	absous	nous	eussions	absous
vous	absoudriez	vous	auriez	absous	vous	eussiez	absous
ils, elles	absoudraient	ils, elles	auraient	absous	ils, elles	eussent	absous

IMPÉRATIF

Présent	Passé
absous	aie absous
absolvons	ayons absous
absolvez	ayez absous

INFINITIF

Présent	Passé
absoudre	avoir absous

PARTICIPE

Présent	Passé
absolvant	absous, absoute
	ayant absous

REMARQUES

▶ Se conjugue sur le modèle d'*absoudre* : *dissoudre*.
▶ Les anciennes formes du participe passé *absolu(e)* et *dissolu(e)* ne subsistent plus que sous la forme d'adjectifs qualificatifs, respectivement au sens de « sans restriction, sans réserve » et « débauché, corrompu ».

VERBES EN -croître : accroître

INDICATIF

Présent		Imparfait		Passé composé			Plus-que-parfait		
j'	accrois	j'	accroissais	j'	ai	accru	j'	avais	accru
tu	accrois	tu	accroissais	tu	as	accru	tu	avais	accru
il, elle	accroît	il, elle	accroissait	il, elle	a	accru	il, elle	avait	accru
nous	accroissons	nous	accroissions	nous	avons	accru	nous	avions	accru
vous	accroissez	vous	accroissiez	vous	avez	accru	vous	aviez	accru
ils, elles	accroissent	ils, elles	accroissaient	ils, elles	ont	accru	ils, elles	avaient	accru

Passé simple		Futur simple		Passé antérieur			Futur antérieur		
j'	accrus	j'	accroîtrai	j'	eus	accru	j'	aurai	accru
tu	accrus	tu	accroîtras	tu	eus	accru	tu	auras	accru
il, elle	accrut	il, elle	accroîtra	il, elle	eut	accru	il, elle	aura	accru
nous	accrûmes	nous	accroîtrons	nous	eûmes	accru	nous	aurons	accru
vous	accrûtes	vous	accroîtrez	vous	eûtes	accru	vous	aurez	accru
ils, elles	accrurent	ils, elles	accroîtront	ils, elles	eurent	accru	ils, elles	auront	accru

SUBJONCTIF

Présent		Imparfait		Passé			Plus-que-parfait		
Il faut que...		Il fallait que...		Il faut que...			Il fallait que...		
j'	accroisse	j'	accrusse	j'	aie	accru	j'	eusse	accru
tu	accroisses	tu	accrusses	tu	aies	accru	tu	eusses	accru
il, elle	accroisse	il, elle	accrût	il, elle	ait	accru	il, elle	eût	accru
nous	accroissions	nous	accrussions	nous	ayons	accru	nous	eussions	accru
vous	accroissiez	vous	accrussiez	vous	ayez	accru	vous	eussiez	accru
ils, elles	accroissent	ils, elles	accrussent	ils, elles	aient	accru	ils, elles	eussent	accru

CONDITIONNEL

Présent		Passé 1re forme			Passé 2e forme		
j'	accroîtrais	j'	aurais	accru	j'	eusse	accru
tu	accroîtrais	tu	aurais	accru	tu	eusses	accru
il, elle	accroîtrait	il, elle	aurait	accru	il, elle	eût	accru
nous	accroîtrions	nous	aurions	accru	nous	eussions	accru
vous	accroîtriez	vous	auriez	accru	vous	eussiez	accru
ils, elles	accroîtraient	ils, elles	auraient	accru	ils, elles	eussent	accru

IMPÉRATIF

Présent	Passé
accrois	aie accru
accroissons	ayons accru
accroissez	ayez accru

INFINITIF

Présent	Passé
accroître	avoir accru

PARTICIPE

Présent	Passé
accroissant	accru(e)
	ayant accru

î reste î, lorsqu'il est suivi d'un t, c'est-à-dire :
- à l'infinitif ;
- à la 3e personne du singulier du présent de l'indicatif ;
- à toutes les personnes du futur simple de l'indicatif et du présent du conditionnel.
▶ Se conjuguent sur le modèle d'accroître : décroître (être ou avoir), recroître.
▶ Le participe passé du verbe recroître prend un accent circonflexe sur le u au masculin singulier : recrû.

INDICATIF

Présent		Imparfait		Passé composé			Plus-que-parfait		
j'	acquiers	j'	acquérais	j'	ai	acquis	j'	avais	acquis
tu	acquiers	tu	acquérais	tu	as	acquis	tu	avais	acquis
il, elle	acquiert	il, elle	acquérait	il, elle	a	acquis	il, elle	avait	acquis
nous	acquérons	nous	acquérions	nous	avons	acquis	nous	avions	acquis
vous	acquérez	vous	acquériez	vous	avez	acquis	vous	aviez	acquis
ils, elles	acquièrent	ils, elles	acquéraient	ils, elles	ont	acquis	ils, elles	avaient	acquis

Passé simple		Futur simple		Passé antérieur			Futur antérieur		
j'	acquis	j'	acquerrai	j'	eus	acquis	j'	aurai	acquis
tu	acquis	tu	acquerras	tu	eus	acquis	tu	auras	acquis
il, elle	acquit	il, elle	acquerra	il, elle	eut	acquis	il, elle	aura	acquis
nous	acquîmes	nous	acquerrons	nous	eûmes	acquis	nous	aurons	acquis
vous	acquîtes	vous	acquerrez	vous	eûtes	acquis	vous	aurez	acquis
ils, elles	acquirent	ils, elles	acquerront	ils, elles	eurent	acquis	ils, elles	auront	acquis

SUBJONCTIF

Présent		Imparfait		Passé			Plus-que-parfait		
Il faut que...		Il fallait que...		Il faut que...			Il fallait que...		
j'	acquière	j'	acquisse	j'	aie	acquis	j'	eusse	acquis
tu	acquières	tu	acquisses	tu	aies	acquis	tu	eusses	acquis
il, elle	acquière	il, elle	acquît	il, elle	ait	acquis	il, elle	eût	acquis
nous	acquiérions	nous	acquissions	nous	ayons	acquis	nous	eussions	acquis
vous	acquiériez	vous	acquissiez	vous	ayez	acquis	vous	eussiez	acquis
ils, elles	acquièrent	ils, elles	acquissent	ils, elles	aient	acquis	ils, elles	eussent	acquis

CONDITIONNEL

Présent		Passé 1re forme			Passé 2e forme		
j'	acquerrais	j'	aurais	acquis	j'	eusse	acquis
tu	acquerrais	tu	aurais	acquis	tu	eusses	acquis
il, elle	acquerrait	il, elle	aurait	acquis	il, elle	eût	acquis
nous	acquerrions	nous	aurions	acquis	nous	eussions	acquis
vous	acquerriez	vous	auriez	acquis	vous	eussiez	acquis
ils, elles	acquerraient	ils, elles	auraient	acquis	ils, elles	eussent	acquis

IMPÉRATIF

Présent	Passé
acquiers	aie acquis
acquérons	ayons acquis
acquérez	ayez acquis

INFINITIF

Présent	Passé
acquérir	avoir acquis

PARTICIPE

Présent	Passé
acquérant	acquis(e)
	ayant acquis

REMARQUES

▶ Se conjuguent sur le modèle d'*acquérir* : conquérir, s'enquérir (pronominal avec l'auxiliaire *être*), reconquérir, requérir.

aller

INDICATIF

Présent		Imparfait		Passé composé			Plus-que-parfait		
je	vais	j'	allais	je	suis	allé(e)	j'	étais	allé(e)
tu	vas	tu	allais	tu	es	allé(e)	tu	étais	allé(e)
il, elle	va	il, elle	allait	il, elle	est	allé(e)	il, elle	était	allé(e)
nous	allons	nous	allions	nous	sommes	allé(e)s	nous	étions	allé(e)s
vous	allez	vous	alliez	vous	êtes	allé(e)s	vous	étiez	allé(e)s
ils, elles	vont	ils, elles	allaient	ils, elles	sont	allé(e)s	ils, elles	étaient	allé(e)s

Passé simple		Futur simple		Passé antérieur			Futur antérieur		
j'	allai	j'	irai	je	fus	allé(e)	je	serai	allé(e)
tu	allas	tu	iras	tu	fus	allé(e)	tu	seras	allé(e)
il, elle	alla	il, elle	ira	il, elle	fut	allé(e)	il, elle	sera	allé(e)
nous	allâmes	nous	irons	nous	fûmes	allé(e)s	nous	serons	allé(e)s
vous	allâtes	vous	irez	vous	fûtes	allé(e)s	vous	serez	allé(e)s
ils, elles	allèrent	ils, elles	iront	ils, elles	furent	allé(e)s	ils, elles	seront	allé(e)s

SUBJONCTIF

Présent		Imparfait		Passé			Plus-que-parfait		
Il faut que...		*Il fallait que...*		*Il faut que...*			*Il fallait que...*		
j'	aille	j'	allasse	je	sois	allé(e)	je	fusse	allé(e)
tu	ailles	tu	allasses	tu	sois	allé(e)	tu	fusses	allé(e)
il, elle	aille	il, elle	allât	il, elle	soit	allé(e)	il, elle	fût	allé(e)
nous	aillions	nous	allassions	nous	soyons	allé(e)s	nous	fussions	allé(e)s
vous	ailliez	vous	allassiez	vous	soyez	allé(e)s	vous	fussiez	allé(e)s
ils, elles	aillent	ils, elles	allassent	ils, elles	soient	allé(e)s	ils, elles	fussent	allé(e)s

CONDITIONNEL

Présent		Passé 1re forme			Passé 2e forme		
j'	irais	je	serais	allé(e)	je	fusse	allé(e)
tu	irais	tu	serais	allé(e)	tu	fusses	allé(e)
il, elle	irait	il, elle	serait	allé(e)	il, elle	fût	allé(e)
nous	irions	nous	serions	allé(e)s	nous	fussions	allé(e)s
vous	iriez	vous	seriez	allé(e)s	vous	fussiez	allé(e)s
ils, elles	iraient	ils, elles	seraient	allé(e)s	ils, elles	fussent	allé(e)s

IMPÉRATIF

Présent	Passé
va	sois allé(e)
allons	soyons allé(e)s
allez	soyez allé(e)s

INFINITIF

Présent	Passé
aller	être allé(e)

PARTICIPE

Présent	Passé
allant	allé(e)
	étant allé(e)

REMARQUES

▶ Malgré son infinitif en **-er**, le verbe *aller* appartient au 3e groupe.

INDICATIF

Présent		Imparfait		Passé composé			Plus-que-parfait		
j'	assois/assieds	j'	assoyais/asseyais	j'	ai	assis	j'	avais	assis
tu	assois/assieds	tu	assoyais/asseyais	tu	as	assis	tu	avais	assis
il, elle	assoit/assied	il, elle	assoyait/asseyait	il, elle	a	assis	il, elle	avait	assis
nous	assoyons/asseyons	nous	assoyions/asseyions	nous	avons	assis	nous	avions	assis
vous	assoyez/asseyez	vous	assoyiez/asseyiez	vous	avez	assis	vous	aviez	assis
ils, elles	assoient/asseyent	ils, elles	assoyaient/asseyaient	ils, elles	ont	assis	ils, elles	avaient	assis

Passé simple		Futur simple		Passé antérieur			Futur antérieur		
j'	assis	j'	assoirai/assiérai	j'	eus	assis	j'	aurai	assis
tu	assis	tu	assoiras/assiéras	tu	eus	assis	tu	auras	assis
il, elle	assit	il, elle	assoira/assiéra	il, elle	eut	assis	il, elle	aura	assis
nous	assîmes	nous	assoirons/assiérons	nous	eûmes	assis	nous	aurons	assis
vous	assîtes	vous	assoirez/assiérez	vous	eûtes	assis	vous	aurez	assis
ils, elles	assirent	ils, elles	assoiront/assiéront	ils, elles	eurent	assis	ils, elles	auront	assis

SUBJONCTIF

Présent *Il faut que...*		Imparfait *Il fallait que...*		Passé *Il faut que...*			Plus-que-parfait *Il fallait que...*		
j'	assoie/asseye	j'	assisse	j'	aie	assis	j'	eusse	assis
tu	assoies/asseyes	tu	assisses	tu	aies	assis	tu	eusses	assis
il, elle	assoie/asseye	il, elle	assît	il, elle	ait	assis	il, elle	eût	assis
nous	assoyions/asseyions	nous	assissions	nous	ayons	assis	nous	eussions	assis
vous	assoyiez/asseyiez	vous	assissiez	vous	ayez	assis	vous	eussiez	assis
ils, elles	assoient/asseyent	ils, elles	assissent	ils, elles	aient	assis	ils, elles	eussent	assis

CONDITIONNEL

Présent		Passé 1re forme			Passé 2e forme		
j'	assoirais/assiérais	j'	aurais	assis	j'	eusse	assis
tu	assoirais/assiérais	tu	aurais	assis	tu	eusses	assis
il, elle	assoirait/assiérait	il, elle	aurait	assis	il, elle	eût	assis
nous	assoirions/assiérions	nous	aurions	assis	nous	eussions	assis
vous	assoiriez/assiériez	vous	auriez	assis	vous	eussiez	assis
ils, elles	assoiraient/assiéraient	ils, elles	auraient	assis	ils, elles	eussent	assis

IMPÉRATIF

Présent	Passé
assois/assieds	aie assis
assoyons/asseyons	ayons assis
assoyez/asseyez	ayez assis

INFINITIF

Présent	Passé
asseoir	avoir assis

PARTICIPE

Présent	Passé
assoyant/asseyant	assis(e)
	ayant assis

REMARQUES

● **y** devient **yi** aux 1res et 2es personnes du pluriel de l'imparfait de l'indicatif et du présent du subjonctif.
▶ Se conjugue sur le modèle d'*asseoir* : *rasseoir*.

VERBES EN -reindre : astreindre

INDICATIF

Présent		Imparfait		Passé composé			Plus-que-parfait		
j'	astreins	j'	astreignais	j'	ai	astreint	j'	avais	astreint
tu	astreins	tu	astreignais	tu	as	astreint	tu	avais	astreint
il, elle	astreint	il, elle	astreignait	il, elle	a	astreint	il, elle	avait	astreint
nous	astreignons	nous	astreignions	nous	avons	astreint	nous	avions	astreint
vous	astreignez	vous	astreigniez	vous	avez	astreint	vous	aviez	astreint
ils, elles	astreignent	ils, elles	astreignaient	ils, elles	ont	astreint	ils, elles	avaient	astreint

Passé simple		Futur simple		Passé antérieur			Futur antérieur		
j'	astreignis	j'	astreindrai	j'	eus	astreint	j'	aurai	astreint
tu	astreignis	tu	astreindras	tu	eus	astreint	tu	auras	astreint
il, elle	astreignit	il, elle	astreindra	il, elle	eut	astreint	il, elle	aura	astreint
nous	astreignîmes	nous	astreindrons	nous	eûmes	astreint	nous	aurons	astreint
vous	astreignîtes	vous	astreindrez	vous	eûtes	astreint	vous	aurez	astreint
ils, elles	astreignirent	ils, elles	astreindront	ils, elles	eurent	astreint	ils, elles	auront	astreint

SUBJONCTIF

Présent		Imparfait		Passé			Plus-que-parfait		
Il faut que...		Il fallait que...		Il faut que...			Il fallait que...		
j'	astreigne	j'	astreignisse	j'	aie	astreint	j'	eusse	astreint
tu	astreignes	tu	astreignisses	tu	aies	astreint	tu	eusses	astreint
il, elle	astreigne	il, elle	astreignît	il, elle	ait	astreint	il, elle	eût	astreint
nous	astreignions	nous	astreignissions	nous	ayons	astreint	nous	eussions	astreint
vous	astreigniez	vous	astreignissiez	vous	ayez	astreint	vous	eussiez	astreint
ils, elles	astreignent	ils, elles	astreignissent	ils, elles	aient	astreint	ils, elles	eussent	astreint

CONDITIONNEL

Présent		Passé 1re forme			Passé 2e forme		
j'	astreindrais	j'	aurais	astreint	j'	eusse	astreint
tu	astreindrais	tu	aurais	astreint	tu	eusses	astreint
il, elle	astreindrait	il, elle	aurait	astreint	il, elle	eût	astreint
nous	astreindrions	nous	aurions	astreint	nous	eussions	astreint
vous	astreindriez	vous	auriez	astreint	vous	eussiez	astreint
ils, elles	astreindraient	ils, elles	auraient	astreint	ils, elles	eussent	astreint

IMPÉRATIF

Présent	Passé
astreins	aie astreint
astreignons	ayons astreint
astreignez	ayez astreint

INFINITIF

Présent	Passé
astreindre	avoir astreint

PARTICIPE

Présent	Passé
astreignant	astreint(e)
	ayant astreint

REMARQUES

● **gn** devient **gni** aux 1res et 2es personnes du pluriel de l'imparfait de l'indicatif et du présent du subjonctif.
▶ Se conjuguent sur le modèle d'*astreindre* : *empreindre, enfreindre, étreindre, restreindre, rétreindre.*

INDICATIF

Présent		Imparfait		Passé composé			Plus-que-parfait		
je	bats	je	battais	j'	ai	battu	j'	avais	battu
tu	bats	tu	battais	tu	as	battu	tu	avais	battu
il, elle	bat	il, elle	battait	il, elle	a	battu	il, elle	avait	battu
nous	battons	nous	battions	nous	avons	battu	nous	avions	battu
vous	battez	vous	battiez	vous	avez	battu	vous	aviez	battu
ils, elles	battent	ils, elles	battaient	ils, elles	ont	battu	ils, elles	avaient	battu

Passé simple		Futur simple		Passé antérieur			Futur antérieur		
je	battis	je	battrai	j'	eus	battu	j'	aurai	battu
tu	battis	tu	battras	tu	eus	battu	tu	auras	battu
il, elle	battit	il, elle	battra	il, elle	eut	battu	il, elle	aura	battu
nous	battîmes	nous	battrons	nous	eûmes	battu	nous	aurons	battu
vous	battîtes	vous	battrez	vous	eûtes	battu	vous	aurez	battu
ils, elles	battirent	ils, elles	battront	ils, elles	eurent	battu	ils, elles	auront	battu

SUBJONCTIF

Présent		Imparfait		Passé			Plus-que-parfait		
Il faut que...		Il fallait que...		Il faut que...			Il fallait que...		
je	batte	je	battisse	j'	aie	battu	j'	eusse	battu
tu	battes	tu	battisses	tu	aies	battu	tu	eusses	battu
il, elle	batte	il, elle	battît	il, elle	ait	battu	il, elle	eût	battu
nous	battions	nous	battissions	nous	ayons	battu	nous	eussions	battu
vous	battiez	vous	battissiez	vous	ayez	battu	vous	eussiez	battu
ils, elles	battent	ils, elles	battissent	ils, elles	aient	battu	ils, elles	eussent	battu

CONDITIONNEL

Présent		Passé 1re forme			Passé 2e forme		
je	battrais	j'	aurais	battu	j'	eusse	battu
tu	battrais	tu	aurais	battu	tu	eusses	battu
il, elle	battrait	il, elle	aurait	battu	il, elle	eût	battu
nous	battrions	nous	aurions	battu	nous	eussions	battu
vous	battriez	vous	auriez	battu	vous	eussiez	battu
ils, elles	battraient	ils, elles	auraient	battu	ils, elles	eussent	battu

IMPÉRATIF

Présent	Passé
bats	aie battu
battons	ayons battu
battez	ayez battu

INFINITIF

Présent	Passé
battre	avoir battu

PARTICIPE

Présent	Passé
battant	battu(e)
	ayant battu

REMARQUES

▶ Se conjuguent sur le modèle de *battre* : *abattre, combattre, contrebattre, débattre, s'ébattre* (pronominal avec l'auxiliaire *être*), *embattre, s'entrebattre* (pronominal avec l'auxiliaire *être*), *rabattre, rebattre, soubattre*.

VERBES EN -boire : boire

INDICATIF

Présent		Imparfait		Passé composé			Plus-que-parfait		
je	bois	je	buvais	j'	ai	bu	j'	avais	bu
tu	bois	tu	buvais	tu	as	bu	tu	avais	bu
il, elle	boit	il, elle	buvait	il, elle	a	bu	il, elle	avait	bu
nous	buvons	nous	buvions	nous	avons	bu	nous	avions	bu
vous	buvez	vous	buviez	vous	avez	bu	vous	aviez	bu
ils, elles	boivent	ils, elles	buvaient	ils, elles	ont	bu	ils, elles	avaient	bu

Passé simple		Futur simple		Passé antérieur			Futur antérieur		
je	bus	je	boirai	j'	eus	bu	j'	aurai	bu
tu	bus	tu	boiras	tu	eus	bu	tu	auras	bu
il, elle	but	il, elle	boira	il, elle	eut	bu	il, elle	aura	bu
nous	bûmes	nous	boirons	nous	eûmes	bu	nous	aurons	bu
vous	bûtes	vous	boirez	vous	eûtes	bu	vous	aurez	bu
ils, elles	burent	ils, elles	boiront	ils, elles	eurent	bu	ils, elles	auront	bu

SUBJONCTIF

Présent		Imparfait		Passé			Plus-que-parfait		
Il faut que...		*Il fallait que...*		*Il faut que...*			*Il fallait que...*		
je	boive	je	busse	j'	aie	bu	j'	eusse	bu
tu	boives	tu	busses	tu	aies	bu	tu	eusses	bu
il, elle	boive	il, elle	bût	il, elle	ait	bu	il, elle	eût	bu
nous	buvions	nous	bussions	nous	ayons	bu	nous	eussions	bu
vous	buviez	vous	bussiez	vous	ayez	bu	vous	eussiez	bu
ils, elles	boivent	ils, elles	bussent	ils, elles	aient	bu	ils, elles	eussent	bu

CONDITIONNEL

Présent		Passé 1re forme			Passé 2e forme		
je	boirais	j'	aurais	bu	j'	eusse	bu
tu	boirais	tu	aurais	bu	tu	eusses	bu
il, elle	boirait	il, elle	aurait	bu	il, elle	eût	bu
nous	boirions	nous	aurions	bu	nous	eussions	bu
vous	boiriez	vous	auriez	bu	vous	eussiez	bu
ils, elles	boiraient	ils, elles	auraient	bu	ils, elles	eussent	bu

IMPÉRATIF

Présent	Passé
bois	aie bu
buvons	ayons bu
buvez	ayez bu

INFINITIF

Présent	Passé
boire	avoir bu

PARTICIPE

Présent	Passé
buvant	bu(e)
	ayant bu

REMARQUES

▶ Se conjugue sur le modèle de *boire* : *emboire*.

INDICATIF

Présent		Imparfait		Passé composé			Plus-que-parfait		
je	bous	je	bouillais	j'	ai	bouilli	j'	avais	bouilli
tu	bous	tu	bouillais	tu	as	bouilli	tu	avais	bouilli
il, elle	bout	il, elle	bouillait	il, elle	a	bouilli	il, elle	avait	bouilli
nous	bouillons	nous	bouillions	nous	avons	bouilli	nous	avions	bouilli
vous	bouillez	vous	bouilliez	vous	avez	bouilli	vous	aviez	bouilli
ils, elles	bouillent	ils, elles	bouillaient	ils, elles	ont	bouilli	ils, elles	avaient	bouilli

Passé simple		Futur simple		Passé antérieur			Futur antérieur		
je	bouillis	je	bouillirai	j'	eus	bouilli	j'	aurai	bouilli
tu	bouillis	tu	bouilliras	tu	eus	bouilli	tu	auras	bouilli
il, elle	bouillit	il, elle	bouillira	il, elle	eut	bouilli	il, elle	aura	bouilli
nous	bouillîmes	nous	bouillirons	nous	eûmes	bouilli	nous	aurons	bouilli
vous	bouillîtes	vous	bouillirez	vous	eûtes	bouilli	vous	aurez	bouilli
ils, elles	bouillirent	ils, elles	bouilliront	ils, elles	eurent	bouilli	ils, elles	auront	bouilli

SUBJONCTIF

Présent		Imparfait		Passé			Plus-que-parfait		
Il faut que...		Il fallait que...		Il faut que...			Il fallait que...		
je	bouille	je	bouillisse	j'	aie	bouilli	j'	eusse	bouilli
tu	bouilles	tu	bouillisses	tu	aies	bouilli	tu	eusses	bouilli
il, elle	bouille	il, elle	bouillît	il, elle	ait	bouilli	il, elle	eût	bouilli
nous	bouillions	nous	bouillissions	nous	ayons	bouilli	nous	eussions	bouilli
vous	bouilliez	vous	bouillissiez	vous	ayez	bouilli	vous	eussiez	bouilli
ils, elles	bouillent	ils, elles	bouillissent	ils, elles	aient	bouilli	ils, elles	eussent	bouilli

CONDITIONNEL

Présent		Passé 1re forme			Passé 2e forme		
je	bouillirais	j'	aurais	bouilli	j'	eusse	bouilli
tu	bouillirais	tu	aurais	bouilli	tu	eusses	bouilli
il, elle	bouillirait	il, elle	aurait	bouilli	il, elle	eût	bouilli
nous	bouillirions	nous	aurions	bouilli	nous	eussions	bouilli
vous	bouilliriez	vous	auriez	bouilli	vous	eussiez	bouilli
ils, elles	bouilliraient	ils, elles	auraient	bouilli	ils, elles	eussent	bouilli

IMPÉRATIF

Présent	Passé
bous	aie bouilli
bouillons	ayons bouilli
bouillez	ayez bouilli

INFINITIF

Présent	Passé
bouillir	avoir bouilli

PARTICIPE

Présent	Passé
bouillant	bouilli(e)
	ayant bouilli

REMARQUES

● Il devient lli aux 1res et 2es personnes du pluriel de l'imparfait de l'indicatif et du présent du subjonctif.
▶ Se conjuguent sur le modèle de bouillir : débouillir, rebouillir.

circoncire

INDICATIF

Présent		Imparfait		Passé composé			Plus-que-parfait		
je	circoncis	je	circoncisais	j'	ai	circoncis	j'	avais	circoncis
tu	circoncis	tu	circoncisais	tu	as	circoncis	tu	avais	circoncis
il, elle	circoncit	il, elle	circoncisait	il, elle	a	circoncis	il, elle	avait	circoncis
nous	circoncisons	nous	circoncisions	nous	avons	circoncis	nous	avions	circoncis
vous	circoncisez	vous	circoncisiez	vous	avez	circoncis	vous	aviez	circoncis
ils, elles	circoncisent	ils, elles	circoncisaient	ils, elles	ont	circoncis	ils, elles	avaient	circoncis

Passé simple		Futur simple		Passé antérieur			Futur antérieur		
je	circoncis	je	circoncirai	j'	eus	circoncis	j'	aurai	circoncis
tu	circoncis	tu	circonciras	tu	eus	circoncis	tu	auras	circoncis
il, elle	circoncit	il, elle	circoncira	il, elle	eut	circoncis	il, elle	aura	circoncis
nous	circoncîmes	nous	circoncirons	nous	eûmes	circoncis	nous	aurons	circoncis
vous	circoncîtes	vous	circoncirez	vous	eûtes	circoncis	vous	aurez	circoncis
ils, elles	circoncirent	ils, elles	circonciront	ils, elles	eurent	circoncis	ils, elles	auront	circoncis

SUBJONCTIF

Présent		Imparfait		Passé			Plus-que-parfait		
Il faut que...		Il fallait que...		Il faut que...			Il fallait que...		
je	circoncise	je	circoncisse	j'	aie	circoncis	j'	eusse	circoncis
tu	circoncises	tu	circoncisses	tu	aies	circoncis	tu	eusses	circoncis
il, elle	circoncise	il, elle	circoncît	il, elle	ait	circoncis	il, elle	eût	circoncis
nous	circoncisions	nous	circoncissions	nous	ayons	circoncis	nous	eussions	circoncis
vous	circoncisiez	vous	circoncissiez	vous	ayez	circoncis	vous	eussiez	circoncis
ils, elles	circoncisent	ils, elles	circoncissent	ils, elles	aient	circoncis	ils, elles	eussent	circoncis

CONDITIONNEL

Présent		Passé 1re forme			Passé 2e forme		
je	circoncirais	j'	aurais	circoncis	j'	eusse	circoncis
tu	circoncirais	tu	aurais	circoncis	tu	eusses	circoncis
il, elle	circoncirait	il, elle	aurait	circoncis	il, elle	eût	circoncis
nous	circoncirions	nous	aurions	circoncis	nous	eussions	circoncis
vous	circonciriez	vous	auriez	circoncis	vous	eussiez	circoncis
ils, elles	circonciraient	ils, elles	auraient	circoncis	ils, elles	eussent	circoncis

IMPÉRATIF

Présent	Passé
circoncis	aie circoncis
circoncisons	ayons circoncis
circoncisez	ayez circoncis

INFINITIF

Présent	Passé
circoncire	avoir circoncis

PARTICIPE

Présent	Passé
circoncisant	circoncis(e)
	ayant circoncis

INDICATIF

Présent	Imparfait	Passé composé	Plus-que-parfait
je conclus	je concluais	j' ai conclu	j' avais conclu
tu conclus	tu concluais	tu as conclu	tu avais conclu
il, elle conclut	il, elle concluait	il, elle a conclu	il, elle avait conclu
nous concluons	nous concluions	nous avons conclu	nous avions conclu
vous concluez	vous concluiez	vous avez conclu	vous aviez conclu
ils, elles concluent	ils, elles concluaient	ils, elles ont conclu	ils, elles avaient conclu

Passé simple	Futur simple	Passé antérieur	Futur antérieur
je conclus	je conclurai	j' eus conclu	j' aurai conclu
tu conclus	tu concluras	tu eus conclu	tu auras conclu
il, elle conclut	il, elle conclura	il, elle eut conclu	il, elle aura conclu
nous conclûmes	nous conclurons	nous eûmes conclu	nous aurons conclu
vous conclûtes	vous conclurez	vous eûtes conclu	vous aurez conclu
ils, elles conclurent	ils, elles concluront	ils, elles eurent conclu	ils, elles auront conclu

SUBJONCTIF

Présent	Imparfait	Passé	Plus-que-parfait
Il faut que...	Il fallait que...	Il faut que...	Il fallait que...
je conclue	je conclusse	j' aie conclu	j' eusse conclu
tu conclues	tu conclusses	tu aies conclu	tu eusses conclu
il, elle conclue	il, elle conclût	il, elle ait conclu	il, elle eût conclu
nous concluions	nous conclussions	nous ayons conclu	nous eussions conclu
vous concluiez	vous conclussiez	vous ayez conclu	vous eussiez conclu
ils, elles concluent	ils, elles conclussent	ils, elles aient conclu	ils, elles eussent conclu

CONDITIONNEL

Présent	Passé 1re forme	Passé 2e forme
je conclurais	j' aurais conclu	j' eusse conclu
tu conclurais	tu aurais conclu	tu eusses conclu
il, elle conclurait	il, elle aurait conclu	il, elle eût conclu
nous conclurions	nous aurions conclu	nous eussions conclu
vous concluriez	vous auriez conclu	vous eussiez conclu
ils, elles concluraient	ils, elles auraient conclu	ils, elles eussent conclu

IMPÉRATIF

Présent	Passé
conclus	aie conclu
concluons	ayons conclu
concluez	ayez conclu

INFINITIF

Présent	Passé
conclure	avoir conclu

PARTICIPE

Présent	Passé
concluant	conclu(e)
	ayant conclu

REMARQUES

▶ Se conjuguent sur le modèle de *conclure* : *exclure, inclure, occlure*.
▶ Les participes passés des verbes inclure et occlure sont, respectivement, *inclus(e)* et *occlus(e)*.

VERBES EN -uire : conduire

INDICATIF

Présent		Imparfait		Passé composé			Plus-que-parfait		
je	conduis	je	conduisais	j'	ai	conduit	j'	avais	conduit
tu	conduis	tu	conduisais	tu	as	conduit	tu	avais	conduit
il, elle	conduit	il, elle	conduisait	il, elle	a	conduit	il, elle	avait	conduit
nous	conduisons	nous	conduisions	nous	avons	conduit	nous	avions	conduit
vous	conduisez	vous	conduisiez	vous	avez	conduit	vous	aviez	conduit
ils, elles	conduisent	ils, elles	conduisaient	ils, elles	ont	conduit	ils, elles	avaient	conduit

Passé simple		Futur simple		Passé antérieur			Futur antérieur		
je	conduisis	je	conduirai	j'	eus	conduit	j'	aurai	conduit
tu	conduisis	tu	conduiras	tu	eus	conduit	tu	auras	conduit
il, elle	conduisit	il, elle	conduira	il, elle	eut	conduit	il, elle	aura	conduit
nous	conduisîmes	nous	conduirons	nous	eûmes	conduit	nous	aurons	conduit
vous	conduisîtes	vous	conduirez	vous	eûtes	conduit	vous	aurez	conduit
ils, elles	conduisirent	ils, elles	conduiront	ils, elles	eurent	conduit	ils, elles	auront	conduit

SUBJONCTIF

Présent		Imparfait		Passé			Plus-que-parfait		
Il faut que...		Il fallait que...		Il faut que...			Il fallait que...		
je	conduise	je	conduisisse	j'	aie	conduit	j'	eusse	conduit
tu	conduises	tu	conduisisses	tu	aies	conduit	tu	eusses	conduit
il, elle	conduise	il, elle	conduisît	il, elle	ait	conduit	il, elle	eût	conduit
nous	conduisions	nous	conduisissions	nous	ayons	conduit	nous	eussions	conduit
vous	conduisiez	vous	conduisissiez	vous	ayez	conduit	vous	eussiez	conduit
ils, elles	conduisent	ils, elles	conduisissent	ils, elles	aient	conduit	ils, elles	eussent	conduit

CONDITIONNEL

Présent		Passé 1re forme			Passé 2e forme		
je	conduirais	j'	aurais	conduit	j'	eusse	conduit
tu	conduirais	tu	aurais	conduit	tu	eusses	conduit
il, elle	conduirait	il, elle	aurait	conduit	il, elle	eût	conduit
nous	conduirions	nous	aurions	conduit	nous	eussions	conduit
vous	conduiriez	vous	auriez	conduit	vous	eussiez	conduit
ils, elles	conduiraient	ils, elles	auraient	conduit	ils, elles	eussent	conduit

IMPÉRATIF

Présent	Passé
conduis	aie conduit
conduisons	ayons conduit
conduisez	ayez conduit

INFINITIF

Présent	Passé
conduire	avoir conduit

PARTICIPE

Présent	Passé
conduisant	conduit(e)
	ayant conduit

REMARQUES

▶ Se conjuguent sur le modèle de *conduire* : *coproduire, cuire, décuire, déduire, éconduire, enduire, induire, introduire, se méconduire* (pronominal avec l'auxiliaire *être*), *produire, reconduire, recuire, réduire, réintroduire, reproduire, retraduire, séduire, surproduire, traduire.*

INDICATIF

Présent		Imparfait		Passé composé			Plus-que-parfait		
je	**confis**	je	**confisais**	j'	ai	confit	j'	avais	confit
tu	**confis**	tu	**confisais**	tu	as	confit	tu	avais	confit
il, elle	**confit**	il, elle	**confisait**	il, elle	a	confit	il, elle	avait	confit
nous	**confisons**	nous	**confisions**	nous	avons	confit	nous	avions	confit
vous	**confisez**	vous	**confisiez**	vous	avez	confit	vous	aviez	confit
ils, elles	**confisent**	ils, elles	**confisaient**	ils, elles	ont	confit	ils, elles	avaient	confit

Passé simple		Futur simple		Passé antérieur			Futur antérieur		
je	**confis**	je	**confirai**	j'	eus	confit	j'	aurai	confit
tu	**confis**	tu	**confiras**	tu	eus	confit	tu	auras	confit
il, elle	**confit**	il, elle	**confira**	il, elle	eut	confit	il, elle	aura	confit
nous	**confîmes**	nous	**confirons**	nous	eûmes	confit	nous	aurons	confit
vous	**confîtes**	vous	**confirez**	vous	eûtes	confit	vous	aurez	confit
ils, elles	**confirent**	ils, elles	**confiront**	ils, elles	eurent	confit	ils, elles	auront	confit

SUBJONCTIF

Présent		Imparfait		Passé			Plus-que-parfait		
Il faut que...		*Il fallait que...*		*Il faut que...*			*Il fallait que...*		
je	**confise**	je	**confisse**	j'	aie	confit	j'	eusse	confit
tu	**confises**	tu	**confisses**	tu	aies	confit	tu	eusses	confit
il, elle	**confise**	il, elle	**confît**	il, elle	ait	confit	il, elle	eût	confit
nous	**confisions**	nous	**confissions**	nous	ayons	confit	nous	eussions	confit
vous	**confisiez**	vous	**confissiez**	vous	ayez	confit	vous	eussiez	confit
ils, elles	**confisent**	ils, elles	**confissent**	ils, elles	aient	confit	ils, elles	eussent	confit

CONDITIONNEL

Présent		Passé 1re forme			Passé 2e forme		
je	**confirais**	j'	aurais	confit	j'	eusse	confit
tu	**confirais**	tu	aurais	confit	tu	eusses	confit
il, elle	**confirait**	il, elle	aurait	confit	il, elle	eût	confit
nous	**confirions**	nous	aurions	confit	nous	eussions	confit
vous	**confiriez**	vous	auriez	confit	vous	eussiez	confit
ils, elles	**confiraient**	ils, elles	auraient	confit	ils, elles	eussent	confit

IMPÉRATIF

Présent	Passé
confis	aie confit
confisons	ayons confit
confisez	ayez confit

INFINITIF

Présent	Passé
confire	avoir confit

PARTICIPE

Présent	Passé
confisant	**confit(e)**
	ayant confit

REMARQUES

▶ Se conjugue sur le modèle de *confire* : dé**confire**.

VERBES EN -aître : connaître

INDICATIF

Présent	Imparfait	Passé composé	Plus-que-parfait
je connais	je connaissais	j' ai connu	j' avais connu
tu connais	tu connaissais	tu as connu	tu avais connu
il, elle connaît	il, elle connaissait	il, elle a connu	il, elle avait connu
nous connaissons	nous connaissions	nous avons connu	nous avions connu
vous connaissez	vous connaissiez	vous avez connu	vous aviez connu
ils, elles connaissent	ils, elles connaissaient	ils, elles ont connu	ils, elles avaient connu

Passé simple	Futur simple	Passé antérieur	Futur antérieur
je connus	je connaîtrai	j' eus connu	j' aurai connu
tu connus	tu connaîtras	tu eus connu	tu auras connu
il, elle connut	il, elle connaîtra	il, elle eut connu	il, elle aura connu
nous connûmes	nous connaîtrons	nous eûmes connu	nous aurons connu
vous connûtes	vous connaîtrez	vous eûtes connu	vous aurez connu
ils, elles connurent	ils, elles connaîtront	ils, elles eurent connu	ils, elles auront connu

SUBJONCTIF

Présent	Imparfait	Passé	Plus-que-parfait
Il faut que...	*Il fallait que...*	*Il faut que...*	*Il fallait que...*
je connaisse	je connusse	j' aie connu	j' eusse connu
tu connaisses	tu connusses	tu aies connu	tu eusses connu
il, elle connaisse	il, elle connût	il, elle ait connu	il, elle eût connu
nous connaissions	nous connussions	nous ayons connu	nous eussions connu
vous connaissiez	vous connussiez	vous ayez connu	vous eussiez connu
ils, elles connaissent	ils, elles connussent	ils, elles aient connu	ils, elles eussent connu

CONDITIONNEL

Présent	Passé 1ʳᵉ forme	Passé 2ᵉ forme
je connaîtrais	j' aurais connu	j' eusse connu
tu connaîtrais	tu aurais connu	tu eusses connu
il, elle connaîtrait	il, elle aurait connu	il, elle eût connu
nous connaîtrions	nous aurions connu	nous eussions connu
vous connaîtriez	vous auriez connu	vous eussiez connu
ils, elles connaîtraient	ils, elles auraient connu	ils, elles eussent connu

IMPÉRATIF

Présent	Passé
connais	aie connu
connaissons	ayons connu
connaissez	ayez connu

INFINITIF

Présent	Passé
connaître	avoir connu

PARTICIPE

Présent	Passé
connaissant	connu(e)
	ayant connu

REMARQUES

i devient î lorsqu'il est suivi d'un **t**, c'est-à-dire :
- à l'infinitif ;
- à la 3ᵉ personne du singulier du présent de l'indicatif ;
- à toutes les personnes du futur simple de l'indicatif et du présent du conditionnel.
▶ Se conjuguent sur le modèle de *connaître* : *apparaître* (être ou avoir), *comparaître, disparaître* (être ou avoir), *méconnaître, paraître* (être ou avoir), *réapparaître* (être ou avoir), *recomparaître, reconnaître, repaître, reparaître* (être ou avoir), *transparaître* (être ou avoir).

VERBES EN -truire : construire

3e groupe

INDICATIF

Présent		Imparfait		Passé composé			Plus-que-parfait		
je	construis	je	construisais	j'	ai	construit	j'	avais	construit
tu	construis	tu	construisais	tu	as	construit	tu	avais	construit
il, elle	construit	il, elle	construisait	il, elle	a	construit	il, elle	avait	construit
nous	construisons	nous	construisions	nous	avons	construit	nous	avions	construit
vous	construisez	vous	construisiez	vous	avez	construit	vous	aviez	construit
ils, elles	construisent	ils, elles	construisaient	ils, elles	ont	construit	ils, elles	avaient	construit

Passé simple		Futur simple		Passé antérieur			Futur antérieur		
je	construisis	je	construirai	j'	eus	construit	j'	aurai	construit
tu	construisis	tu	construiras	tu	eus	construit	tu	auras	construit
il, elle	construisit	il, elle	construira	il, elle	eut	construit	il, elle	aura	construit
nous	construisîmes	nous	construirons	nous	eûmes	construit	nous	aurons	construit
vous	construisîtes	vous	construirez	vous	eûtes	construit	vous	aurez	construit
ils, elles	construisirent	ils, elles	construiront	ils, elles	eurent	construit	ils, elles	auront	construit

SUBJONCTIF

Présent		Imparfait		Passé			Plus-que-parfait		
Il faut que...		Il fallait que...		Il faut que...			Il fallait que...		
je	construise	je	construisisse	j'	aie	construit	j'	eusse	construit
tu	construises	tu	construisisses	tu	aies	construit	tu	eusses	construit
il, elle	construise	il, elle	construisît	il, elle	ait	construit	il, elle	eût	construit
nous	construisions	nous	construisissions	nous	ayons	construit	nous	eussions	construit
vous	construisiez	vous	construisissiez	vous	ayez	construit	vous	eussiez	construit
ils, elles	construisent	ils, elles	construisissent	ils, elles	aient	construit	ils, elles	eussent	construit

CONDITIONNEL

Présent		Passé 1re forme			Passé 2e forme		
je	construirais	j'	aurais	construit	j'	eusse	construit
tu	construirais	tu	aurais	construit	tu	eusses	construit
il, elle	construirait	il, elle	aurait	construit	il, elle	eût	construit
nous	construirions	nous	aurions	construit	nous	eussions	construit
vous	construiriez	vous	auriez	construit	vous	eussiez	construit
ils, elles	construiraient	ils, elles	auraient	construit	ils, elles	eussent	construit

IMPÉRATIF

Présent	Passé
construis	aie construit
construisons	ayons construit
construisez	ayez construit

INFINITIF

Présent	Passé
construire	avoir construit

PARTICIPE

Présent	Passé
construisant	construit(e)
	ayant construit

REMARQUES

▶ Se conjuguent sur le modèle de *construire* : *s'autodétruire, déconstruire, détruire, s'entre-détruire* (pronominal avec l'auxiliaire *être*), *instruire, reconstruire*.

VERBES EN -dire : contredire

INDICATIF

Présent	Imparfait	Passé composé	Plus-que-parfait
je contredis	je contredisais	j' ai contredit	j' avais contredit
tu contredis	tu contredisais	tu as contredit	tu avais contredit
il, elle contredit	il, elle contredisait	il, elle a contredit	il, elle avait contredit
nous contredisons	nous contredisions	nous avons contredit	nous avions contredit
vous contredisez	vous contredisiez	vous avez contredit	vous aviez contredit
ils, elles contredisent	ils, elles contredisaient	ils, elles ont contredit	ils, elles avaient contredit

Passé simple	Futur simple	Passé antérieur	Futur antérieur
je contredis	je contredirai	j' eus contredit	j' aurai contredit
tu contredis	tu contrediras	tu eus contredit	tu auras contredit
il, elle contredit	il, elle contredira	il, elle eut contredit	il, elle aura contredit
nous contredîmes	nous contredirons	nous eûmes contredit	nous aurons contredit
vous contredîtes	vous contredirez	vous eûtes contredit	vous aurez contredit
ils, elles contredirent	ils, elles contrediront	ils, elles eurent contredit	ils, elles auront contredit

SUBJONCTIF

Présent	Imparfait	Passé	Plus-que-parfait
Il faut que...	Il fallait que...	Il faut que...	Il fallait que...
je contredise	je contredisse	j' aie contredit	j' eusse contredit
tu contredises	tu contredisses	tu aies contredit	tu eusses contredit
il, elle contredise	il, elle contredît	il, elle ait contredit	il, elle eût contredit
nous contredisions	nous contredissions	nous ayons contredit	nous eussions contredit
vous contredisiez	vous contredissiez	vous ayez contredit	vous eussiez contredit
ils, elles contredisent	ils, elles contredissent	ils, elles aient contredit	ils, elles eussent contredit

CONDITIONNEL

Présent	Passé 1re forme	Passé 2e forme
je contredirais	j' aurais contredit	j' eusse contredit
tu contredirais	tu aurais contredit	tu eusses contredit
il, elle contredirait	il, elle aurait contredit	il, elle eût contredit
nous contredirions	nous aurions contredit	nous eussions contredit
vous contrediriez	vous auriez contredit	vous eussiez contredit
ils, elles contrediraient	ils, elles auraient contredit	ils, elles eussent contredit

IMPÉRATIF

Présent	Passé
contredis	aie contredit
contredisons	ayons contredit
contredisez	ayez contredit

INFINITIF

Présent	Passé
contredire	avoir contredit

PARTICIPE

Présent	Passé
contredisant	contredit(e)
	ayant contredit

REMARQUES

● *Contredire* ne se conjugue pas sur le modèle de *dire* : la 2e personne du pluriel du présent de l'indicatif et de l'impératif est contre**disez**.
▶ Se conjuguent sur le modèle de *contredire* : *dédire, interdire, médire, prédire*.

VERBES EN -coudre : coudre

INDICATIF

Présent	Imparfait	Passé composé	Plus-que-parfait
je **couds**	je **cousais**	j' ai cousu	j' avais cousu
tu **couds**	tu **cousais**	tu as cousu	tu avais cousu
il, elle **coud**	il, elle **cousait**	il, elle a cousu	il, elle avait cousu
nous **cousons**	nous **cousions**	nous avons cousu	nous avions cousu
vous **cousez**	vous **cousiez**	vous avez cousu	vous aviez cousu
ils, elles **cousent**	ils, elles **cousaient**	ils, elles ont cousu	ils, elles avaient cousu

Passé simple	Futur simple	Passé antérieur	Futur antérieur
je **cousis**	je **coudrai**	j' eus cousu	j' aurai cousu
tu **cousis**	tu **coudras**	tu eus cousu	tu auras cousu
il, elle **cousit**	il, elle **coudra**	il, elle eut cousu	il, elle aura cousu
nous **cousîmes**	nous **coudrons**	nous eûmes cousu	nous aurons cousu
vous **cousîtes**	vous **coudrez**	vous eûtes cousu	vous aurez cousu
ils, elles **cousirent**	ils, elles **coudront**	ils, elles eurent cousu	ils, elles auront cousu

SUBJONCTIF

Présent *Il faut que...*	Imparfait *Il fallait que...*	Passé *Il faut que...*	Plus-que-parfait *Il fallait que...*
je **couse**	je **cousisse**	j' aie cousu	j' eusse cousu
tu **couses**	tu **cousisses**	tu aies cousu	tu eusses cousu
il, elle **couse**	il, elle **cousît**	il, elle ait cousu	il, elle eût cousu
nous **cousions**	nous **cousissions**	nous ayons cousu	nous eussions cousu
vous **cousiez**	vous **cousissiez**	vous ayez cousu	vous eussiez cousu
ils, elles **cousent**	ils, elles **cousissent**	ils, elles aient cousu	ils, elles eussent cousu

CONDITIONNEL

Présent	Passé 1re forme	Passé 2e forme
je **coudrais**	j' aurais cousu	j' eusse cousu
tu **coudrais**	tu aurais cousu	tu eusses cousu
il, elle **coudrait**	il, elle aurait cousu	il, elle eût cousu
nous **coudrions**	nous aurions cousu	nous eussions cousu
vous **coudriez**	vous auriez cousu	vous eussiez cousu
ils, elles **coudraient**	ils, elles auraient cousu	ils, elles eussent cousu

IMPÉRATIF

Présent	Passé
couds	aie cousu
cousons	ayons cousu
cousez	ayez cousu

INFINITIF

Présent	Passé
coudre	avoir cousu

PARTICIPE

Présent	Passé
cousant	**cousu(e)**
	ayant cousu

REMARQUES

▶ Se conjuguent sur le modèle de *coudre* : dé**coudre**, re**coudre**.

VERBES EN -courir : courir

INDICATIF

Présent		Imparfait		Passé composé			Plus-que-parfait		
je	**cours**	je	**courais**	j'	ai	couru	j'	avais	couru
tu	**cours**	tu	**courais**	tu	as	couru	tu	avais	couru
il, elle	**court**	il, elle	**courait**	il, elle	a	couru	il, elle	avait	couru
nous	**courons**	nous	**courions**	nous	avons	couru	nous	avions	couru
vous	**courez**	vous	**couriez**	vous	avez	couru	vous	aviez	couru
ils, elles	**courent**	ils, elles	**couraient**	ils, elles	ont	couru	ils, elles	avaient	couru

Passé simple		Futur simple		Passé antérieur			Futur antérieur		
je	**courus**	je	**courrai**	j'	eus	couru	j'	aurai	couru
tu	**courus**	tu	**courras**	tu	eus	couru	tu	auras	couru
il, elle	**courut**	il, elle	**courra**	il, elle	eut	couru	il, elle	aura	couru
nous	**courûmes**	nous	**courrons**	nous	eûmes	couru	nous	aurons	couru
vous	**courûtes**	vous	**courrez**	vous	eûtes	couru	vous	aurez	couru
ils, elles	**coururent**	ils, elles	**courront**	ils, elles	eurent	couru	ils, elles	auront	couru

SUBJONCTIF

Présent		Imparfait		Passé			Plus-que-parfait		
Il faut que...		*Il fallait que...*		*Il faut que...*			*Il fallait que...*		
je	**coure**	je	**courusse**	j'	aie	couru	j'	eusse	couru
tu	**coures**	tu	**courusses**	tu	aies	couru	tu	eusses	couru
il, elle	**coure**	il, elle	**courût**	il, elle	ait	couru	il, elle	eût	couru
nous	**courions**	nous	**courussions**	nous	ayons	couru	nous	eussions	couru
vous	**couriez**	vous	**courussiez**	vous	ayez	couru	vous	eussiez	couru
ils, elles	**courent**	ils, elles	**courussent**	ils, elles	aient	couru	ils, elles	eussent	couru

CONDITIONNEL

Présent		Passé 1re forme			Passé 2e forme		
je	**courrais**	j'	aurais	couru	j'	eusse	couru
tu	**courrais**	tu	aurais	couru	tu	eusses	couru
il, elle	**courrait**	il, elle	aurait	couru	il, elle	eût	couru
nous	**courrions**	nous	aurions	couru	nous	eussions	couru
vous	**courriez**	vous	auriez	couru	vous	eussiez	couru
ils, elles	**courraient**	ils, elles	auraient	couru	ils, elles	eussent	couru

IMPÉRATIF

Présent	Passé
cours	aie couru
courons	ayons couru
courez	ayez couru

INFINITIF

Présent	Passé
courir	avoir couru

PARTICIPE

Présent	Passé
courant	**couru(e)**
	ayant couru

- **r** devient **rr** à toutes les personnes du futur simple de l'indicatif et du présent du conditionnel.
▶ Se conjuguent sur le modèle de *courir* : ac**courir** (*être* ou *avoir*), con**courir**, dis**courir**, en**courir**, par**courir**, re**courir**, se**courir**.
▶ Le participe passé *discouru* est invariable.

INDICATIF

Présent		Imparfait		Passé composé		Plus-que-parfait	
je	crains	je	craignais	j'	ai craint	j'	avais craint
tu	crains	tu	craignais	tu	as craint	tu	avais craint
il, elle	craint	il, elle	craignait	il, elle	a craint	il, elle	avait craint
nous	craignons	nous	craignions	nous	avons craint	nous	avions craint
vous	craignez	vous	craigniez	vous	avez craint	vous	aviez craint
ils, elles	craignent	ils, elles	craignaient	ils, elles	ont craint	ils, elles	avaient craint

Passé simple		Futur simple		Passé antérieur		Futur antérieur	
je	craignis	je	craindrai	j'	eus craint	j'	aurai craint
tu	craignis	tu	craindras	tu	eus craint	tu	auras craint
il, elle	craignit	il, elle	craindra	il, elle	eut craint	il, elle	aura craint
nous	craignîmes	nous	craindrons	nous	eûmes craint	nous	aurons craint
vous	craignîtes	vous	craindrez	vous	eûtes craint	vous	aurez craint
ils, elles	craignirent	ils, elles	craindront	ils, elles	eurent craint	ils, elles	auront craint

SUBJONCTIF

Présent		Imparfait		Passé		Plus-que-parfait	
Il faut que...		Il fallait que...		Il faut que...		Il fallait que...	
je	craigne	je	craignisse	j'	aie craint	j'	eusse craint
tu	craignes	tu	craignisses	tu	aies craint	tu	eusses craint
il, elle	craigne	il, elle	craignît	il, elle	ait craint	il, elle	eût craint
nous	craignions	nous	craignissions	nous	ayons craint	nous	eussions craint
vous	craigniez	vous	craignissiez	vous	ayez craint	vous	eussiez craint
ils, elles	craignent	ils, elles	craignissent	ils, elles	aient craint	ils, elles	eussent craint

CONDITIONNEL

Présent		Passé 1re forme		Passé 2e forme	
je	craindrais	j'	aurais craint	j'	eusse craint
tu	craindrais	tu	aurais craint	tu	eusses craint
il, elle	craindrait	il, elle	aurait craint	il, elle	eût craint
nous	craindrions	nous	aurions craint	nous	eussions craint
vous	craindriez	vous	auriez craint	vous	eussiez craint
ils, elles	craindraient	ils, elles	auraient craint	ils, elles	eussent craint

IMPÉRATIF

Présent	Passé
crains	aie craint
craignons	ayons craint
craignez	ayez craint

INFINITIF

Présent	Passé
craindre	avoir craint

PARTICIPE

Présent	Passé
craignant	craint(e)
	ayant craint

REMARQUES

● **gn** devient **gni** aux 1res et 2es personnes du pluriel de l'imparfait de l'indicatif et du présent du subjonctif.
▶ Se conjuguent sur le modèle de *craindre* : *contraindre, plaindre*.

croire

INDICATIF

Présent		Imparfait		Passé composé			Plus-que-parfait		
je	crois	je	croyais	j'	ai	cru	j'	avais	cru
tu	crois	tu	croyais	tu	as	cru	tu	avais	cru
il, elle	croit	il, elle	croyait	il, elle	a	cru	il, elle	avait	cru
nous	croyons	nous	croyions	nous	avons	cru	nous	avions	cru
vous	croyez	vous	croyiez	vous	avez	cru	vous	aviez	cru
ils, elles	croient	ils, elles	croyaient	ils, elles	ont	cru	ils, elles	avaient	cru

Passé simple		Futur simple		Passé antérieur			Futur antérieur		
je	crus	je	croirai	j'	eus	cru	j'	aurai	cru
tu	crus	tu	croiras	tu	eus	cru	tu	auras	cru
il, elle	crut	il, elle	croira	il, elle	eut	cru	il, elle	aura	cru
nous	crûmes	nous	croirons	nous	eûmes	cru	nous	aurons	cru
vous	crûtes	vous	croirez	vous	eûtes	cru	vous	aurez	cru
ils, elles	crurent	ils, elles	croiront	ils, elles	eurent	cru	ils, elles	auront	cru

SUBJONCTIF

Présent		Imparfait		Passé			Plus-que-parfait		
Il faut que...		*Il fallait que...*		*Il faut que...*			*Il fallait que...*		
je	croie	je	crusse	j'	aie	cru	j'	eusse	cru
tu	croies	tu	crusses	tu	aies	cru	tu	eusses	cru
il, elle	croie	il, elle	crût	il, elle	ait	cru	il, elle	eût	cru
nous	croyions	nous	crussions	nous	ayons	cru	nous	eussions	cru
vous	croyiez	vous	crussiez	vous	ayez	cru	vous	eussiez	cru
ils, elles	croient	ils, elles	crussent	ils, elles	aient	cru	ils, elles	eussent	cru

CONDITIONNEL

Présent		Passé 1ʳᵉ forme			Passé 2ᵉ forme		
je	croirais	j'	aurais	cru	j'	eusse	cru
tu	croirais	tu	aurais	cru	tu	eusses	cru
il, elle	croirait	il, elle	aurait	cru	il, elle	eût	cru
nous	croirions	nous	aurions	cru	nous	eussions	cru
vous	croiriez	vous	auriez	cru	vous	eussiez	cru
ils, elles	croiraient	ils, elles	auraient	cru	ils, elles	eussent	cru

IMPÉRATIF

Présent	Passé
crois	aie cru
croyons	ayons cru
croyez	ayez cru

INFINITIF

Présent	Passé
croire	avoir cru

PARTICIPE

Présent	Passé
croyant	cru(e)
	ayant cru

REMARQUES

● **y** devient **yi** aux 1ʳᵉˢ et 2ᵉˢ personnes du pluriel de l'imparfait de l'indicatif et du présent du subjonctif.

croître

INDICATIF

Présent		Imparfait		Passé composé			Plus-que-parfait		
je	croîs	je	croissais	j'	ai	crû	j'	avais	crû
tu	croîs	tu	croissais	tu	as	crû	tu	avais	crû
il, elle	croît	il, elle	croissait	il, elle	a	crû	il, elle	avait	crû
nous	croissons	nous	croissions	nous	avons	crû	nous	avions	crû
vous	croissez	vous	croissiez	vous	avez	crû	vous	aviez	crû
ils, elles	croissent	ils, elles	croissaient	ils, elles	ont	crû	ils, elles	avaient	crû

Passé simple		Futur simple		Passé antérieur			Futur antérieur		
je	crûs	je	croîtrai	j'	eus	crû	j'	aurai	crû
tu	crûs	tu	croîtras	tu	eus	crû	tu	auras	crû
il, elle	crût	il, elle	croîtra	il, elle	eut	crû	il, elle	aura	crû
nous	crûmes	nous	croîtrons	nous	eûmes	crû	nous	aurons	crû
vous	crûtes	vous	croîtrez	vous	eûtes	crû	vous	aurez	crû
ils, elles	crûrent	ils, elles	croîtront	ils, elles	eurent	crû	ils, elles	auront	crû

SUBJONCTIF

Présent		Imparfait		Passé			Plus-que-parfait		
Il faut que...		*Il fallait que...*		*Il faut que...*			*Il fallait que...*		
je	croisse	je	crûsse	j'	aie	crû	j'	eusse	crû
tu	croisses	tu	crûsses	tu	aies	crû	tu	eusses	crû
il, elle	croisse	il, elle	crût	il, elle	ait	crû	il, elle	eût	crû
nous	croissions	nous	crûssions	nous	ayons	crû	nous	eussions	crû
vous	croissiez	vous	crûssiez	vous	ayez	crû	vous	eussiez	crû
ils, elles	croissent	ils, elles	crûssent	ils, elles	aient	crû	ils, elles	eussent	crû

CONDITIONNEL

Présent		Passé 1re forme			Passé 2e forme		
je	croîtrais	j'	aurais	crû	j'	eusse	crû
tu	croîtrais	tu	aurais	crû	tu	eusses	crû
il, elle	croîtrait	il, elle	aurait	crû	il, elle	eût	crû
nous	croîtrions	nous	aurions	crû	nous	eussions	crû
vous	croîtriez	vous	auriez	crû	vous	eussiez	crû
ils, elles	croîtraient	ils, elles	auraient	crû	ils, elles	eussent	crû

IMPÉRATIF

Présent	Passé	
croîs	aie	crû
croissons	ayons	crû
croissez	ayez	crû

INFINITIF

Présent	Passé
croître	avoir crû

PARTICIPE

Présent	Passé
croissant	crû, crue
	ayant crû

REMARQUES

À chaque fois que les formes de *croître* peuvent être confondues avec celles de *croire* :
- î reste î,
- u devient û.
▶ Le î est normalement présent à toutes les personnes du futur simple de l'indicatif et du présent du conditionnel.
▶ Le û est normalement présent aux 1re et 2e personnes du pluriel du passé simple de l'indicatif et à la 3e personne du singulier de l'imparfait du subjonctif.

VERBES EN -cueillir : cueillir

INDICATIF

Présent	Imparfait	Passé composé	Plus-que-parfait
je **cueille**	je **cueillais**	j' ai cueilli	j' avais cueilli
tu **cueilles**	tu **cueillais**	tu as cueilli	tu avais cueilli
il, elle **cueille**	il, elle **cueillait**	il, elle a cueilli	il, elle avait cueilli
nous **cueillons**	nous **cueillions**	nous avons cueilli	nous avions cueilli
vous **cueillez**	vous **cueilliez**	vous avez cueilli	vous aviez cueilli
ils, elles **cueillent**	ils, elles **cueillaient**	ils, elles ont cueilli	ils, elles avaient cueilli

Passé simple	Futur simple	Passé antérieur	Futur antérieur
je **cueillis**	je **cueillerai**	j' eus cueilli	j' aurai cueilli
tu **cueillis**	tu **cueilleras**	tu eus cueilli	tu auras cueilli
il, elle **cueillit**	il, elle **cueillera**	il, elle eut cueilli	il, elle aura cueilli
nous **cueillîmes**	nous **cueillerons**	nous eûmes cueilli	nous aurons cueilli
vous **cueillîtes**	vous **cueillerez**	vous eûtes cueilli	vous aurez cueilli
ils, elles **cueillirent**	ils, elles **cueilleront**	ils, elles eurent cueilli	ils, elles auront cueilli

SUBJONCTIF

Présent	Imparfait	Passé	Plus-que-parfait
Il faut que...	*Il fallait que...*	*Il faut que...*	*Il fallait que...*
je **cueille**	je **cueillisse**	j' aie cueilli	j' eusse cueilli
tu **cueilles**	tu **cueillisses**	tu aies cueilli	tu eusses cueilli
il, elle **cueille**	il, elle **cueillît**	il, elle ait cueilli	il, elle eût cueilli
nous **cueillions**	nous **cueillissions**	nous ayons cueilli	nous eussions cueilli
vous **cueilliez**	vous **cueillissiez**	vous ayez cueilli	vous eussiez cueilli
ils, elles **cueillent**	ils, elles **cueillissent**	ils, elles aient cueilli	ils, elles eussent cueilli

CONDITIONNEL

Présent		Passé 1ʳᵉ forme	Passé 2ᵉ forme
je **cueillerais**		j' aurais cueilli	j' eusse cueilli
tu **cueillerais**		tu aurais cueilli	tu eusses cueilli
il, elle **cueillerait**		il, elle aurait cueilli	il, elle eût cueilli
nous **cueillerions**		nous aurions cueilli	nous eussions cueilli
vous **cueilleriez**		vous auriez cueilli	vous eussiez cueilli
ils, elles **cueilleraient**		ils, elles auraient cueilli	ils, elles eussent cueilli

IMPÉRATIF

Présent	Passé
cueille	aie cueilli
cueillons	ayons cueilli
cueillez	ayez cueilli

INFINITIF

Présent	Passé
cueillir	avoir cueilli

PARTICIPE

Présent	Passé
cueillant	**cueilli(e)**
	ayant cueilli

REMARQUES

● Il devient lli aux 1ʳᵉˢ et 2ᵉˢ personnes du pluriel de l'imparfait de l'indicatif et du présent du subjonctif.
▶ Se conjuguent sur le modèle de *cueillir* : *accueillir, recueillir*.

défaillir

INDICATIF

Présent		Imparfait		Passé composé			Plus-que-parfait		
je	défaille	je	défaillais	j'	ai	défailli	j'	avais	défailli
tu	défailles	tu	défaillais	tu	as	défailli	tu	avais	défailli
il, elle	défaille	il, elle	défaillait	il, elle	a	défailli	il, elle	avait	défailli
nous	défaillons	nous	défaillions	nous	avons	défailli	nous	avions	défailli
vous	défaillez	vous	défailliez	vous	avez	défailli	vous	aviez	défailli
ils, elles	défaillent	ils, elles	défaillaient	ils, elles	ont	défailli	ils, elles	avaient	défailli

Passé simple		Futur simple		Passé antérieur			Futur antérieur		
je	défaillis	je	défaillirai	j'	eus	défailli	j'	aurai	défailli
tu	défaillis	tu	défailliras	tu	eus	défailli	tu	auras	défailli
il, elle	défaillit	il, elle	défaillira	il, elle	eut	défailli	il, elle	aura	défailli
nous	défaillîmes	nous	défaillirons	nous	eûmes	défailli	nous	aurons	défailli
vous	défaillîtes	vous	défaillirez	vous	eûtes	défailli	vous	aurez	défailli
ils, elles	défaillirent	ils, elles	défailliront	ils, elles	eurent	défailli	ils, elles	auront	défailli

SUBJONCTIF

Présent		Imparfait		Passé			Plus-que-parfait		
Il faut que...		Il fallait que...		Il faut que...			Il fallait que...		
je	défaille	je	défaillisse	j'	aie	défailli	j'	eusse	défailli
tu	défailles	tu	défaillisses	tu	aies	défailli	tu	eusses	défailli
il, elle	défaille	il, elle	défaillît	il, elle	ait	défailli	il, elle	eût	défailli
nous	défaillions	nous	défaillissions	nous	ayons	défailli	nous	eussions	défailli
vous	défailliez	vous	défaillissiez	vous	ayez	défailli	vous	eussiez	défailli
ils, elles	défaillent	ils, elles	défaillissent	ils, elles	aient	défailli	ils, elles	eussent	défailli

CONDITIONNEL

Présent		Passé 1re forme			Passé 2e forme		
je	défaillirais	j'	aurais	défailli	j'	eusse	défailli
tu	défaillirais	tu	aurais	défailli	tu	eusses	défailli
il, elle	défaillirait	il, elle	aurait	défailli	il, elle	eût	défailli
nous	défaillirions	nous	aurions	défailli	nous	eussions	défailli
vous	défailliriez	vous	auriez	défailli	vous	eussiez	défailli
ils, elles	défailliraient	ils, elles	auraient	défailli	ils, elles	eussent	défailli

IMPÉRATIF

Présent	Passé
défaille	aie défailli
défaillons	ayons défailli
défaillez	ayez défailli

INFINITIF

Présent	Passé
défaillir	avoir défailli

PARTICIPE

Présent	Passé
défaillant	défailli
	ayant défailli

Il devient lli aux 1res et 2es personnes du pluriel de l'imparfait de l'indicatif et du présent du subjonctif.

VERBES EN -devoir : devoir

INDICATIF

Présent		Imparfait		Passé composé			Plus-que-parfait		
je	dois	je	devais	j'	ai	dû	j'	avais	dû
tu	dois	tu	devais	tu	as	dû	tu	avais	dû
il, elle	doit	il, elle	devait	il, elle	a	dû	il, elle	avait	dû
nous	devons	nous	devions	nous	avons	dû	nous	avions	dû
vous	devez	vous	deviez	vous	avez	dû	vous	aviez	dû
ils, elles	doivent	ils, elles	devaient	ils, elles	ont	dû	ils, elles	avaient	dû

Passé simple		Futur simple		Passé antérieur			Futur antérieur		
je	dus	je	devrai	j'	eus	dû	j'	aurai	dû
tu	dus	tu	devras	tu	eus	dû	tu	auras	dû
il, elle	dut	il, elle	devra	il, elle	eut	dû	il, elle	aura	dû
nous	dûmes	nous	devrons	nous	eûmes	dû	nous	aurons	dû
vous	dûtes	vous	devrez	vous	eûtes	dû	vous	aurez	dû
ils, elles	durent	ils, elles	devront	ils, elles	eurent	dû	ils, elles	auront	dû

SUBJONCTIF

Présent		Imparfait		Passé			Plus-que-parfait		
Il faut que...		*Il fallait que...*		*Il faut que...*			*Il fallait que...*		
je	doive	je	dusse	j'	aie	dû	j'	eusse	dû
tu	doives	tu	dusses	tu	aies	dû	tu	eusses	dû
il, elle	doive	il, elle	dût	il, elle	ait	dû	il, elle	eût	dû
nous	devions	nous	dussions	nous	ayons	dû	nous	eussions	dû
vous	deviez	vous	dussiez	vous	ayez	dû	vous	eussiez	dû
ils, elles	doivent	ils, elles	dussent	ils, elles	aient	dû	ils, elles	eussent	dû

CONDITIONNEL

Présent		Passé 1ʳᵉ forme			Passé 2ᵉ forme		
je	devrais	j'	aurais	dû	j'	eusse	dû
tu	devrais	tu	aurais	dû	tu	eusses	dû
il, elle	devrait	il, elle	aurait	dû	il, elle	eût	dû
nous	devrions	nous	aurions	dû	nous	eussions	dû
vous	devriez	vous	auriez	dû	vous	eussiez	dû
ils, elles	devraient	ils, elles	auraient	dû	ils, elles	eussent	dû

IMPÉRATIF

Présent	Passé
dois	aie dû
devons	ayons dû
devez	ayez dû

INFINITIF

Présent	Passé
devoir	avoir dû

PARTICIPE

Présent	Passé
devant	**dû, due**
	ayant dû

REMARQUES

○ u devient û au participe passé masculin singulier.
▶ Se conjugue sur le modèle de *devoir* : re**devoir**.

VERBES EN -dire : dire

INDICATIF

Présent		Imparfait		Passé composé			Plus-que-parfait		
je	dis	je	disais	j'	ai	dit	j'	avais	dit
tu	dis	tu	disais	tu	as	dit	tu	avais	dit
il, elle	dit	il, elle	disait	il, elle	a	dit	il, elle	avait	dit
nous	disons	nous	disions	nous	avons	dit	nous	avions	dit
vous	dites	vous	disiez	vous	avez	dit	vous	aviez	dit
ils, elles	disent	ils, elles	disaient	ils, elles	ont	dit	ils, elles	avaient	dit

Passé simple		Futur simple		Passé antérieur			Futur antérieur		
je	dis	je	dirai	j'	eus	dit	j'	aurai	dit
tu	dis	tu	diras	tu	eus	dit	tu	auras	dit
il, elle	dit	il, elle	dira	il, elle	eut	dit	il, elle	aura	dit
nous	dîmes	nous	dirons	nous	eûmes	dit	nous	aurons	dit
vous	dîtes	vous	direz	vous	eûtes	dit	vous	aurez	dit
ils, elles	dirent	ils, elles	diront	ils, elles	eurent	dit	ils, elles	auront	dit

SUBJONCTIF

Présent		Imparfait		Passé			Plus-que-parfait		
Il faut que...		*Il fallait que...*		*Il faut que...*			*Il fallait que...*		
je	dise	je	disse	j'	aie	dit	j'	eusse	dit
tu	dises	tu	disses	tu	aies	dit	tu	eusses	dit
il, elle	dise	il, elle	dît	il, elle	ait	dit	il, elle	eût	dit
nous	disions	nous	dissions	nous	ayons	dit	nous	eussions	dit
vous	disiez	vous	dissiez	vous	ayez	dit	vous	eussiez	dit
ils, elles	disent	ils, elles	dissent	ils, elles	aient	dit	ils, elles	eussent	dit

CONDITIONNEL

Présent		Passé 1re forme			Passé 2e forme		
je	dirais	j'	aurais	dit	j'	eusse	dit
tu	dirais	tu	aurais	dit	tu	eusses	dit
il, elle	dirait	il, elle	aurait	dit	il, elle	eût	dit
nous	dirions	nous	aurions	dit	nous	eussions	dit
vous	diriez	vous	auriez	dit	vous	eussiez	dit
ils, elles	diraient	ils, elles	auraient	dit	ils, elles	eussent	dit

IMPÉRATIF

Présent	Passé
dis	aie dit
disons	ayons dit
dites	ayez dit

INFINITIF

Présent	Passé
dire	avoir dit

PARTICIPE

Présent	Passé
disant	dit(e)
	ayant dit

● La 2e personne du pluriel du présent de l'indicatif et de l'impératif est **dites**.
▶ Se conjugue sur le modèle de *dire* : **re**dire.
Les autres verbes en **-dire** : dé**dire**, inter**dire**, mé**dire**, pré**dire** se conjuguent sur le modèle de *contre**dire*** (cf. *contre**dire***, 120).

VERBES EN -dormir : dormir

INDICATIF

Présent		Imparfait		Passé composé			Plus-que-parfait		
je	**dors**	je	**dormais**	j'	ai	dormi	j'	avais	dormi
tu	**dors**	tu	**dormais**	tu	as	dormi	tu	avais	dormi
il, elle	**dort**	il, elle	**dormait**	il, elle	a	dormi	il, elle	avait	dormi
nous	**dormons**	nous	**dormions**	nous	avons	dormi	nous	avions	dormi
vous	**dormez**	vous	**dormiez**	vous	avez	dormi	vous	aviez	dormi
ils, elles	**dorment**	ils, elles	**dormaient**	ils, elles	ont	dormi	ils, elles	avaient	dormi

Passé simple		Futur simple		Passé antérieur			Futur antérieur		
je	**dormis**	je	**dormirai**	j'	eus	dormi	j'	aurai	dormi
tu	**dormis**	tu	**dormiras**	tu	eus	dormi	tu	auras	dormi
il, elle	**dormit**	il, elle	**dormira**	il, elle	eut	dormi	il, elle	aura	dormi
nous	**dormîmes**	nous	**dormirons**	nous	eûmes	dormi	nous	aurons	dormi
vous	**dormîtes**	vous	**dormirez**	vous	eûtes	dormi	vous	aurez	dormi
ils, elles	**dormirent**	ils, elles	**dormiront**	ils, elles	eurent	dormi	ils, elles	auront	dormi

SUBJONCTIF

Présent		Imparfait		Passé			Plus-que-parfait		
Il faut que...		Il fallait que...		Il faut que...			Il fallait que...		
je	**dorme**	je	**dormisse**	j'	aie	dormi	j'	eusse	dormi
tu	**dormes**	tu	**dormisses**	tu	aies	dormi	tu	eusses	dormi
il, elle	**dorme**	il, elle	**dormît**	il, elle	ait	dormi	il, elle	eût	dormi
nous	**dormions**	nous	**dormissions**	nous	ayons	dormi	nous	eussions	dormi
vous	**dormiez**	vous	**dormissiez**	vous	ayez	dormi	vous	eussiez	dormi
ils, elles	**dorment**	ils, elles	**dormissent**	ils, elles	aient	dormi	ils, elles	eussent	dormi

CONDITIONNEL

Présent		Passé 1ʳᵉ forme			Passé 2ᵉ forme		
je	**dormirais**	j'	aurais	dormi	j'	eusse	dormi
tu	**dormirais**	tu	aurais	dormi	tu	eusses	dormi
il, elle	**dormirait**	il, elle	aurait	dormi	il, elle	eût	dormi
nous	**dormirions**	nous	aurions	dormi	nous	eussions	dormi
vous	**dormiriez**	vous	auriez	dormi	vous	eussiez	dormi
ils, elles	**dormiraient**	ils, elles	auraient	dormi	ils, elles	eussent	dormi

IMPÉRATIF

Présent	Passé
dors	aie dormi
dormons	ayons dormi
dormez	ayez dormi

INFINITIF

Présent	Passé
dormir	avoir dormi

PARTICIPE

Présent	Passé
dormant	**dormi**
	ayant dormi

REMARQUES

▶ Se conjuguent sur le modèle de *dormir* : en**dormir**, re**dormir**, ren**dormir**.
▶ Les participes passés en**dormi**, re**dormi** et ren**dormi** sont variables.

INDICATIF

Présent		Imparfait		Passé composé			Plus-que-parfait		
j'	écris	j'	écrivais	j'	ai	écrit	j'	avais	écrit
tu	écris	tu	écrivais	tu	as	écrit	tu	avais	écrit
il, elle	écrit	il, elle	écrivait	il, elle	a	écrit	il, elle	avait	écrit
nous	écrivons	nous	écrivions	nous	avons	écrit	nous	avions	écrit
vous	écrivez	vous	écriviez	vous	avez	écrit	vous	aviez	écrit
ils, elles	écrivent	ils, elles	écrivaient	ils, elles	ont	écrit	ils, elles	avaient	écrit

Passé simple		Futur simple		Passé antérieur			Futur antérieur		
j'	écrivis	j'	écrirai	j'	eus	écrit	j'	aurai	écrit
tu	écrivis	tu	écriras	tu	eus	écrit	tu	auras	écrit
il, elle	écrivit	il, elle	écrira	il, elle	eut	écrit	il, elle	aura	écrit
nous	écrivîmes	nous	écrirons	nous	eûmes	écrit	nous	aurons	écrit
vous	écrivîtes	vous	écrirez	vous	eûtes	écrit	vous	aurez	écrit
ils, elles	écrivirent	ils, elles	écriront	ils, elles	eurent	écrit	ils, elles	auront	écrit

SUBJONCTIF

Présent		Imparfait		Passé			Plus-que-parfait		
Il faut que...		Il fallait que...		Il faut que...			Il fallait que...		
j'	écrive	j'	écrivisse	j'	aie	écrit	j'	eusse	écrit
tu	écrives	tu	écrivisses	tu	aies	écrit	tu	eusses	écrit
il, elle	écrive	il, elle	écrivît	il, elle	ait	écrit	il, elle	eût	écrit
nous	écrivions	nous	écrivissions	nous	ayons	écrit	nous	eussions	écrit
vous	écriviez	vous	écrivissiez	vous	ayez	écrit	vous	eussiez	écrit
ils, elles	écrivent	ils, elles	écrivissent	ils, elles	aient	écrit	ils, elles	eussent	écrit

CONDITIONNEL

Présent		Passé 1re forme			Passé 2e forme		
j'	écrirais	j'	aurais	écrit	j'	eusse	écrit
tu	écrirais	tu	aurais	écrit	tu	eusses	écrit
il, elle	écrirait	il, elle	aurait	écrit	il, elle	eût	écrit
nous	écririons	nous	aurions	écrit	nous	eussions	écrit
vous	écririez	vous	auriez	écrit	vous	eussiez	écrit
ils, elles	écriraient	ils, elles	auraient	écrit	ils, elles	eussent	écrit

IMPÉRATIF

Présent	Passé
écris	aie écrit
écrivons	ayons écrit
écrivez	ayez écrit

INFINITIF

Présent	Passé
écrire	avoir écrit

PARTICIPE

Présent	Passé
écrivant	écrit(e)
	ayant écrit

REMARQUES

▶ Se conjuguent sur le modèle d'*écrire* : *circonscrire, décrire, inscrire, prescrire, proscrire, récrire, réécrire, réinscrire, retranscrire, souscrire, transcrire.*

VERBES EN -faire : faire

INDICATIF

Présent		Imparfait		Passé composé			Plus-que-parfait		
je	fais	je	faisais	j'	ai	fait	j'	avais	fait
tu	fais	tu	faisais	tu	as	fait	tu	avais	fait
il, elle	fait	il, elle	faisait	il, elle	a	fait	il, elle	avait	fait
nous	faisons	nous	faisions	nous	avons	fait	nous	avions	fait
vous	faites	vous	faisiez	vous	avez	fait	vous	aviez	fait
ils, elles	font	ils, elles	faisaient	ils, elles	ont	fait	ils, elles	avaient	fait

Passé simple		Futur simple		Passé antérieur			Futur antérieur		
je	fis	je	ferai	j'	eus	fait	j'	aurai	fait
tu	fis	tu	feras	tu	eus	fait	tu	auras	fait
il, elle	fit	il, elle	fera	il, elle	eut	fait	il, elle	aura	fait
nous	fîmes	nous	ferons	nous	eûmes	fait	nous	aurons	fait
vous	fîtes	vous	ferez	vous	eûtes	fait	vous	aurez	fait
ils, elles	firent	ils, elles	feront	ils, elles	eurent	fait	ils, elles	auront	fait

SUBJONCTIF

Présent		Imparfait		Passé			Plus-que-parfait		
Il faut que...		*Il fallait que...*		*Il faut que...*			*Il fallait que...*		
je	fasse	je	fisse	j'	aie	fait	j'	eusse	fait
tu	fasses	tu	fisses	tu	aies	fait	tu	eusses	fait
il, elle	fasse	il, elle	fît	il, elle	ait	fait	il, elle	eût	fait
nous	fassions	nous	fissions	nous	ayons	fait	nous	eussions	fait
vous	fassiez	vous	fissiez	vous	ayez	fait	vous	eussiez	fait
ils, elles	fassent	ils, elles	fissent	ils, elles	aient	fait	ils, elles	eussent	fait

CONDITIONNEL

Présent		Passé 1re forme			Passé 2e forme		
je	ferais	j'	aurais	fait	j'	eusse	fait
tu	ferais	tu	aurais	fait	tu	eusses	fait
il, elle	ferait	il, elle	aurait	fait	il, elle	eût	fait
nous	ferions	nous	aurions	fait	nous	eussions	fait
vous	feriez	vous	auriez	fait	vous	eussiez	fait
ils, elles	feraient	ils, elles	auraient	fait	ils, elles	eussent	fait

IMPÉRATIF

Présent	Passé
fais	aie fait
faisons	ayons fait
faites	ayez fait

INFINITIF

Présent	Passé
faire	avoir fait

PARTICIPE

Présent	Passé
faisant	fait(e)
	ayant fait

REMARQUES

● La 2e personne du pluriel du présent de l'indicatif et de l'impératif est **faites**.
▶ Se conjuguent sur le modèle de *faire* : *contre**faire**, dé**faire**, redé**faire**, re**faire**, satis**faire**, sur**faire**.*

VERBES EN -fuir : fuir

INDICATIF

Présent	Imparfait	Passé composé	Plus-que-parfait
je **fuis**	je **fuyais**	j' ai fui	j' avais fui
tu **fuis**	tu **fuyais**	tu as fui	tu avais fui
il, elle **fuit**	il, elle **fuyait**	il, elle a fui	il, elle avait fui
nous **fuyons**	nous **fuyions**	nous avons fui	nous avions fui
vous **fuyez**	vous **fuyiez**	vous avez fui	vous aviez fui
ils, elles **fuient**	ils, elles **fuyaient**	ils, elles ont fui	ils, elles avaient fui

Passé simple	Futur simple	Passé antérieur	Futur antérieur
je **fuis**	je **fuirai**	j' eus fui	j' aurai fui
tu **fuis**	tu **fuiras**	tu eus fui	tu auras fui
il, elle **fuit**	il, elle **fuira**	il, elle eut fui	il, elle aura fui
nous **fuîmes**	nous **fuirons**	nous eûmes fui	nous aurons fui
vous **fuîtes**	vous **fuirez**	vous eûtes fui	vous aurez fui
ils, elles **fuirent**	ils, elles **fuiront**	ils, elles eurent fui	ils, elles auront fui

SUBJONCTIF

Présent	Imparfait	Passé	Plus-que-parfait
Il faut que...	*Il fallait que...*	*Il faut que...*	*Il fallait que...*
je **fuie**	je **fuisse**	j' aie fui	j' eusse fui
tu **fuies**	tu **fuisses**	tu aies fui	tu eusses fui
il, elle **fuie**	il, elle **fuît**	il, elle ait fui	il, elle eût fui
nous **fuyions**	nous **fuissions**	nous ayons fui	nous eussions fui
vous **fuyiez**	vous **fuissiez**	vous ayez fui	vous eussiez fui
ils, elles **fuient**	ils, elles **fuissent**	ils, elles aient fui	ils, elles eussent fui

CONDITIONNEL

Présent	Passé 1re forme	Passé 2e forme
je **fuirais**	j' aurais fui	j' eusse fui
tu **fuirais**	tu aurais fui	tu eusses fui
il, elle **fuirait**	il, elle aurait fui	il, elle eût fui
nous **fuirions**	nous aurions fui	nous eussions fui
vous **fuiriez**	vous auriez fui	vous eussiez fui
ils, elles **fuiraient**	ils, elles auraient fui	ils, elles eussent fui

IMPÉRATIF

Présent	Passé
fuis	aie fui
fuyons	ayons fui
fuyez	ayez fui

INFINITIF

Présent	Passé
fuir	avoir fui

PARTICIPE

Présent	Passé
fuyant	**fui(e)**
	ayant fui

REMARQUES

● y devient **yi** aux 1res et 2es personnes du pluriel de l'imparfait de l'indicatif et du présent du subjonctif.
▶ Se conjugue sur le modèle de *fuir* : *s'enfuir* (pronominal avec l'auxiliaire *être*).

VERBES EN -oindre : joindre

INDICATIF

Présent		Imparfait		Passé composé			Plus-que-parfait		
je	joins	je	joignais	j'	ai	joint	j'	avais	joint
tu	joins	tu	joignais	tu	as	joint	tu	avais	joint
il, elle	joint	il, elle	joignait	il, elle	a	joint	il, elle	avait	joint
nous	joignons	nous	joignions	nous	avons	joint	nous	avions	joint
vous	joignez	vous	joigniez	vous	avez	joint	vous	aviez	joint
ils, elles	joignent	ils, elles	joignaient	ils, elles	ont	joint	ils, elles	avaient	joint

Passé simple		Futur simple		Passé antérieur			Futur antérieur		
je	joignis	je	joindrai	j'	eus	joint	j'	aurai	joint
tu	joignis	tu	joindras	tu	eus	joint	tu	auras	joint
il, elle	joignit	il, elle	joindra	il, elle	eut	joint	il, elle	aura	joint
nous	joignîmes	nous	joindrons	nous	eûmes	joint	nous	aurons	joint
vous	joignîtes	vous	joindrez	vous	eûtes	joint	vous	aurez	joint
ils, elles	joignirent	ils, elles	joindront	ils, elles	eurent	joint	ils, elles	auront	joint

SUBJONCTIF

Présent		Imparfait		Passé			Plus-que-parfait		
Il faut que...		Il fallait que...		Il faut que...			Il fallait que...		
je	joigne	je	joignisse	j'	aie	joint	j'	eusse	joint
tu	joignes	tu	joignisses	tu	aies	joint	tu	eusses	joint
il, elle	joigne	il, elle	joignît	il, elle	ait	joint	il, elle	eût	joint
nous	joignions	nous	joignissions	nous	ayons	joint	nous	eussions	joint
vous	joigniez	vous	joignissiez	vous	ayez	joint	vous	eussiez	joint
ils, elles	joignent	ils, elles	joignissent	ils, elles	aient	joint	ils, elles	eussent	joint

CONDITIONNEL

Présent		Passé 1re forme			Passé 2e forme		
je	joindrais	j'	aurais	joint	j'	eusse	joint
tu	joindrais	tu	aurais	joint	tu	eusses	joint
il, elle	joindrait	il, elle	aurait	joint	il, elle	eût	joint
nous	joindrions	nous	aurions	joint	nous	eussions	joint
vous	joindriez	vous	auriez	joint	vous	eussiez	joint
ils, elles	joindraient	ils, elles	auraient	joint	ils, elles	eussent	joint

IMPÉRATIF

Présent	Passé
joins	aie joint
joignons	ayons joint
joignez	ayez joint

INFINITIF

Présent	Passé
joindre	avoir joint

PARTICIPE

Présent	Passé
joignant	joint(e)
	ayant joint

REMARQUES

● gn devient gni aux 1res et 2es personnes du pluriel de l'imparfait de l'indicatif et du présent du subjonctif.
▶ Se conjuguent sur le modèle de *joindre* : *adjoindre, conjoindre, disjoindre, enjoindre, oindre, poindre* (au sens de « percer, piquer »), *rejoindre*.

INDICATIF

Présent	Imparfait	Passé composé	Plus-que-parfait
je **lis**	je **lisais**	j' ai lu	j' avais lu
tu **lis**	tu **lisais**	tu as lu	tu avais lu
il, elle **lit**	il, elle **lisait**	il, elle a lu	il, elle avait lu
nous **lisons**	nous **lisions**	nous avons lu	nous avions lu
vous **lisez**	vous **lisiez**	vous avez lu	vous aviez lu
ils, elles **lisent**	ils, elles **lisaient**	ils, elles ont lu	ils, elles avaient lu

Passé simple	Futur simple	Passé antérieur	Futur antérieur
je **lus**	je **lirai**	j' eus lu	j' aurai lu
tu **lus**	tu **liras**	tu eus lu	tu auras lu
il, elle **lut**	il, elle **lira**	il, elle eut lu	il, elle aura lu
nous **lûmes**	nous **lirons**	nous eûmes lu	nous aurons lu
vous **lûtes**	vous **lirez**	vous eûtes lu	vous aurez lu
ils, elles **lurent**	ils, elles **liront**	ils, elles eurent lu	ils, elles auront lu

SUBJONCTIF

Présent	Imparfait	Passé	Plus-que-parfait
Il faut que...	*Il fallait que...*	*Il faut que...*	*Il fallait que...*
je **lise**	je **lusse**	j' aie lu	j' eusse lu
tu **lises**	tu **lusses**	tu aies lu	tu eusses lu
il, elle **lise**	il, elle **lût**	il, elle ait lu	il, elle eût lu
nous **lisions**	nous **lussions**	nous ayons lu	nous eussions lu
vous **lisiez**	vous **lussiez**	vous ayez lu	vous eussiez lu
ils, elles **lisent**	ils, elles **lussent**	ils, elles aient lu	ils, elles eussent lu

CONDITIONNEL

Présent		Passé 1re forme	Passé 2e forme
je **lirais**		j' aurais lu	j' eusse lu
tu **lirais**		tu aurais lu	tu eusses lu
il, elle **lirait**		il, elle aurait lu	il, elle eût lu
nous **lirions**		nous aurions lu	nous eussions lu
vous **liriez**		vous auriez lu	vous eussiez lu
ils, elles **liraient**		ils, elles auraient lu	ils, elles eussent lu

IMPÉRATIF

Présent	Passé
lis	aie lu
lisons	ayons lu
lisez	ayez lu

INFINITIF

Présent	Passé
lire	avoir lu

PARTICIPE

Présent	Passé
lisant	**lu(e)**
	ayant lu

REMARQUES

▶ Se conjuguent sur le modèle de *lire* : *élire, réélire, relire.*

VERBES EN -luire : luire

INDICATIF

Présent		Imparfait		Passé composé			Plus-que-parfait		
je	luis	je	luisais	j'	ai	lui	j'	avais	lui
tu	luis	tu	luisais	tu	as	lui	tu	avais	lui
il, elle	luit	il, elle	luisait	il, elle	a	lui	il, elle	avait	lui
nous	luisons	nous	luisions	nous	avons	lui	nous	avions	lui
vous	luisez	vous	luisiez	vous	avez	lui	vous	aviez	lui
ils, elles	luisent	ils, elles	luisaient	ils, elles	ont	lui	ils, elles	avaient	lui

Passé simple (rare)		Futur simple		Passé antérieur			Futur antérieur		
je	luisis	je	luirai	j'	eus	lui	j'	aurai	lui
tu	luisis	tu	luiras	tu	eus	lui	tu	auras	lui
il, elle	luisit	il, elle	luira	il, elle	eut	lui	il, elle	aura	lui
nous	luisîmes	nous	luirons	nous	eûmes	lui	nous	aurons	lui
vous	luisîtes	vous	luirez	vous	eûtes	lui	vous	aurez	lui
ils, elles	luisirent	ils, elles	luiront	ils, elles	eurent	lui	ils, elles	auront	lui

SUBJONCTIF

Présent		Imparfait (rare)		Passé			Plus-que-parfait		
Il faut que...		Il fallait que...		Il faut que...			Il fallait que...		
je	luise	je	luisisse	j'	aie	lui	j'	eusse	lui
tu	luises	tu	luisisses	tu	aies	lui	tu	eusses	lui
il, elle	luise	il, elle	luisît	il, elle	ait	lui	il, elle	eût	lui
nous	luisions	nous	luisissions	nous	ayons	lui	nous	eussions	lui
vous	luisiez	vous	luisissiez	vous	ayez	lui	vous	eussiez	lui
ils, elles	luisent	ils, elles	luisissent	ils, elles	aient	lui	ils, elles	eussent	lui

CONDITIONNEL

Présent		Passé 1re forme			Passé 2e forme		
je	luirais	j'	aurais	lui	j'	eusse	lui
tu	luirais	tu	aurais	lui	tu	eusses	lui
il, elle	luirait	il, elle	aurait	lui	il, elle	eût	lui
nous	luirions	nous	aurions	lui	nous	eussions	lui
vous	luiriez	vous	auriez	lui	vous	eussiez	lui
ils, elles	luiraient	ils, elles	auraient	lui	ils, elles	eussent	lui

IMPÉRATIF

Présent	Passé
luis	aie lui
luisons	ayons lui
luisez	ayez lui

INFINITIF

Présent	Passé
luire	avoir lui

PARTICIPE

Présent	Passé
luisant	lui
	ayant lui

REMARQUES

▶ Se conjugue sur le modèle de luire : reluire.

maudire

INDICATIF

Présent		Imparfait		Passé composé			Plus-que-parfait		
je	maudis	je	maudissais	j'	ai	maudit	j'	avais	maudit
tu	maudis	tu	maudissais	tu	as	maudit	tu	avais	maudit
il, elle	maudit	il, elle	maudissait	il, elle	a	maudit	il, elle	avait	maudit
nous	maudissons	nous	maudissions	nous	avons	maudit	nous	avions	maudit
vous	maudissez	vous	maudissiez	vous	avez	maudit	vous	aviez	maudit
ils, elles	maudissent	ils, elles	maudissaient	ils, elles	ont	maudit	ils, elles	avaient	maudit

Passé simple		Futur simple		Passé antérieur			Futur antérieur		
je	maudis	je	maudirai	j'	eus	maudit	j'	aurai	maudit
tu	maudis	tu	maudiras	tu	eus	maudit	tu	auras	maudit
il, elle	maudit	il, elle	maudira	il, elle	eut	maudit	il, elle	aura	maudit
nous	maudîmes	nous	maudirons	nous	eûmes	maudit	nous	aurons	maudit
vous	maudîtes	vous	maudirez	vous	eûtes	maudit	vous	aurez	maudit
ils, elles	maudirent	ils, elles	maudiront	ils, elles	eurent	maudit	ils, elles	auront	maudit

SUBJONCTIF

Présent		Imparfait		Passé			Plus-que-parfait		
Il faut que...		*Il fallait que...*		*Il faut que...*			*Il fallait que...*		
je	maudisse	je	maudisse	j'	aie	maudit	j'	eusse	maudit
tu	maudisses	tu	maudisses	tu	aies	maudit	tu	eusses	maudit
il, elle	maudisse	il, elle	maudît	il, elle	ait	maudit	il, elle	eût	maudit
nous	maudissions	nous	maudissions	nous	ayons	maudit	nous	eussions	maudit
vous	maudissiez	vous	maudissiez	vous	ayez	maudit	vous	eussiez	maudit
ils, elles	maudissent	ils, elles	maudissent	ils, elles	aient	maudit	ils, elles	eussent	maudit

CONDITIONNEL

Présent		Passé 1re forme			Passé 2e forme		
je	maudirais	j'	aurais	maudit	j'	eusse	maudit
tu	maudirais	tu	aurais	maudit	tu	eusses	maudit
il, elle	maudirait	il, elle	aurait	maudit	il, elle	eût	maudit
nous	maudirions	nous	aurions	maudit	nous	eussions	maudit
vous	maudiriez	vous	auriez	maudit	vous	eussiez	maudit
ils, elles	maudiraient	ils, elles	auraient	maudit	ils, elles	eussent	maudit

IMPÉRATIF

Présent	Passé
maudis	aie maudit
maudissons	ayons maudit
maudissez	ayez maudit

INFINITIF

Présent	Passé
maudire	avoir maudit

PARTICIPE

Présent	Passé
maudissant	maudit(e)
	ayant maudit

138

3e groupe

VERBES EN -entir : mentir

INDICATIF

Présent	Imparfait	Passé composé	Plus-que-parfait
je mens	je mentais	j' ai menti	j' avais menti
tu mens	tu mentais	tu as menti	tu avais menti
il, elle ment	il, elle mentait	il, elle a menti	il, elle avait menti
nous mentons	nous mentions	nous avons menti	nous avions menti
vous mentez	vous mentiez	vous avez menti	vous aviez menti
ils, elles mentent	ils, elles mentaient	ils, elles ont menti	ils, elles avaient menti

Passé simple	Futur simple	Passé antérieur	Futur antérieur
je mentis	je mentirai	j' eus menti	j' aurai menti
tu mentis	tu mentiras	tu eus menti	tu auras menti
il, elle mentit	il, elle mentira	il, elle eut menti	il, elle aura menti
nous mentîmes	nous mentirons	nous eûmes menti	nous aurons menti
vous mentîtes	vous mentirez	vous eûtes menti	vous aurez menti
ils, elles mentirent	ils, elles mentiront	ils, elles eurent menti	ils, elles auront menti

SUBJONCTIF

Présent	Imparfait	Passé	Plus-que-parfait
Il faut que...	Il fallait que...	Il faut que...	Il fallait que...
je mente	je mentisse	j' aie menti	j' eusse menti
tu mentes	tu mentisses	tu aies menti	tu eusses menti
il, elle mente	il, elle mentît	il, elle ait menti	il, elle eût menti
nous mentions	nous mentissions	nous ayons menti	nous eussions menti
vous mentiez	vous mentissiez	vous ayez menti	vous eussiez menti
ils, elles mentent	ils, elles mentissent	ils, elles aient menti	ils, elles eussent menti

CONDITIONNEL

Présent	Passé 1re forme	Passé 2e forme
je mentirais	j' aurais menti	j' eusse menti
tu mentirais	tu aurais menti	tu eusses menti
il, elle mentirait	il, elle aurait menti	il, elle eût menti
nous mentirions	nous aurions menti	nous eussions menti
vous mentiriez	vous auriez menti	vous eussiez menti
ils, elles mentiraient	ils, elles auraient menti	ils, elles eussent menti

IMPÉRATIF

Présent	Passé
mens	aie menti
mentons	ayons menti
mentez	ayez menti

INFINITIF

Présent	Passé
mentir	avoir menti

PARTICIPE

Présent	Passé
mentant	menti
	ayant menti

REMARQUES

▶ Se conjuguent sur le modèle de *mentir* : *assentir, consentir, démentir, pressentir, se repentir* (pronominal avec l'auxiliaire *être*), *ressentir, sentir*.
▶ Les participes passés *consenti, démenti, pressenti, repenti, ressenti* et *senti* sont variables.

138

VERBES EN -mettre : mettre

INDICATIF

Présent		Imparfait		Passé composé			Plus-que-parfait		
je	mets	je	mettais	j'	ai	mis	j'	avais	mis
tu	mets	tu	mettais	tu	as	mis	tu	avais	mis
il, elle	met	il, elle	mettait	il, elle	a	mis	il, elle	avait	mis
nous	mettons	nous	mettions	nous	avons	mis	nous	avions	mis
vous	mettez	vous	mettiez	vous	avez	mis	vous	aviez	mis
ils, elles	mettent	ils, elles	mettaient	ils, elles	ont	mis	ils, elles	avaient	mis

Passé simple		Futur simple		Passé antérieur			Futur antérieur		
je	mis	je	mettrai	j'	eus	mis	j'	aurai	mis
tu	mis	tu	mettras	tu	eus	mis	tu	auras	mis
il, elle	mit	il, elle	mettra	il, elle	eut	mis	il, elle	aura	mis
nous	mîmes	nous	mettrons	nous	eûmes	mis	nous	aurons	mis
vous	mîtes	vous	mettrez	vous	eûtes	mis	vous	aurez	mis
ils, elles	mirent	ils, elles	mettront	ils, elles	eurent	mis	ils, elles	auront	mis

SUBJONCTIF

Présent		Imparfait		Passé			Plus-que-parfait		
Il faut que...		Il fallait que...		Il faut que...			Il fallait que...		
je	mette	je	misse	j'	aie	mis	j'	eusse	mis
tu	mettes	tu	misses	tu	aies	mis	tu	eusses	mis
il, elle	mette	il, elle	mît	il, elle	ait	mis	il, elle	eût	mis
nous	mettions	nous	missions	nous	ayons	mis	nous	eussions	mis
vous	mettiez	vous	missiez	vous	ayez	mis	vous	eussiez	mis
ils, elles	mettent	ils, elles	missent	ils, elles	aient	mis	ils, elles	eussent	mis

CONDITIONNEL

Présent		Passé 1re forme			Passé 2e forme		
je	mettrais	j'	aurais	mis	j'	eusse	mis
tu	mettrais	tu	aurais	mis	tu	eusses	mis
il, elle	mettrait	il, elle	aurait	mis	il, elle	eût	mis
nous	mettrions	nous	aurions	mis	nous	eussions	mis
vous	mettriez	vous	auriez	mis	vous	eussiez	mis
ils, elles	mettraient	ils, elles	auraient	mis	ils, elles	eussent	mis

IMPÉRATIF

Présent	Passé
mets	aie mis
mettons	ayons mis
mettez	ayez mis

INFINITIF

Présent	Passé
mettre	avoir mis

PARTICIPE

Présent	Passé
mettant	mis(e)
	ayant mis

REMARQUES

▶ Se conjuguent sur le modèle de *mettre* : ad**mettre**, com**mettre**, compro**mettre**, décom**mettre**, dé**mettre**, é**mettre**, s'entre**mettre** (pronominal avec l'auxiliaire *être*), main**mettre**, o**mettre**, per**mettre**, pro**mettre**, réad**mettre**, re**mettre**, retrans**mettre**, sou**mettre**, trans**mettre**.

VERBES EN -ordre : **mordre**

INDICATIF

Présent	Imparfait	Passé composé	Plus-que-parfait
je **mords**	je **mordais**	j' ai mordu	j' avais mordu
tu **mords**	tu **mordais**	tu as mordu	tu avais mordu
il, elle **mord**	il, elle **mordait**	il, elle a mordu	il, elle avait mordu
nous **mordons**	nous **mordions**	nous avons mordu	nous avions mordu
vous **mordez**	vous **mordiez**	vous avez mordu	vous aviez mordu
ils, elles **mordent**	ils, elles **mordaient**	ils, elles ont mordu	ils, elles avaient mordu

Passé simple	Futur simple	Passé antérieur	Futur antérieur
je **mordis**	je **mordrai**	j' eus mordu	j' aurai mordu
tu **mordis**	tu **mordras**	tu eus mordu	tu auras mordu
il, elle **mordit**	il, elle **mordra**	il, elle eut mordu	il, elle aura mordu
nous **mordîmes**	nous **mordrons**	nous eûmes mordu	nous aurons mordu
vous **mordîtes**	vous **mordrez**	vous eûtes mordu	vous aurez mordu
ils, elles **mordirent**	ils, elles **mordront**	ils, elles eurent mordu	ils, elles auront mordu

SUBJONCTIF

Présent	Imparfait	Passé	Plus-que-parfait
Il faut **que**...	Il fallait **que**...	Il faut **que**...	Il fallait **que**...
je **morde**	je **mordisse**	j' aie mordu	j' eusse mordu
tu **mordes**	tu **mordisses**	tu aies mordu	tu eusses mordu
il, elle **morde**	il, elle **mordît**	il, elle ait mordu	il, elle eût mordu
nous **mordions**	nous **mordissions**	nous ayons mordu	nous eussions mordu
vous **mordiez**	vous **mordissiez**	vous ayez mordu	vous eussiez mordu
ils, elles **mordent**	ils, elles **mordissent**	ils, elles aient mordu	ils, elles eussent mordu

CONDITIONNEL

Présent	Passé 1ʳᵉ forme	Passé 2ᵉ forme
je **mordrais**	j' aurais mordu	j' eusse mordu
tu **mordrais**	tu aurais mordu	tu eusses mordu
il, elle **mordrait**	il, elle aurait mordu	il, elle eût mordu
nous **mordrions**	nous aurions mordu	nous eussions mordu
vous **mordriez**	vous auriez mordu	vous eussiez mordu
ils, elles **mordraient**	ils, elles auraient mordu	ils, elles eussent mordu

IMPÉRATIF

Présent	Passé
mords	aie mordu
mordons	ayons mordu
mordez	ayez mordu

INFINITIF

Présent	Passé
mordre	avoir mordu

PARTICIPE

Présent	Passé
mordant	**mordu(e)**
	ayant mordu

REMARQUES

▶ Se conjuguent sur le modèle de *mordre* : *démordre, détordre, distordre, remordre, retordre, tordre*.

INDICATIF

Présent	Imparfait	Passé composé	Plus-que-parfait
je **mouds**	je **moulais**	j' ai moulu	j' avais moulu
tu **mouds**	tu **moulais**	tu as moulu	tu avais moulu
il, elle **moud**	il, elle **moulait**	il, elle a moulu	il, elle avait moulu
nous **moulons**	nous **moulions**	nous avons moulu	nous avions moulu
vous **moulez**	vous **mouliez**	vous avez moulu	vous aviez moulu
ils, elles **moulent**	ils, elles **moulaient**	ils, elles ont moulu	ils, elles avaient moulu

Passé simple	Futur simple	Passé antérieur	Futur antérieur
je **moulus**	je **moudrai**	j' eus moulu	j' aurai moulu
tu **moulus**	tu **moudras**	tu eus moulu	tu auras moulu
il, elle **moulut**	il, elle **moudra**	il, elle eut moulu	il, elle aura moulu
nous **moulûmes**	nous **moudrons**	nous eûmes moulu	nous aurons moulu
vous **moulûtes**	vous **moudrez**	vous eûtes moulu	vous aurez moulu
ils, elles **moulurent**	ils, elles **moudront**	ils, elles eurent moulu	ils, elles auront moulu

SUBJONCTIF

Présent	Imparfait	Passé	Plus-que-parfait
Il faut que...	*Il fallait que...*	*Il faut que...*	*Il fallait que...*
je **moule**	je **moulusse**	j' aie moulu	j' eusse moulu
tu **moules**	tu **moulusses**	tu aies moulu	tu eusses moulu
il, elle **moule**	il, elle **moulût**	il, elle ait moulu	il, elle eût moulu
nous **moulions**	nous **moulussions**	nous ayons moulu	nous eussions moulu
vous **mouliez**	vous **moulussiez**	vous ayez moulu	vous eussiez moulu
ils, elles **moulent**	ils, elles **moulussent**	ils, elles aient moulu	ils, elles eussent moulu

CONDITIONNEL

Présent	Passé 1re forme	Passé 2e forme
je **moudrais**	j' aurais moulu	j' eusse moulu
tu **moudrais**	tu aurais moulu	tu eusses moulu
il, elle **moudrait**	il, elle aurait moulu	il, elle eût moulu
nous **moudrions**	nous aurions moulu	nous eussions moulu
vous **moudriez**	vous auriez moulu	vous eussiez moulu
ils, elles **moudraient**	ils, elles auraient moulu	ils, elles eussent moulu

IMPÉRATIF

Présent	Passé
mouds	aie moulu
moulons	ayons moulu
moulez	ayez moulu

INFINITIF

Présent	Passé
moudre	avoir moulu

PARTICIPE

Présent	Passé
moulant	**moulu(e)**
	ayant moulu

REMARQUES

▶ Se conjuguent sur le modèle de *moudre* : é**moudre**, re**moudre**.

mourir

INDICATIF

Présent		Imparfait		Passé composé			Plus-que-parfait		
je	meurs	je	mourais	je	suis	mort(e)	j'	étais	mort(e)
tu	meurs	tu	mourais	tu	es	mort(e)	tu	étais	mort(e)
il, elle	meurt	il, elle	mourait	il, elle	est	mort(e)	il, elle	était	mort(e)
nous	mourons	nous	mourions	nous	sommes	mort(e)s	nous	étions	mort(e)s
vous	mourez	vous	mouriez	vous	êtes	mort(e)s	vous	étiez	mort(e)s
ils, elles	meurent	ils, elles	mouraient	ils, elles	sont	mort(e)s	ils, elles	étaient	mort(e)s

Passé simple		Futur simple		Passé antérieur			Futur antérieur		
je	mourus	je	mourrai	je	fus	mort(e)	je	serai	mort(e)
tu	mourus	tu	mourras	tu	fus	mort(e)	tu	seras	mort(e)
il, elle	mourut	il, elle	mourra	il, elle	fut	mort(e)	il, elle	sera	mort(e)
nous	mourûmes	nous	mourrons	nous	fûmes	mort(e)s	nous	serons	mort(e)s
vous	mourûtes	vous	mourrez	vous	fûtes	mort(e)s	vous	serez	mort(e)s
ils, elles	moururent	ils, elles	mourront	ils, elles	furent	mort(e)s	ils, elles	seront	mort(e)s

SUBJONCTIF

Présent		Imparfait		Passé			Plus-que-parfait		
Il faut que...		*Il fallait que...*		*Il faut que...*			*Il fallait que...*		
je	meure	je	mourusse	je	sois	mort(e)	je	fusse	mort(e)
tu	meures	tu	mourusses	tu	sois	mort(e)	tu	fusses	mort(e)
il, elle	meure	il, elle	mourût	il, elle	soit	mort(e)	il, elle	fût	mort(e)
nous	mourions	nous	mourussions	nous	soyons	mort(e)s	nous	fussions	mort(e)s
vous	mouriez	vous	mourussiez	vous	soyez	mort(e)s	vous	fussiez	mort(e)s
ils, elles	meurent	ils, elles	mourussent	ils, elles	soient	mort(e)s	ils, elles	fussent	mort(e)s

CONDITIONNEL

Présent		Passé 1re forme			Passé 2e forme		
je	mourrais	je	serais	mort(e)	je	fusse	mort(e)
tu	mourrais	tu	serais	mort(e)	tu	fusses	mort(e)
il, elle	mourrait	il, elle	serait	mort(e)	il, elle	fût	mort(e)
nous	mourrions	nous	serions	mort(e)s	nous	fussions	mort(e)s
vous	mourriez	vous	seriez	mort(e)s	vous	fussiez	mort(e)s
ils, elles	mourraient	ils, elles	seraient	mort(e)s	ils, elles	fussent	mort(e)s

IMPÉRATIF

Présent	Passé
meurs	sois mort(e)
mourons	soyons mort(e)s
mourez	soyez mort(e)s

INFINITIF

Présent	Passé
mourir	être mort(e)

PARTICIPE

Présent	Passé
mourant	mort(e)
	étant mort(e)

REMARQUES

● **r** devient **rr** à toutes les personnes du futur simple de l'indicatif et du présent du conditionnel.

naître

3e groupe

INDICATIF

Présent		Imparfait		Passé composé			Plus-que-parfait		
je	nais	je	naissais	je	suis	né(e)	j'	étais	né(e)
tu	nais	tu	naissais	tu	es	né(e)	tu	étais	né(e)
il, elle	naît	il, elle	naissait	il, elle	est	né(e)	il, elle	était	né(e)
nous	naissons	nous	naissions	nous	sommes	né(e)s	nous	étions	né(e)s
vous	naissez	vous	naissiez	vous	êtes	né(e)s	vous	étiez	né(e)s
ils, elles	naissent	ils, elles	naissaient	ils, elles	sont	né(e)s	ils, elles	étaient	né(e)s

Passé simple		Futur simple		Passé antérieur			Futur antérieur		
je	naquis	je	naîtrai	je	fus	né(e)	je	serai	né(e)
tu	naquis	tu	naîtras	tu	fus	né(e)	tu	seras	né(e)
il, elle	naquit	il, elle	naîtra	il, elle	fut	né(e)	il, elle	sera	né(e)
nous	naquîmes	nous	naîtrons	nous	fûmes	né(e)s	nous	serons	né(e)s
vous	naquîtes	vous	naîtrez	vous	fûtes	né(e)s	vous	serez	né(e)s
ils, elles	naquirent	ils, elles	naîtront	ils, elles	furent	né(e)s	ils, elles	seront	né(e)s

SUBJONCTIF

Présent		Imparfait		Passé			Plus-que-parfait		
Il faut que...		*Il fallait que...*		*Il faut que...*			*Il fallait que...*		
je	naisse	je	naquisse	je	sois	né(e)	je	fusse	né(e)
tu	naisses	tu	naquisses	tu	sois	né(e)	tu	fusses	né(e)
il, elle	naisse	il, elle	naquît	il, elle	soit	né(e)	il, elle	fût	né(e)
nous	naissions	nous	naquissions	nous	soyons	né(e)s	nous	fussions	né(e)s
vous	naissiez	vous	naquissiez	vous	soyez	né(e)s	vous	fussiez	né(e)s
ils, elles	naissent	ils, elles	naquissent	ils, elles	soient	né(e)s	ils, elles	fussent	né(e)s

CONDITIONNEL

Présent		Passé 1re forme			Passé 2e forme		
je	naîtrais	je	serais	né(e)	je	fusse	né(e)
tu	naîtrais	tu	serais	né(e)	tu	fusses	né(e)
il, elle	naîtrait	il, elle	serait	né(e)	il, elle	fût	né(e)
nous	naîtrions	nous	serions	né(e)s	nous	fussions	né(e)s
vous	naîtriez	vous	seriez	né(e)s	vous	fussiez	né(e)s
ils, elles	naîtraient	ils, elles	seraient	né(e)s	ils, elles	fussent	né(e)s

IMPÉRATIF

Présent	Passé
nais	sois né(e)
naissons	soyons né(e)s
naissez	soyez né(e)s

INFINITIF

Présent	Passé
naître	être né(e)

PARTICIPE

Présent	Passé
naissant	né(e)
	étant né(e)

REMARQUES

● î reste î lorsqu'il est suivi d'un **t**, c'est-à-dire :
- à l'infinitif ;
- à la 3e personne du singulier du présent de l'indicatif ;
- à toutes les personnes du futur simple de l'indicatif et du présent du conditionnel.

VERBES EN -nuire : nuire

INDICATIF

Présent		Imparfait		Passé composé			Plus-que-parfait		
je	**nuis**	je	**nuisais**	j'	ai	nui	j'	avais	nui
tu	**nuis**	tu	**nuisais**	tu	as	nui	tu	avais	nui
il, elle	**nuit**	il, elle	**nuisait**	il, elle	a	nui	il, elle	avait	nui
nous	**nuisons**	nous	**nuisions**	nous	avons	nui	nous	avions	nui
vous	**nuisez**	vous	**nuisiez**	vous	avez	nui	vous	aviez	nui
ils, elles	**nuisent**	ils, elles	**nuisaient**	ils, elles	ont	nui	ils, elles	avaient	nui

Passé simple		Futur simple		Passé antérieur			Futur antérieur		
je	**nuisis**	je	**nuirai**	j'	eus	nui	j'	aurai	nui
tu	**nuisis**	tu	**nuiras**	tu	eus	nui	tu	auras	nui
il, elle	**nuisit**	il, elle	**nuira**	il, elle	eut	nui	il, elle	aura	nui
nous	**nuisîmes**	nous	**nuirons**	nous	eûmes	nui	nous	aurons	nui
vous	**nuisîtes**	vous	**nuirez**	vous	eûtes	nui	vous	aurez	nui
ils, elles	**nuisirent**	ils, elles	**nuiront**	ils, elles	eurent	nui	ils, elles	auront	nui

SUBJONCTIF

Présent		Imparfait		Passé			Plus-que-parfait		
Il faut **que...**		*Il fallait* **que...**		*Il faut* **que...**			*Il fallait* **que...**		
je	**nuise**	je	**nuisisse**	j'	aie	nui	j'	eusse	nui
tu	**nuises**	tu	**nuisisses**	tu	aies	nui	tu	eusses	nui
il, elle	**nuise**	il, elle	**nuisît**	il, elle	ait	nui	il, elle	eût	nui
nous	**nuisions**	nous	**nuisissions**	nous	ayons	nui	nous	eussions	nui
vous	**nuisiez**	vous	**nuisissiez**	vous	ayez	nui	vous	eussiez	nui
ils, elles	**nuisent**	ils, elles	**nuisissent**	ils, elles	aient	nui	ils, elles	eussent	nui

CONDITIONNEL

Présent		Passé 1re forme			Passé 2e forme		
je	**nuirais**	j'	aurais	nui	j'	eusse	nui
tu	**nuirais**	tu	aurais	nui	tu	eusses	nui
il, elle	**nuirait**	il, elle	aurait	nui	il, elle	eût	nui
nous	**nuirions**	nous	aurions	nui	nous	eussions	nui
vous	**nuiriez**	vous	auriez	nui	vous	eussiez	nui
ils, elles	**nuiraient**	ils, elles	auraient	nui	ils, elles	eussent	nui

IMPÉRATIF

Présent	Passé
nuis	aie nui
nuisons	ayons nui
nuisez	ayez nui

INFINITIF

Présent	Passé
nuire	avoir nui

PARTICIPE

Présent	Passé
nuisant	**nui**
	ayant nui

REMARQUES

▶ Se conjuguent sur le modèle de *nuire* : s'entre-**nuire** (pronominal avec l'auxiliaire *être*), s'entre**nuire** (pronominal avec l'auxiliaire *être*).

offrir

INDICATIF

Présent		Imparfait		Passé composé			Plus-que-parfait		
j'	offre	j'	offrais	j'	ai	offert	j'	avais	offert
tu	offres	tu	offrais	tu	as	offert	tu	avais	offert
il, elle	offre	il, elle	offrait	il, elle	a	offert	il, elle	avait	offert
nous	offrons	nous	offrions	nous	avons	offert	nous	avions	offert
vous	offrez	vous	offriez	vous	avez	offert	vous	aviez	offert
ils, elles	offrent	ils, elles	offraient	ils, elles	ont	offert	ils, elles	avaient	offert

Passé simple		Futur simple		Passé antérieur			Futur antérieur		
j'	offris	j'	offrirai	j'	eus	offert	j'	aurai	offert
tu	offris	tu	offriras	tu	eus	offert	tu	auras	offert
il, elle	offrit	il, elle	offrira	il, elle	eut	offert	il, elle	aura	offert
nous	offrîmes	nous	offrirons	nous	eûmes	offert	nous	aurons	offert
vous	offrîtes	vous	offrirez	vous	eûtes	offert	vous	aurez	offert
ils, elles	offrirent	ils, elles	offriront	ils, elles	eurent	offert	ils, elles	auront	offert

SUBJONCTIF

Présent		Imparfait		Passé			Plus-que-parfait		
*Il faut **que**...*		*Il fallait **que**...*		*Il faut **que**...*			*Il fallait **que**...*		
j'	offre	j'	offrisse	j'	aie	offert	j'	eusse	offert
tu	offres	tu	offrisses	tu	aies	offert	tu	eusses	offert
il, elle	offre	il, elle	offrît	il, elle	ait	offert	il, elle	eût	offert
nous	offrions	nous	offrissions	nous	ayons	offert	nous	eussions	offert
vous	offriez	vous	offrissiez	vous	ayez	offert	vous	eussiez	offert
ils, elles	offrent	ils, elles	offrissent	ils, elles	aient	offert	ils, elles	eussent	offert

CONDITIONNEL

Présent		Passé 1ʳᵉ forme			Passé 2ᵉ forme		
j'	offrirais	j'	aurais	offert	j'	eusse	offert
tu	offrirais	tu	aurais	offert	tu	eusses	offert
il, elle	offrirait	il, elle	aurait	offert	il, elle	eût	offert
nous	offririons	nous	aurions	offert	nous	eussions	offert
vous	offririez	vous	auriez	offert	vous	eussiez	offert
ils, elles	offriraient	ils, elles	auraient	offert	ils, elles	eussent	offert

IMPÉRATIF

Présent	Passé
offre	aie offert
offrons	ayons offert
offrez	ayez offert

INFINITIF

Présent	Passé
offrir	avoir offert

PARTICIPE

Présent	Passé
offrant	offert(e)
	ayant offert

146

3ᵉ groupe

VERBES EN -ouvrir : ouvrir

INDICATIF

Présent		Imparfait		Passé composé			Plus-que-parfait		
j'	ouvre	j'	ouvrais	j'	ai	ouvert	j'	avais	ouvert
tu	ouvres	tu	ouvrais	tu	as	ouvert	tu	avais	ouvert
il, elle	ouvre	il, elle	ouvrait	il, elle	a	ouvert	il, elle	avait	ouvert
nous	ouvrons	nous	ouvrions	nous	avons	ouvert	nous	avions	ouvert
vous	ouvrez	vous	ouvriez	vous	avez	ouvert	vous	aviez	ouvert
ils, elles	ouvrent	ils, elles	ouvraient	ils, elles	ont	ouvert	ils, elles	avaient	ouvert

Passé simple		Futur simple		Passé antérieur			Futur antérieur		
j'	ouvris	j'	ouvrirai	j'	eus	ouvert	j'	aurai	ouvert
tu	ouvris	tu	ouvriras	tu	eus	ouvert	tu	auras	ouvert
il, elle	ouvrit	il, elle	ouvrira	il, elle	eut	ouvert	il, elle	aura	ouvert
nous	ouvrîmes	nous	ouvrirons	nous	eûmes	ouvert	nous	aurons	ouvert
vous	ouvrîtes	vous	ouvrirez	vous	eûtes	ouvert	vous	aurez	ouvert
ils, elles	ouvrirent	ils, elles	ouvriront	ils, elles	eurent	ouvert	ils, elles	auront	ouvert

SUBJONCTIF

Présent		Imparfait		Passé			Plus-que-parfait		
Il faut que...		Il fallait que...		Il faut que...			Il fallait que...		
j'	ouvre	j'	ouvrisse	j'	aie	ouvert	j'	eusse	ouvert
tu	ouvres	tu	ouvrisses	tu	aies	ouvert	tu	eusses	ouvert
il, elle	ouvre	il, elle	ouvrît	il, elle	ait	ouvert	il, elle	eût	ouvert
nous	ouvrions	nous	ouvrissions	nous	ayons	ouvert	nous	eussions	ouvert
vous	ouvriez	vous	ouvrissiez	vous	ayez	ouvert	vous	eussiez	ouvert
ils, elles	ouvrent	ils, elles	ouvrissent	ils, elles	aient	ouvert	ils, elles	eussent	ouvert

CONDITIONNEL

Présent		Passé 1ʳᵉ forme			Passé 2ᵉ forme		
j'	ouvrirais	j'	aurais	ouvert	j'	eusse	ouvert
tu	ouvrirais	tu	aurais	ouvert	tu	eusses	ouvert
il, elle	ouvrirait	il, elle	aurait	ouvert	il, elle	eût	ouvert
nous	ouvririons	nous	aurions	ouvert	nous	eussions	ouvert
vous	ouvririez	vous	auriez	ouvert	vous	eussiez	ouvert
ils, elles	ouvriraient	ils, elles	auraient	ouvert	ils, elles	eussent	ouvert

IMPÉRATIF

Présent	Passé
ouvre	aie ouvert
ouvrons	ayons ouvert
ouvrez	ayez ouvert

INFINITIF

Présent	Passé
ouvrir	avoir ouvert

PARTICIPE

Présent	Passé
ouvrant	ouvert(e)
	ayant ouvert

REMARQUES

▶ Se conjuguent sur le modèle d'ouvrir : couvrir, découvrir, entrouvrir, recouvrir, redécouvrir, rouvrir.

VERBES EN -épandre : répandre

INDICATIF

Présent		Imparfait		Passé composé			Plus-que-parfait		
je	répands	je	répandais	j'	ai	répandu	j'	avais	répandu
tu	répands	tu	répandais	tu	as	répandu	tu	avais	répandu
il, elle	répand	il, elle	répandait	il, elle	a	répandu	il, elle	avait	répandu
nous	répandons	nous	répandions	nous	avons	répandu	nous	avions	répandu
vous	répandez	vous	répandiez	vous	avez	répandu	vous	aviez	répandu
ils, elles	répandent	ils, elles	répandaient	ils, elles	ont	répandu	ils, elles	avaient	répandu

Passé simple		Futur simple		Passé antérieur			Futur antérieur		
je	répandis	je	répandrai	j'	eus	répandu	j'	aurai	répandu
tu	répandis	tu	répandras	tu	eus	répandu	tu	auras	répandu
il, elle	répandit	il, elle	répandra	il, elle	eut	répandu	il, elle	aura	répandu
nous	répandîmes	nous	répandrons	nous	eûmes	répandu	nous	aurons	répandu
vous	répandîtes	vous	répandrez	vous	eûtes	répandu	vous	aurez	répandu
ils, elles	répandirent	ils, elles	répandront	ils, elles	eurent	répandu	ils, elles	auront	répandu

SUBJONCTIF

Présent		Imparfait		Passé			Plus-que-parfait		
Il faut que...		Il fallait que...		Il faut que...			Il fallait que...		
je	répande	je	répandisse	j'	aie	répandu	j'	eusse	répandu
tu	répandes	tu	répandisses	tu	aies	répandu	tu	eusses	répandu
il, elle	répande	il, elle	répandît	il, elle	ait	répandu	il, elle	eût	répandu
nous	répandions	nous	répandissions	nous	ayons	répandu	nous	eussions	répandu
vous	répandiez	vous	répandissiez	vous	ayez	répandu	vous	eussiez	répandu
ils, elles	répandent	ils, elles	répandissent	ils, elles	aient	répandu	ils, elles	eussent	répandu

CONDITIONNEL

Présent		Passé 1re forme			Passé 2e forme		
je	répandrais	j'	aurais	répandu	j'	eusse	répandu
tu	répandrais	tu	aurais	répandu	tu	eusses	répandu
il, elle	répandrait	il, elle	aurait	répandu	il, elle	eût	répandu
nous	répandrions	nous	aurions	répandu	nous	eussions	répandu
vous	répandriez	vous	auriez	répandu	vous	eussiez	répandu
ils, elles	répandraient	ils, elles	auraient	répandu	ils, elles	eussent	répandu

IMPÉRATIF

Présent	Passé
répands	aie répandu
répandons	ayons répandu
répandez	ayez répandu

INFINITIF

Présent	Passé
répandre	avoir répandu

PARTICIPE

Présent	Passé
répandant	répandu(e)
	ayant répandu

REMARQUES

▶ Se conjugue sur le modèle de *répandre* : *épandre*.

résoudre

INDICATIF

Présent		Imparfait		Passé composé			Plus-que-parfait		
je	résous	je	résolvais	j'	ai	résolu	j'	avais	résolu
tu	résous	tu	résolvais	tu	as	résolu	tu	avais	résolu
il, elle	résout	il, elle	résolvait	il, elle	a	résolu	il, elle	avait	résolu
nous	résolvons	nous	résolvions	nous	avons	résolu	nous	avions	résolu
vous	résolvez	vous	résolviez	vous	avez	résolu	vous	aviez	résolu
ils, elles	résolvent	ils, elles	résolvaient	ils, elles	ont	résolu	ils, elles	avaient	résolu

Passé simple		Futur simple		Passé antérieur			Futur antérieur		
je	résolus	je	résoudrai	j'	eus	résolu	j'	aurai	résolu
tu	résolus	tu	résoudras	tu	eus	résolu	tu	auras	résolu
il, elle	résolut	il, elle	résoudra	il, elle	eut	résolu	il, elle	aura	résolu
nous	résolûmes	nous	résoudrons	nous	eûmes	résolu	nous	aurons	résolu
vous	résolûtes	vous	résoudrez	vous	eûtes	résolu	vous	aurez	résolu
ils, elles	résolurent	ils, elles	résoudront	ils, elles	eurent	résolu	ils, elles	auront	résolu

SUBJONCTIF

Présent		Imparfait		Passé			Plus-que-parfait		
Il faut que...		*Il fallait que...*		*Il faut que...*			*Il fallait que...*		
je	résolve	je	résolusse	j'	aie	résolu	j'	eusse	résolu
tu	résolves	tu	résolusses	tu	aies	résolu	tu	eusses	résolu
il, elle	résolve	il, elle	résolût	il, elle	ait	résolu	il, elle	eût	résolu
nous	résolvions	nous	résolussions	nous	ayons	résolu	nous	eussions	résolu
vous	résolviez	vous	résolussiez	vous	ayez	résolu	vous	eussiez	résolu
ils, elles	résolvent	ils, elles	résolussent	ils, elles	aient	résolu	ils, elles	eussent	résolu

CONDITIONNEL

Présent		Passé 1re forme			Passé 2e forme		
je	résoudrais	j'	aurais	résolu	j'	eusse	résolu
tu	résoudrais	tu	aurais	résolu	tu	eusses	résolu
il, elle	résoudrait	il, elle	aurait	résolu	il, elle	eût	résolu
nous	résoudrions	nous	aurions	résolu	nous	eussions	résolu
vous	résoudriez	vous	auriez	résolu	vous	eussiez	résolu
ils, elles	résoudraient	ils, elles	auraient	résolu	ils, elles	eussent	résolu

IMPÉRATIF

Présent	Passé
résous	aie résolu
résolvons	ayons résolu
résolvez	ayez résolu

INFINITIF

Présent	Passé
résoudre	avoir résolu

PARTICIPE

Présent	Passé
résolvant	résolu(e)
	ayant résolu

REMARQUES

▶ Il existe une autre forme de participe passé, *résous, résoute*, qui sert à désigner « des choses changées en d'autres » : *brouillard résous en pluie.*

INDICATIF

Présent	Imparfait	Passé composé	Plus-que-parfait
je **ris**	je **riais**	j' ai ri	j' avais ri
tu **ris**	tu **riais**	tu as ri	tu avais ri
il, elle **rit**	il, elle **riait**	il, elle a ri	il, elle avait ri
nous **rions**	nous **riions**	nous avons ri	nous avions ri
vous **riez**	vous **riiez**	vous avez ri	vous aviez ri
ils, elles **rient**	ils, elles **riaient**	ils, elles ont ri	ils, elles avaient ri

Passé simple	Futur simple	Passé antérieur	Futur antérieur
je **ris**	je **rirai**	j' eus ri	j' aurai ri
tu **ris**	tu **riras**	tu eus ri	tu auras ri
il, elle **rit**	il, elle **rira**	il, elle eut ri	il, elle aura ri
nous **rîmes**	nous **rirons**	nous eûmes ri	nous aurons ri
vous **rîtes**	vous **rirez**	vous eûtes ri	vous aurez ri
ils, elles **rirent**	ils, elles **riront**	ils, elles eurent ri	ils, elles auront ri

SUBJONCTIF

Présent	Imparfait	Passé	Plus-que-parfait
*Il faut **que**...*	*Il fallait **que**...*	*Il faut **que**...*	*Il fallait **que**...*
je **rie**	je **risse**	j' aie ri	j' eusse ri
tu **ries**	tu **risses**	tu aies ri	tu eusses ri
il, elle **rie**	il, elle **rît**	il, elle ait ri	il, elle eût ri
nous **riions**	nous **rissions**	nous ayons ri	nous eussions ri
vous **riiez**	vous **rissiez**	vous ayez ri	vous eussiez ri
ils, elles **rient**	ils, elles **rissent**	ils, elles aient ri	ils, elles eussent ri

CONDITIONNEL

Présent	Passé 1re forme	Passé 2e forme
je **rirais**	j' aurais ri	j' eusse ri
tu **rirais**	tu aurais ri	tu eusses ri
il, elle **rirait**	il, elle aurait ri	il, elle eût ri
nous **ririons**	nous aurions ri	nous eussions ri
vous **ririez**	vous auriez ri	vous eussiez ri
ils, elles **riraient**	ils, elles auraient ri	ils, elles eussent ri

IMPÉRATIF

Présent	Passé
ris	aie ri
rions	ayons ri
riez	ayez ri

INFINITIF

Présent	Passé
rire	avoir ri

PARTICIPE

Présent	Passé
riant	**ri**
	ayant ri

REMARQUES

- i devient **ii** aux 1res et 2es personnes du pluriel de l'imparfait de l'indicatif et du présent du subjonctif.
- ▶ Se conjugue sur le modèle de rire : *sourire*.

VERBES EN -rompre : rompre

INDICATIF

Présent		Imparfait		Passé composé			Plus-que-parfait		
je	**romps**	je	**rompais**	j'	ai	rompu	j'	avais	rompu
tu	**romps**	tu	**rompais**	tu	as	rompu	tu	avais	rompu
il, elle	**rompt**	il, elle	**rompait**	il, elle	a	rompu	il, elle	avait	rompu
nous	**rompons**	nous	**rompions**	nous	avons	rompu	nous	avions	rompu
vous	**rompez**	vous	**rompiez**	vous	avez	rompu	vous	aviez	rompu
ils, elles	**rompent**	ils, elles	**rompaient**	ils, elles	ont	rompu	ils, elles	avaient	rompu

Passé simple		Futur simple		Passé antérieur			Futur antérieur		
je	**rompis**	je	**romprai**	j'	eus	rompu	j'	aurai	rompu
tu	**rompis**	tu	**rompras**	tu	eus	rompu	tu	auras	rompu
il, elle	**rompit**	il, elle	**rompra**	il, elle	eut	rompu	il, elle	aura	rompu
nous	**rompîmes**	nous	**romprons**	nous	eûmes	rompu	nous	aurons	rompu
vous	**rompîtes**	vous	**romprez**	vous	eûtes	rompu	vous	aurez	rompu
ils, elles	**rompirent**	ils, elles	**rompront**	ils, elles	eurent	rompu	ils, elles	auront	rompu

SUBJONCTIF

Présent		Imparfait		Passé			Plus-que-parfait		
Il faut **que...**		Il fallait **que...**		Il faut **que...**			Il fallait **que...**		
je	**rompe**	je	**rompisse**	j'	aie	rompu	j'	eusse	rompu
tu	**rompes**	tu	**rompisses**	tu	aies	rompu	tu	eusses	rompu
il, elle	**rompe**	il, elle	**rompît**	il, elle	ait	rompu	il, elle	eût	rompu
nous	**rompions**	nous	**rompissions**	nous	ayons	rompu	nous	eussions	rompu
vous	**rompiez**	vous	**rompissiez**	vous	ayez	rompu	vous	eussiez	rompu
ils, elles	**rompent**	ils, elles	**rompissent**	ils, elles	aient	rompu	ils, elles	eussent	rompu

CONDITIONNEL

Présent		Passé 1re forme			Passé 2e forme		
je	**romprais**	j'	aurais	rompu	j'	eusse	rompu
tu	**romprais**	tu	aurais	rompu	tu	eusses	rompu
il, elle	**romprait**	il, elle	aurait	rompu	il, elle	eût	rompu
nous	**romprions**	nous	aurions	rompu	nous	eussions	rompu
vous	**rompriez**	vous	auriez	rompu	vous	eussiez	rompu
ils, elles	**rompraient**	ils, elles	auraient	rompu	ils, elles	eussent	rompu

IMPÉRATIF

Présent	Passé
romps	aie rompu
rompons	ayons rompu
rompez	ayez rompu

INFINITIF

Présent	Passé
rompre	avoir rompu

PARTICIPE

Présent	Passé
rompant	**rompu(e)**
	ayant rompu

REMARQUES

▶ Se conjuguent sur le modèle de rompre : cor**rompre**, inter**rompre**.

savoir

INDICATIF

Présent	Imparfait	Passé composé	Plus-que-parfait
je sais	je savais	j' ai su	j' avais su
tu sais	tu savais	tu as su	tu avais su
il, elle sait	il, elle savait	il, elle a su	il, elle avait su
nous savons	nous savions	nous avons su	nous avions su
vous savez	vous saviez	vous avez su	vous aviez su
ils, elles savent	ils, elles savaient	ils, elles ont su	ils, elles avaient su

Passé simple	Futur simple	Passé antérieur	Futur antérieur
je sus	je saurai	j' eus su	j' aurai su
tu sus	tu sauras	tu eus su	tu auras su
il, elle sut	il, elle saura	il, elle eut su	il, elle aura su
nous sûmes	nous saurons	nous eûmes su	nous aurons su
vous sûtes	vous saurez	vous eûtes su	vous aurez su
ils, elles surent	ils, elles sauront	ils, elles eurent su	ils, elles auront su

SUBJONCTIF

Présent	Imparfait	Passé	Plus-que-parfait
Il faut que...	*Il fallait que...*	*Il faut que...*	*Il fallait que...*
je sache	je susse	j' aie su	j' eusse su
tu saches	tu susses	tu aies su	tu eusses su
il, elle sache	il, elle sût	il, elle ait su	il, elle eût su
nous sachions	nous sussions	nous ayons su	nous eussions su
vous sachiez	vous sussiez	vous ayez su	vous eussiez su
ils, elles sachent	ils, elles sussent	ils, elles aient su	ils, elles eussent su

CONDITIONNEL

Présent	Passé 1ʳᵉ forme	Passé 2ᵉ forme
je saurais	j' aurais su	j' eusse su
tu saurais	tu aurais su	tu eusses su
il, elle saurait	il, elle aurait su	il, elle eût su
nous saurions	nous aurions su	nous eussions su
vous sauriez	vous auriez su	vous eussiez su
ils, elles sauraient	ils, elles auraient su	ils, elles eussent su

IMPÉRATIF

Présent	Passé
sache	aie su
sachons	ayons su
sachez	ayez su

INFINITIF

Présent	Passé
savoir	avoir su

PARTICIPE

Présent	Passé
sachant	su(e)
	ayant su

162 — VERBES EN -servir : servir

3e groupe

INDICATIF

Présent	Imparfait	Passé composé	Plus-que-parfait
je **sers**	je **servais**	j' ai servi	j' avais servi
tu **sers**	tu **servais**	tu as servi	tu avais servi
il, elle **sert**	il, elle **servait**	il, elle a servi	il, elle avait servi
nous **servons**	nous **servions**	nous avons servi	nous avions servi
vous **servez**	vous **serviez**	vous avez servi	vous aviez servi
ils, elles **servent**	ils, elles **servaient**	ils, elles ont servi	ils, elles avaient servi

Passé simple	Futur simple	Passé antérieur	Futur antérieur
je **servis**	je **servirai**	j' eus servi	j' aurai servi
tu **servis**	tu **serviras**	tu eus servi	tu auras servi
il, elle **servit**	il, elle **servira**	il, elle eut servi	il, elle aura servi
nous **servîmes**	nous **servirons**	nous eûmes servi	nous aurons servi
vous **servîtes**	vous **servirez**	vous eûtes servi	vous aurez servi
ils, elles **servirent**	ils, elles **serviront**	ils, elles eurent servi	ils, elles auront servi

SUBJONCTIF

Présent	Imparfait	Passé	Plus-que-parfait
Il faut que...	Il fallait que...	Il faut que...	Il fallait que...
je **serve**	je **servisse**	j' aie servi	j' eusse servi
tu **serves**	tu **servisses**	tu aies servi	tu eusses servi
il, elle **serve**	il, elle **servît**	il, elle ait servi	il, elle eût servi
nous **servions**	nous **servissions**	nous ayons servi	nous eussions servi
vous **serviez**	vous **servissiez**	vous ayez servi	vous eussiez servi
ils, elles **servent**	ils, elles **servissent**	ils, elles aient servi	ils, elles eussent servi

CONDITIONNEL

Présent	Passé 1re forme	Passé 2e forme
je **servirais**	j' aurais servi	j' eusse servi
tu **servirais**	tu aurais servi	tu eusses servi
il, elle **servirait**	il, elle aurait servi	il, elle eût servi
nous **servirions**	nous aurions servi	nous eussions servi
vous **serviriez**	vous auriez servi	vous eussiez servi
ils, elles **serviraient**	ils, elles auraient servi	ils, elles eussent servi

IMPÉRATIF

Présent	Passé
sers	aie servi
servons	ayons servi
servez	ayez servi

INFINITIF

Présent	Passé
servir	avoir servi

PARTICIPE

Présent	Passé
servant	servi(e)
	ayant servi

REMARQUES

▶ Se conjuguent sur le modèle de *servir* : *desservir, resservir*.

VERBES EN -sortir : sortir

INDICATIF

Présent	Imparfait	Passé composé	Plus-que-parfait
je sors	je sortais	je suis sorti(e)	j' étais sorti(e)
tu sors	tu sortais	tu es sorti(e)	tu étais sorti(e)
il, elle sort	il, elle sortait	il, elle est sorti(e)	il, elle était sorti(e)
nous sortons	nous sortions	nous sommes sorti(e)s	nous étions sorti(e)s
vous sortez	vous sortiez	vous êtes sorti(e)s	vous étiez sorti(e)s
ils, elles sortent	ils, elles sortaient	ils, elles sont sorti(e)s	ils, elles étaient sorti(e)s

Passé simple	Futur simple	Passé antérieur	Futur antérieur
je sortis	je sortirai	je fus sorti(e)	je serai sorti(e)
tu sortis	tu sortiras	tu fus sorti(e)	tu seras sorti(e)
il, elle sortit	il, elle sortira	il, elle fut sorti(e)	il, elle sera sorti(e)
nous sortîmes	nous sortirons	nous fûmes sorti(e)s	nous serons sorti(e)s
vous sortîtes	vous sortirez	vous fûtes sorti(e)s	vous serez sorti(e)s
ils, elles sortirent	ils, elles sortiront	ils, elles furent sorti(e)s	ils, elles seront sorti(e)s

SUBJONCTIF

Présent	Imparfait	Passé	Plus-que-parfait
Il faut que...	Il fallait que...	Il faut que...	Il fallait que...
je sorte	je sortisse	je sois sorti(e)	je fusse sorti(e)
tu sortes	tu sortisses	tu sois sorti(e)	tu fusses sorti(e)
il, elle sorte	il, elle sortît	il, elle soit sorti(e)	il, elle fût sorti(e)
nous sortions	nous sortissions	nous soyons sorti(e)s	nous fussions sorti(e)s
vous sortiez	vous sortissiez	vous soyez sorti(e)s	vous fussiez sorti(e)s
ils, elles sortent	ils, elles sortissent	ils, elles soient sorti(e)s	ils, elles fussent sorti(e)s

CONDITIONNEL

Présent	Passé 1re forme	Passé 2e forme
je sortirais	je serais sorti(e)	je fusse sorti(e)
tu sortirais	tu serais sorti(e)	tu fusses sorti(e)
il, elle sortirait	il, elle serait sorti(e)	il, elle fût sorti(e)
nous sortirions	nous serions sorti(e)s	nous fussions sorti(e)s
vous sortiriez	vous seriez sorti(e)s	vous fussiez sorti(e)s
ils, elles sortiraient	ils, elles seraient sorti(e)s	ils, elles fussent sorti(e)s

IMPÉRATIF

Présent	Passé
sors	sois sorti(e)
sortons	soyons sorti(e)s
sortez	soyez sorti(e)s

INFINITIF

Présent	Passé
sortir	être sorti(e)

PARTICIPE

Présent	Passé
sortant	sorti(e)
	étant sorti(e)

REMARQUES

► Se conjugue sur le modèle de *sortir* : *ressortir* (*avoir* ou *être*).
► *Sortir* peut aussi se conjuguer avec *avoir* : *j'ai sorti le chien.*
► *Ressortir*, au sens de « se rattacher à », se conjugue sur le modèle de *finir* (cf. *finir*, 92).

souffrir

INDICATIF

Présent		Imparfait		Passé composé			Plus-que-parfait		
je	souffre	je	souffrais	j'	ai	souffert	j'	avais	souffert
tu	souffres	tu	souffrais	tu	as	souffert	tu	avais	souffert
il, elle	souffre	il, elle	souffrait	il, elle	a	souffert	il, elle	avait	souffert
nous	souffrons	nous	souffrions	nous	avons	souffert	nous	avions	souffert
vous	souffrez	vous	souffriez	vous	avez	souffert	vous	aviez	souffert
ils, elles	souffrent	ils, elles	souffraient	ils, elles	ont	souffert	ils, elles	avaient	souffert

Passé simple		Futur simple		Passé antérieur			Futur antérieur		
je	souffris	je	souffrirai	j'	eus	souffert	j'	aurai	souffert
tu	souffris	tu	souffriras	tu	eus	souffert	tu	auras	souffert
il, elle	souffrit	il, elle	souffrira	il, elle	eut	souffert	il, elle	aura	souffert
nous	souffrîmes	nous	souffrirons	nous	eûmes	souffert	nous	aurons	souffert
vous	souffrîtes	vous	souffrirez	vous	eûtes	souffert	vous	aurez	souffert
ils, elles	souffrirent	ils, elles	souffriront	ils, elles	eurent	souffert	ils, elles	auront	souffert

SUBJONCTIF

Présent		Imparfait		Passé			Plus-que-parfait		
Il faut que...		*Il fallait que...*		*Il faut que...*			*Il fallait que...*		
je	souffre	je	souffrisse	j'	aie	souffert	j'	eusse	souffert
tu	souffres	tu	souffrisses	tu	aies	souffert	tu	eusses	souffert
il, elle	souffre	il, elle	souffrît	il, elle	ait	souffert	il, elle	eût	souffert
nous	souffrions	nous	souffrissions	nous	ayons	souffert	nous	eussions	souffert
vous	souffriez	vous	souffrissiez	vous	ayez	souffert	vous	eussiez	souffert
ils, elles	souffrent	ils, elles	souffrissent	ils, elles	aient	souffert	ils, elles	eussent	souffert

CONDITIONNEL

Présent		Passé 1re forme			Passé 2e forme		
je	souffrirais	j'	aurais	souffert	j'	eusse	souffert
tu	souffrirais	tu	aurais	souffert	tu	eusses	souffert
il, elle	souffrirait	il, elle	aurait	souffert	il, elle	eût	souffert
nous	souffririons	nous	aurions	souffert	nous	eussions	souffert
vous	souffririez	vous	auriez	souffert	vous	eussiez	souffert
ils, elles	souffriraient	ils, elles	auraient	souffert	ils, elles	eussent	souffert

IMPÉRATIF

Présent	Passé
souffre	aie souffert
souffrons	ayons souffert
souffrez	ayez souffert

INFINITIF

Présent	Passé
souffrir	avoir souffert

PARTICIPE

Présent	Passé
souffrant	souffert(e)
	ayant souffert

suffire

INDICATIF

Présent	Imparfait	Passé composé	Plus-que-parfait
je suffis	je suffisais	j' ai suffi	j' avais suffi
tu suffis	tu suffisais	tu as suffi	tu avais suffi
il, elle suffit	il, elle suffisait	il, elle a suffi	il, elle avait suffi
nous suffisons	nous suffisions	nous avons suffi	nous avions suffi
vous suffisez	vous suffisiez	vous avez suffi	vous aviez suffi
ils, elles suffisent	ils, elles suffisaient	ils, elles ont suffi	ils, elles avaient suffi

Passé simple	Futur simple	Passé antérieur	Futur antérieur
je suffis	je suffirai	j' eus suffi	j' aurai suffi
tu suffis	tu suffiras	tu eus suffi	tu auras suffi
il, elle suffit	il, elle suffira	il, elle eut suffi	il, elle aura suffi
nous suffîmes	nous suffirons	nous eûmes suffi	nous aurons suffi
vous suffîtes	vous suffirez	vous eûtes suffi	vous aurez suffi
ils, elles suffirent	ils, elles suffiront	ils, elles eurent suffi	ils, elles auront suffi

SUBJONCTIF

Présent *Il faut que...*	Imparfait *Il fallait que...*	Passé *Il faut que...*	Plus-que-parfait *Il fallait que...*
je suffise	je suffisse	j' aie suffi	j' eusse suffi
tu suffises	tu suffisses	tu aies suffi	tu eusses suffi
il, elle suffise	il, elle suffît	il, elle ait suffi	il, elle eût suffi
nous suffisions	nous suffissions	nous ayons suffi	nous eussions suffi
vous suffisiez	vous suffissiez	vous ayez suffi	vous eussiez suffi
ils, elles suffisent	ils, elles suffissent	ils, elles aient suffi	ils, elles eussent suffi

CONDITIONNEL

Présent	Passé 1re forme	Passé 2e forme
je suffirais	j' aurais suffi	j' eusse suffi
tu suffirais	tu aurais suffi	tu eusses suffi
il, elle suffirait	il, elle aurait suffi	il, elle eût suffi
nous suffirions	nous aurions suffi	nous eussions suffi
vous suffiriez	vous auriez suffi	vous eussiez suffi
ils, elles suffiraient	ils, elles auraient suffi	ils, elles eussent suffi

IMPÉRATIF

Présent	Passé
suffis	aie suffi
suffisons	ayons suffi
suffisez	ayez suffi

INFINITIF

Présent	Passé
suffire	avoir suffi

PARTICIPE

Présent	Passé
suffisant	suffi
	ayant suffi

VERBES EN -suivre : suivre

INDICATIF

Présent	Imparfait	Passé composé	Plus-que-parfait
je **suis**	je **suivais**	j' ai suivi	j' avais suivi
tu **suis**	tu **suivais**	tu as suivi	tu avais suivi
il, elle **suit**	il, elle **suivait**	il, elle a suivi	il, elle avait suivi
nous **suivons**	nous **suivions**	nous avons suivi	nous avions suivi
vous **suivez**	vous **suiviez**	vous avez suivi	vous aviez suivi
ils, elles **suivent**	ils, elles **suivaient**	ils, elles ont suivi	ils, elles avaient suivi

Passé simple	Futur simple	Passé antérieur	Futur antérieur
je **suivis**	je **suivrai**	j' eus suivi	j' aurai suivi
tu **suivis**	tu **suivras**	tu eus suivi	tu auras suivi
il, elle **suivit**	il, elle **suivra**	il, elle eut suivi	il, elle aura suivi
nous **suivîmes**	nous **suivrons**	nous eûmes suivi	nous aurons suivi
vous **suivîtes**	vous **suivrez**	vous eûtes suivi	vous aurez suivi
ils, elles **suivirent**	ils, elles **suivront**	ils, elles eurent suivi	ils, elles auront suivi

SUBJONCTIF

Présent	Imparfait	Passé	Plus-que-parfait
Il faut que...	Il fallait que...	Il faut que...	Il fallait que...
je **suive**	je **suivisse**	j' aie suivi	j' eusse suivi
tu **suives**	tu **suivisses**	tu aies suivi	tu eusses suivi
il, elle **suive**	il, elle **suivît**	il, elle ait suivi	il, elle eût suivi
nous **suivions**	nous **suivissions**	nous ayons suivi	nous eussions suivi
vous **suiviez**	vous **suivissiez**	vous ayez suivi	vous eussiez suivi
ils, elles **suivent**	ils, elles **suivissent**	ils, elles aient suivi	ils, elles eussent suivi

CONDITIONNEL

Présent		Passé 1re forme	Passé 2e forme
je **suivrais**		j' aurais suivi	j' eusse suivi
tu **suivrais**		tu aurais suivi	tu eusses suivi
il, elle **suivrait**		il, elle aurait suivi	il, elle eût suivi
nous **suivrions**		nous aurions suivi	nous eussions suivi
vous **suivriez**		vous auriez suivi	vous eussiez suivi
ils, elles **suivraient**		ils, elles auraient suivi	ils, elles eussent suivi

IMPÉRATIF

Présent	Passé
suis	aie suivi
suivons	ayons suivi
suivez	ayez suivi

INFINITIF

Présent	Passé
suivre	avoir suivi

PARTICIPE

Présent	Passé
suivant	**suivi(e)**
	ayant suivi

REMARQUES

▶ Se conjugue sur le modèle de suivre : poursuivre.

surseoir

INDICATIF

Présent		Imparfait		Passé composé			Plus-que-parfait		
je	sursois	je	sursoyais	j'	ai	sursis	j'	avais	sursis
tu	sursois	tu	sursoyais	tu	as	sursis	tu	avais	sursis
il, elle	sursoit	il, elle	sursoyait	il, elle	a	sursis	il, elle	avait	sursis
nous	sursoyons	nous	sursoyions	nous	avons	sursis	nous	avions	sursis
vous	sursoyez	vous	sursoyiez	vous	avez	sursis	vous	aviez	sursis
ils, elles	sursoient	ils, elles	sursoyaient	ils, elles	ont	sursis	ils, elles	avaient	sursis

Passé simple		Futur simple		Passé antérieur			Futur antérieur		
je	sursis	je	surseoirai	j'	eus	sursis	j'	aurai	sursis
tu	sursis	tu	surseoiras	tu	eus	sursis	tu	auras	sursis
il, elle	sursit	il, elle	surseoira	il, elle	eut	sursis	il, elle	aura	sursis
nous	sursîmes	nous	surseoirons	nous	eûmes	sursis	nous	aurons	sursis
vous	sursîtes	vous	surseoirez	vous	eûtes	sursis	vous	aurez	sursis
ils, elles	sursirent	ils, elles	surseoiront	ils, elles	eurent	sursis	ils, elles	auront	sursis

SUBJONCTIF

Présent		Imparfait		Passé			Plus-que-parfait		
Il faut que...		Il fallait que...		Il faut que...			Il fallait que...		
je	sursoie	je	sursisse	j'	aie	sursis	j'	eusse	sursis
tu	sursoies	tu	sursisses	tu	aies	sursis	tu	eusses	sursis
il, elle	sursoie	il, elle	sursît	il, elle	ait	sursis	il, elle	eût	sursis
nous	sursoyions	nous	sursissions	nous	ayons	sursis	nous	eussions	sursis
vous	sursoyiez	vous	sursissiez	vous	ayez	sursis	vous	eussiez	sursis
ils, elles	sursoient	ils, elles	sursissent	ils, elles	aient	sursis	ils, elles	eussent	sursis

CONDITIONNEL

Présent		Passé 1ʳᵉ forme			Passé 2ᵉ forme		
je	surseoirais	j'	aurais	sursis	j'	eusse	sursis
tu	surseoirais	tu	aurais	sursis	tu	eusses	sursis
il, elle	surseoirait	il, elle	aurait	sursis	il, elle	eût	sursis
nous	surseoirions	nous	aurions	sursis	nous	eussions	sursis
vous	surseoiriez	vous	auriez	sursis	vous	eussiez	sursis
ils, elles	surseoiraient	ils, elles	auraient	sursis	ils, elles	eussent	sursis

IMPÉRATIF

Présent	Passé
sursois	aie sursis
sursoyons	ayons sursis
sursoyez	ayez sursis

INFINITIF

Présent	Passé
surseoir	avoir sursis

PARTICIPE

Présent	Passé
sursoyant	sursis(e)
	ayant sursis

REMARQUES

● **eoi** devient oi :
- aux trois personnes du singulier et à la 3ᵉ personne du pluriel du présent de l'indicatif et du subjonctif ;
- à la 2ᵉ personne du singulier du présent de l'impératif.
● **eoi** reste eoi à toutes les personnes du futur simple de l'indicatif et du présent du conditionnel.
● **y** devient yi aux 1ʳᵉˢ et 2ᵉˢ personnes du pluriel de l'imparfait de l'indicatif et du présent du subjonctif.

taire

INDICATIF

Présent		Imparfait		Passé composé			Plus-que-parfait		
je	tais	je	taisais	j'	ai	tu	j'	avais	tu
tu	tais	tu	taisais	tu	as	tu	tu	avais	tu
il, elle	tait	il, elle	taisait	il, elle	a	tu	il, elle	avait	tu
nous	taisons	nous	taisions	nous	avons	tu	nous	avions	tu
vous	taisez	vous	taisiez	vous	avez	tu	vous	aviez	tu
ils, elles	taisent	ils, elles	taisaient	ils, elles	ont	tu	ils, elles	avaient	tu

Passé simple		Futur simple		Passé antérieur			Futur antérieur		
je	tus	je	tairai	j'	eus	tu	j'	aurai	tu
tu	tus	tu	tairas	tu	eus	tu	tu	auras	tu
il, elle	tut	il, elle	taira	il, elle	eut	tu	il, elle	aura	tu
nous	tûmes	nous	tairons	nous	eûmes	tu	nous	aurons	tu
vous	tûtes	vous	tairez	vous	eûtes	tu	vous	aurez	tu
ils, elles	turent	ils, elles	tairont	ils, elles	eurent	tu	ils, elles	auront	tu

SUBJONCTIF

Présent		Imparfait		Passé			Plus-que-parfait		
Il faut que...		*Il fallait que...*		*Il faut que...*			*Il fallait que...*		
je	taise	je	tusse	j'	aie	tu	j'	eusse	tu
tu	taises	tu	tusses	tu	aies	tu	tu	eusses	tu
il, elle	taise	il, elle	tût	il, elle	ait	tu	il, elle	eût	tu
nous	taisions	nous	tussions	nous	ayons	tu	nous	eussions	tu
vous	taisiez	vous	tussiez	vous	ayez	tu	vous	eussiez	tu
ils, elles	taisent	ils, elles	tussent	ils, elles	aient	tu	ils, elles	eussent	tu

CONDITIONNEL

Présent		Passé 1re forme			Passé 2e forme		
je	tairais	j'	aurais	tu	j'	eusse	tu
tu	tairais	tu	aurais	tu	tu	eusses	tu
il, elle	tairait	il, elle	aurait	tu	il, elle	eût	tu
nous	tairions	nous	aurions	tu	nous	eussions	tu
vous	tairiez	vous	auriez	tu	vous	eussiez	tu
ils, elles	tairaient	ils, elles	auraient	tu	ils, elles	eussent	tu

IMPÉRATIF

Présent	Passé
tais	aie tu
taisons	ayons tu
taisez	ayez tu

INFINITIF

Présent	Passé
taire	avoir tu

PARTICIPE

Présent	Passé
taisant	tu(e)
	ayant tu

VERBES EN -tenir : tenir

INDICATIF

Présent		Imparfait		Passé composé			Plus-que-parfait		
je	tiens	je	tenais	j'	ai	tenu	j'	avais	tenu
tu	tiens	tu	tenais	tu	as	tenu	tu	avais	tenu
il, elle	tient	il, elle	tenait	il, elle	a	tenu	il, elle	avait	tenu
nous	tenons	nous	tenions	nous	avons	tenu	nous	avions	tenu
vous	tenez	vous	teniez	vous	avez	tenu	vous	aviez	tenu
ils, elles	tiennent	ils, elles	tenaient	ils, elles	ont	tenu	ils, elles	avaient	tenu

Passé simple		Futur simple		Passé antérieur			Futur antérieur		
je	tins	je	tiendrai	j'	eus	tenu	j'	aurai	tenu
tu	tins	tu	tiendras	tu	eus	tenu	tu	auras	tenu
il, elle	tint	il, elle	tiendra	il, elle	eut	tenu	il, elle	aura	tenu
nous	tînmes	nous	tiendrons	nous	eûmes	tenu	nous	aurons	tenu
vous	tîntes	vous	tiendrez	vous	eûtes	tenu	vous	aurez	tenu
ils, elles	tinrent	ils, elles	tiendront	ils, elles	eurent	tenu	ils, elles	auront	tenu

SUBJONCTIF

Présent		Imparfait		Passé			Plus-que-parfait		
Il faut que...		*Il fallait que...*		*Il faut que...*			*Il fallait que...*		
je	tienne	je	tinsse	j'	aie	tenu	j'	eusse	tenu
tu	tiennes	tu	tinsses	tu	aies	tenu	tu	eusses	tenu
il, elle	tienne	il, elle	tînt	il, elle	ait	tenu	il, elle	eût	tenu
nous	tenions	nous	tinssions	nous	ayons	tenu	nous	eussions	tenu
vous	teniez	vous	tinssiez	vous	ayez	tenu	vous	eussiez	tenu
ils, elles	tiennent	ils, elles	tinssent	ils, elles	aient	tenu	ils, elles	eussent	tenu

CONDITIONNEL

Présent		Passé 1re forme			Passé 2e forme		
je	tiendrais	j'	aurais	tenu	j'	eusse	tenu
tu	tiendrais	tu	aurais	tenu	tu	eusses	tenu
il, elle	tiendrait	il, elle	aurait	tenu	il, elle	eût	tenu
nous	tiendrions	nous	aurions	tenu	nous	eussions	tenu
vous	tiendriez	vous	auriez	tenu	vous	eussiez	tenu
ils, elles	tiendraient	ils, elles	auraient	tenu	ils, elles	eussent	tenu

IMPÉRATIF

Présent	Passé
tiens	aie tenu
tenons	ayons tenu
tenez	ayez tenu

INFINITIF

Présent	Passé
tenir	avoir tenu

PARTICIPE

Présent	Passé
tenant	tenu(e)
	ayant tenu

REMARQUES

▶ Se conjuguent sur le modèle de *tenir* : *s'abstenir* (pronominal avec l'auxiliaire *être*), *appartenir*, *contenir*, *détenir*, *entretenir*, *maintenir*, *obtenir*, *retenir*, *soutenir*.
▶ Le participe passé *appartenu* est invariable.

VERBES EN -ondre : **tondre**

INDICATIF

Présent	Imparfait	Passé composé	Plus-que-parfait
je **tonds**	je **tondais**	j' ai tondu	j' avais tondu
tu **tonds**	tu **tondais**	tu as tondu	tu avais tondu
il, elle **tond**	il, elle **tondait**	il, elle a tondu	il, elle avait tondu
nous **tondons**	nous **tondions**	nous avons tondu	nous avions tondu
vous **tondez**	vous **tondiez**	vous avez tondu	vous aviez tondu
ils, elles **tondent**	ils, elles **tondaient**	ils, elles ont tondu	ils, elles avaient tondu

Passé simple	Futur simple	Passé antérieur	Futur antérieur
je **tondis**	je **tondrai**	j' eus tondu	j' aurai tondu
tu **tondis**	tu **tondras**	tu eus tondu	tu auras tondu
il, elle **tondit**	il, elle **tondra**	il, elle eut tondu	il, elle aura tondu
nous **tondîmes**	nous **tondrons**	nous eûmes tondu	nous aurons tondu
vous **tondîtes**	vous **tondrez**	vous eûtes tondu	vous aurez tondu
ils, elles **tondirent**	ils, elles **tondront**	ils, elles eurent tondu	ils, elles auront tondu

SUBJONCTIF

Présent	Imparfait	Passé	Plus-que-parfait
Il faut **que**...	Il fallait **que**...	Il faut **que**...	Il fallait **que**...
je **tonde**	je **tondisse**	j' aie tondu	j' eusse tondu
tu **tondes**	tu **tondisses**	tu aies tondu	tu eusses tondu
il, elle **tonde**	il, elle **tondît**	il, elle ait tondu	il, elle eût tondu
nous **tondions**	nous **tondissions**	nous ayons tondu	nous eussions tondu
vous **tondiez**	vous **tondissiez**	vous ayez tondu	vous eussiez tondu
ils, elles **tondent**	ils, elles **tondissent**	ils, elles aient tondu	ils, elles eussent tondu

CONDITIONNEL

Présent	Passé 1ʳᵉ forme	Passé 2ᵉ forme
je **tondrais**	j' aurais tondu	j' eusse tondu
tu **tondrais**	tu aurais tondu	tu eusses tondu
il, elle **tondrait**	il, elle aurait tondu	il, elle eût tondu
nous **tondrions**	nous aurions tondu	nous eussions tondu
vous **tondriez**	vous auriez tondu	vous eussiez tondu
ils, elles **tondraient**	ils, elles auraient tondu	ils, elles eussent tondu

IMPÉRATIF

Présent	Passé
tonds	aie tondu
tondons	ayons tondu
tondez	ayez tondu

INFINITIF

Présent	Passé
tondre	avoir tondu

PARTICIPE

Présent	Passé
tondant	**tondu(e)**
	ayant tondu

REMARQUES

▶ Se conjuguent sur le modèle de **tondre** : con*fondre*, corres*pondre*, *fondre*, se mor*fondre* (pronominal avec l'auxiliaire **être**), par*fondre*, *pondre*, re*fondre*, ré*pondre*, re*tondre*, sur*tondre*.

VERBES EN -raire : traire

INDICATIF

Présent		Imparfait		Passé composé			Plus-que-parfait		
je	trais	je	trayais	j'	ai	trait	j'	avais	trait
tu	trais	tu	trayais	tu	as	trait	tu	avais	trait
il, elle	trait	il, elle	trayait	il, elle	a	trait	il, elle	avait	trait
nous	trayons	nous	trayions	nous	avons	trait	nous	avions	trait
vous	trayez	vous	trayiez	vous	avez	trait	vous	aviez	trait
ils, elles	traient	ils, elles	trayaient	ils, elles	ont	trait	ils, elles	avaient	trait

Passé simple	Futur simple		Passé antérieur			Futur antérieur		
	je	trairai	j'	eus	trait	j'	aurai	trait
	tu	trairas	tu	eus	trait	tu	auras	trait
(inusité)	il, elle	traira	il, elle	eut	trait	il, elle	aura	trait
	nous	trairons	nous	eûmes	trait	nous	aurons	trait
	vous	trairez	vous	eûtes	trait	vous	aurez	trait
	ils, elles	trairont	ils, elles	eurent	trait	ils, elles	auront	trait

SUBJONCTIF

Présent		Imparfait	Passé			Plus-que-parfait		
Il faut que...		Il fallait que...	Il faut que...			Il fallait que...		
je	traie		j'	aie	trait	j'	eusse	trait
tu	traies		tu	aies	trait	tu	eusses	trait
il, elle	traie	(inusité)	il, elle	ait	trait	il, elle	eût	trait
nous	trayions		nous	ayons	trait	nous	eussions	trait
vous	trayiez		vous	ayez	trait	vous	eussiez	trait
ils, elles	traient		ils, elles	aient	trait	ils, elles	eussent	trait

CONDITIONNEL

Présent		Passé 1re forme			Passé 2e forme		
je	trairais	j'	aurais	trait	j'	eusse	trait
tu	trairais	tu	aurais	trait	tu	eusses	trait
il, elle	trairait	il, elle	aurait	trait	il, elle	eût	trait
nous	trairions	nous	aurions	trait	nous	eussions	trait
vous	trairiez	vous	auriez	trait	vous	eussiez	trait
ils, elles	trairaient	ils, elles	auraient	trait	ils, elles	eussent	trait

IMPÉRATIF

Présent	Passé
trais	aie trait
trayons	ayons trait
trayez	ayez trait

INFINITIF

Présent	Passé
traire	avoir trait

PARTICIPE

Présent	Passé
trayant	trait(e)
	ayant trait

REMARQUES

● y devient **yi** aux 1res et 2es personnes du pluriel de l'imparfait de l'indicatif et du présent du subjonctif.
▶ Les formes du passé simple de l'indicatif et de l'imparfait du subjonctif sont inusitées pour le verbe *traire* et tous les verbes qui se conjuguent sur ce modèle.
▶ Se conjuguent sur le modèle de *traire* : *abstraire, distraire, extraire, portraire, raire, rentraire, retraire, soustraire.*

INDICATIF

Présent	Imparfait	Passé composé	Plus-que-parfait
je tressaille	je tressaillais	j' ai tressailli	j' avais tressailli
tu tressailles	tu tressaillais	tu as tressailli	tu avais tressailli
il, elle tressaille	il, elle tressaillait	il, elle a tressailli	il, elle avait tressailli
nous tressaillons	nous tressaillions	nous avons tressailli	nous avions tressailli
vous tressaillez	vous tressailliez	vous avez tressailli	vous aviez tressailli
ils, elles tressaillent	ils, elles tressaillaient	ils, elles ont tressailli	ils, elles avaient tressailli

Passé simple	Futur simple	Passé antérieur	Futur antérieur
je tressaillis	je tressaillirai	j' eus tressailli	j' aurai tressailli
tu tressaillis	tu tressailliras	tu eus tressailli	tu auras tressailli
il, elle tressaillit	il, elle tressaillira	il, elle eut tressailli	il, elle aura tressailli
nous tressaillîmes	nous tressaillirons	nous eûmes tressailli	nous aurons tressailli
vous tressaillîtes	vous tressaillirez	vous eûtes tressailli	vous aurez tressailli
ils, elles tressaillirent	ils, elles tressailliront	ils, elles eurent tressailli	ils, elles auront tressailli

SUBJONCTIF

Présent	Imparfait	Passé	Plus-que-parfait
Il faut que...	*Il fallait que...*	*Il faut que...*	*Il fallait que...*
je tressaille	je tressaillisse	j' aie tressailli	j' eusse tressailli
tu tressailles	tu tressaillisses	tu aies tressailli	tu eusses tressailli
il, elle tressaille	il, elle tressaillît	il, elle ait tressailli	il, elle eût tressailli
nous tressaillions	nous tressaillissions	nous ayons tressailli	nous eussions tressailli
vous tressailliez	vous tressaillissiez	vous ayez tressailli	vous eussiez tressailli
ils, elles tressaillent	ils, elles tressaillissent	ils, elles aient tressailli	ils, elles eussent tressailli

CONDITIONNEL

Présent	Passé 1re forme	Passé 2e forme
je tressaillirais	j' aurais tressailli	j' eusse tressailli
tu tressaillirais	tu aurais tressailli	tu eusses tressailli
il, elle tressaillirait	il, elle aurait tressailli	il, elle eût tressailli
nous tressaillirions	nous aurions tressailli	nous eussions tressailli
vous tressailliriez	vous auriez tressailli	vous eussiez tressailli
ils, elles tressailliraient	ils, elles auraient tressailli	ils, elles eussent tressailli

IMPÉRATIF

Présent	Passé
tressaille	aie tressailli
tressaillons	ayons tressailli
tressaillez	ayez tressailli

INFINITIF

Présent	Passé
tressaillir	avoir tressailli

PARTICIPE

Présent	Passé
tressaillant	tressailli
	ayant tressailli

REMARQUES

- Il devient **lli** aux 1res et 2es personnes du pluriel de l'imparfait de l'indicatif et du présent du subjonctif.
- ▶ Se conjugue sur le modèle de *tressaillir* : *assaillir*.
- ▶ Le participe passé *assailli* est variable.
- ▶ *Saillir*, au sens de « avancer, déborder en formant un relief », est un verbe défectif (voir p. 191).
- ▶ *Saillir*, au sens de « jaillir », est un verbe défectif (voir p. 191).
- ▶ *Saillir*, au sens de « couvrir la femelle », se conjugue sur le modèle de *finir* (cf. *finir*, 92).

INDICATIF

Présent	Imparfait	Passé composé	Plus-que-parfait
je **vaincs**	je **vainquais**	j' ai vaincu	j' avais vaincu
tu **vaincs**	tu **vainquais**	tu as vaincu	tu avais vaincu
il, elle **vainc**	il, elle **vainquait**	il, elle a vaincu	il, elle avait vaincu
nous **vainquons**	nous **vainquions**	nous avons vaincu	nous avions vaincu
vous **vainquez**	vous **vainquiez**	vous avez vaincu	vous aviez vaincu
ils, elles **vainquent**	ils, elles **vainquaient**	ils, elles ont vaincu	ils, elles avaient vaincu

Passé simple	Futur simple	Passé antérieur	Futur antérieur
je **vainquis**	je **vaincrai**	j' eus vaincu	j' aurai vaincu
tu **vainquis**	tu **vaincras**	tu eus vaincu	tu auras vaincu
il, elle **vainquit**	il, elle **vaincra**	il, elle eut vaincu	il, elle aura vaincu
nous **vainquîmes**	nous **vaincrons**	nous eûmes vaincu	nous aurons vaincu
vous **vainquîtes**	vous **vaincrez**	vous eûtes vaincu	vous aurez vaincu
ils, elles **vainquirent**	ils, elles **vaincront**	ils, elles eurent vaincu	ils, elles auront vaincu

SUBJONCTIF

Présent	Imparfait	Passé	Plus-que-parfait
Il faut que...	*Il fallait que...*	*Il faut que...*	*Il fallait que...*
je **vainque**	je **vainquisse**	j' aie vaincu	j' eusse vaincu
tu **vainques**	tu **vainquisses**	tu aies vaincu	tu eusses vaincu
il, elle **vainque**	il, elle **vainquît**	il, elle ait vaincu	il, elle eût vaincu
nous **vainquions**	nous **vainquissions**	nous ayons vaincu	nous eussions vaincu
vous **vainquiez**	vous **vainquissiez**	vous ayez vaincu	vous eussiez vaincu
ils, elles **vainquent**	ils, elles **vainquissent**	ils, elles aient vaincu	ils, elles eussent vaincu

CONDITIONNEL

Présent	Passé 1re forme	Passé 2e forme
je **vaincrais**	j' aurais vaincu	j' eusse vaincu
tu **vaincrais**	tu aurais vaincu	tu eusses vaincu
il, elle **vaincrait**	il, elle aurait vaincu	il, elle eût vaincu
nous **vaincrions**	nous aurions vaincu	nous eussions vaincu
vous **vaincriez**	vous auriez vaincu	vous eussiez vaincu
ils, elles **vaincraient**	ils, elles auraient vaincu	ils, elles eussent vaincu

IMPÉRATIF

Présent	Passé
vaincs	aie vaincu
vainquons	ayons vaincu
vainquez	ayez vaincu

INFINITIF

Présent	Passé
vaincre	avoir vaincu

PARTICIPE

Présent	Passé
vainquant	**vaincu(e)**
	ayant vaincu

REMARQUES

▶ Se conjugue sur le modèle de *vaincre* : con**vaincre**.
▶ Lorsqu'il est participe présent, *convainquant* s'écrit avec **qu** ; lorsqu'il est adjectif verbal, *convaincant* s'écrit avec **c** : *une démonstration convain**c**ante*.

VERBES EN -valoir : valoir

INDICATIF

Présent		Imparfait		Passé composé			Plus-que-parfait		
je	**vaux**	je	**valais**	j'	ai	valu	j'	avais	valu
tu	**vaux**	tu	**valais**	tu	as	valu	tu	avais	valu
il, elle	**vaut**	il, elle	**valait**	il, elle	a	valu	il, elle	avait	valu
nous	**valons**	nous	**valions**	nous	avons	valu	nous	avions	valu
vous	**valez**	vous	**valiez**	vous	avez	valu	vous	aviez	valu
ils, elles	**valent**	ils, elles	**valaient**	ils, elles	ont	valu	ils, elles	avaient	valu

Passé simple		Futur simple		Passé antérieur			Futur antérieur		
je	**valus**	je	**vaudrai**	j'	eus	valu	j'	aurai	valu
tu	**valus**	tu	**vaudras**	tu	eus	valu	tu	auras	valu
il, elle	**valut**	il, elle	**vaudra**	il, elle	eut	valu	il, elle	aura	valu
nous	**valûmes**	nous	**vaudrons**	nous	eûmes	valu	nous	aurons	valu
vous	**valûtes**	vous	**vaudrez**	vous	eûtes	valu	vous	aurez	valu
ils, elles	**valurent**	ils, elles	**vaudront**	ils, elles	eurent	valu	ils, elles	auront	valu

SUBJONCTIF

Présent		Imparfait		Passé			Plus-que-parfait		
Il faut que...		*Il fallait que...*		*Il faut que...*			*Il fallait que...*		
je	**vaille**	je	**valusse**	j'	aie	valu	j'	eusse	valu
tu	**vailles**	tu	**valusses**	tu	aies	valu	tu	eusses	valu
il, elle	**vaille**	il, elle	**valût**	il, elle	ait	valu	il, elle	eût	valu
nous	**valions**	nous	**valussions**	nous	ayons	valu	nous	eussions	valu
vous	**valiez**	vous	**valussiez**	vous	ayez	valu	vous	eussiez	valu
ils, elles	**vaillent**	ils, elles	**valussent**	ils, elles	aient	valu	ils, elles	eussent	valu

CONDITIONNEL

Présent		Passé 1re forme			Passé 2e forme		
je	**vaudrais**	j'	aurais	valu	j'	eusse	valu
tu	**vaudrais**	tu	aurais	valu	tu	eusses	valu
il, elle	**vaudrait**	il, elle	aurait	valu	il, elle	eût	valu
nous	**vaudrions**	nous	aurions	valu	nous	eussions	valu
vous	**vaudriez**	vous	auriez	valu	vous	eussiez	valu
ils, elles	**vaudraient**	ils, elles	auraient	valu	ils, elles	eussent	valu

IMPÉRATIF

Présent	Passé
vaux	aie valu
valons	ayons valu
valez	ayez valu

INFINITIF

Présent	Passé
valoir	avoir valu

PARTICIPE

Présent	Passé
valant	valu(e)
	ayant valu

REMARQUES

▶ Se conjuguent sur le modèle de *valoir* : équi**valoir**, pré**valoir**, re**valoir**.
▶ Le participe passé *équivalu* est invariable.

VERBES EN -endre : vendre

INDICATIF

Présent		Imparfait		Passé composé			Plus-que-parfait		
je	vends	je	vendais	j'	ai	vendu	j'	avais	vendu
tu	vends	tu	vendais	tu	as	vendu	tu	avais	vendu
il, elle	vend	il, elle	vendait	il, elle	a	vendu	il, elle	avait	vendu
nous	vendons	nous	vendions	nous	avons	vendu	nous	avions	vendu
vous	vendez	vous	vendiez	vous	avez	vendu	vous	aviez	vendu
ils, elles	vendent	ils, elles	vendaient	ils, elles	ont	vendu	ils, elles	avaient	vendu

Passé simple		Futur simple		Passé antérieur			Futur antérieur		
je	vendis	je	vendrai	j'	eus	vendu	j'	aurai	vendu
tu	vendis	tu	vendras	tu	eus	vendu	tu	auras	vendu
il, elle	vendit	il, elle	vendra	il, elle	eut	vendu	il, elle	aura	vendu
nous	vendîmes	nous	vendrons	nous	eûmes	vendu	nous	aurons	vendu
vous	vendîtes	vous	vendrez	vous	eûtes	vendu	vous	aurez	vendu
ils, elles	vendirent	ils, elles	vendront	ils, elles	eurent	vendu	ils, elles	auront	vendu

SUBJONCTIF

Présent		Imparfait		Passé			Plus-que-parfait		
Il faut que...		*Il fallait que...*		*Il faut que...*			*Il fallait que...*		
je	vende	je	vendisse	j'	aie	vendu	j'	eusse	vendu
tu	vendes	tu	vendisses	tu	aies	vendu	tu	eusses	vendu
il, elle	vende	il, elle	vendît	il, elle	ait	vendu	il, elle	eût	vendu
nous	vendions	nous	vendissions	nous	ayons	vendu	nous	eussions	vendu
vous	vendiez	vous	vendissiez	vous	ayez	vendu	vous	eussiez	vendu
ils, elles	vendent	ils, elles	vendissent	ils, elles	aient	vendu	ils, elles	eussent	vendu

CONDITIONNEL

Présent		Passé 1re forme			Passé 2e forme		
je	vendrais	j'	aurais	vendu	j'	eusse	vendu
tu	vendrais	tu	aurais	vendu	tu	eusses	vendu
il, elle	vendrait	il, elle	aurait	vendu	il, elle	eût	vendu
nous	vendrions	nous	aurions	vendu	nous	eussions	vendu
vous	vendriez	vous	auriez	vendu	vous	eussiez	vendu
ils, elles	vendraient	ils, elles	auraient	vendu	ils, elles	eussent	vendu

IMPÉRATIF

Présent	Passé
vends	aie vendu
vendons	ayons vendu
vendez	ayez vendu

INFINITIF

Présent	Passé
vendre	avoir vendu

PARTICIPE

Présent	Passé
vendant	vendu(e)
	ayant vendu

REMARQUES

▶ Se conjuguent sur le modèle de **vendre** : ap**pendre**, at**tendre**, condes**cendre**, dé**fendre**, dé**pendre**, des**cendre** (*avoir* ou *être*), dé**tendre**, dis**tendre**, en**tendre**, é**tendre**, **fendre**, mé**vendre**, **pendre**, pour**fendre**, pré**tendre**, redes**cendre** (*avoir* ou *être*), réen**tendre**, re**fendre**, **rendre**, re**pendre**, re**tendre**, re**vendre**, sous-en**tendre**, sous-**tendre**, sus**pendre**, **tendre**.

VERBES EN -venir : venir

INDICATIF

Présent		Imparfait		Passé composé			Plus-que-parfait		
je	viens	je	venais	je	suis	venu(e)	j'	étais	venu(e)
tu	viens	tu	venais	tu	es	venu(e)	tu	étais	venu(e)
il, elle	vient	il, elle	venait	il, elle	est	venu(e)	il, elle	était	venu(e)
nous	venons	nous	venions	nous	sommes	venu(e)s	nous	étions	venu(e)s
vous	venez	vous	veniez	vous	êtes	venu(e)s	vous	étiez	venu(e)s
ils, elles	viennent	ils, elles	venaient	ils, elles	sont	venu(e)s	ils, elles	étaient	venu(e)s

Passé simple		Futur simple		Passé antérieur			Futur antérieur		
je	vins	je	viendrai	je	fus	venu(e)	je	serai	venu(e)
tu	vins	tu	viendras	tu	fus	venu(e)	tu	seras	venu(e)
il, elle	vint	il, elle	viendra	il, elle	fut	venu(e)	il, elle	sera	venu(e)
nous	vînmes	nous	viendrons	nous	fûmes	venu(e)s	nous	serons	venu(e)s
vous	vîntes	vous	viendrez	vous	fûtes	venu(e)s	vous	serez	venu(e)s
ils, elles	vinrent	ils, elles	viendront	ils, elles	furent	venu(e)s	ils, elles	seront	venu(e)s

SUBJONCTIF

Présent		Imparfait		Passé			Plus-que-parfait		
Il faut que...		Il fallait que...		Il faut que...			Il fallait que...		
je	vienne	je	vinsse	je	sois	venu(e)	je	fusse	venu(e)
tu	viennes	tu	vinsses	tu	sois	venu(e)	tu	fusses	venu(e)
il, elle	vienne	il, elle	vînt	il, elle	soit	venu(e)	il, elle	fût	venu(e)
nous	venions	nous	vinssions	nous	soyons	venu(e)s	nous	fussions	venu(e)s
vous	veniez	vous	vinssiez	vous	soyez	venu(e)s	vous	fussiez	venu(e)s
ils, elles	viennent	ils, elles	vinssent	ils, elles	soient	venu(e)s	ils, elles	fussent	venu(e)s

CONDITIONNEL

Présent		Passé 1re forme			Passé 2e forme		
je	viendrais	je	serais	venu(e)	je	fusse	venu(e)
tu	viendrais	tu	serais	venu(e)	tu	fusses	venu(e)
il, elle	viendrait	il, elle	serait	venu(e)	il, elle	fût	venu(e)
nous	viendrions	nous	serions	venu(e)s	nous	fussions	venu(e)s
vous	viendriez	vous	seriez	venu(e)s	vous	fussiez	venu(e)s
ils, elles	viendraient	ils, elles	seraient	venu(e)s	ils, elles	fussent	venu(e)s

IMPÉRATIF

Présent	Passé
viens	sois venu(e)
venons	soyons venu(e)s
venez	soyez venu(e)s

INFINITIF

Présent	Passé
venir	être venu(e)

PARTICIPE

Présent	Passé
venant	venu(e)
	étant venu(e)

REMARQUES

▶ Se conjuguent sur le modèle de *venir* : circon**venir**, contre**venir**, con**venir** (*avoir* ou *être*), de**venir** (*être*), discon**venir** (*être*), inter**venir** (*être*), ob**venir** (*être*), par**venir** (*être*), pré**venir** (*être*), pro**venir** (*être*), rede**venir** (*être*), se ressou**venir** (pronominal avec l'auxiliaire *être*), re**venir** (*être*), souve**nir** (*être*), sub**venir**, sur**venir** (*être*).

INDICATIF

Présent		Imparfait		Passé composé			Plus-que-parfait		
je	vêts	je	vêtais	j'	ai	vêtu	j'	avais	vêtu
tu	vêts	tu	vêtais	tu	as	vêtu	tu	avais	vêtu
il, elle	vêt	il, elle	vêtait	il, elle	a	vêtu	il, elle	avait	vêtu
nous	vêtons	nous	vêtions	nous	avons	vêtu	nous	avions	vêtu
vous	vêtez	vous	vêtiez	vous	avez	vêtu	vous	aviez	vêtu
ils, elles	vêtent	ils, elles	vêtaient	ils, elles	ont	vêtu	ils, elles	avaient	vêtu

Passé simple		Futur simple		Passé antérieur			Futur antérieur		
je	vêtis	je	vêtirai	j'	eus	vêtu	j'	aurai	vêtu
tu	vêtis	tu	vêtiras	tu	eus	vêtu	tu	auras	vêtu
il, elle	vêtit	il, elle	vêtira	il, elle	eut	vêtu	il, elle	aura	vêtu
nous	vêtîmes	nous	vêtirons	nous	eûmes	vêtu	nous	aurons	vêtu
vous	vêtîtes	vous	vêtirez	vous	eûtes	vêtu	vous	aurez	vêtu
ils, elles	vêtirent	ils, elles	vêtiront	ils, elles	eurent	vêtu	ils, elles	auront	vêtu

SUBJONCTIF

Présent		Imparfait		Passé			Plus-que-parfait		
Il faut que...		Il fallait que...		Il faut que...			Il fallait que...		
je	vête	je	vêtisse	j'	aie	vêtu	j'	eusse	vêtu
tu	vêtes	tu	vêtisses	tu	aies	vêtu	tu	eusses	vêtu
il, elle	vête	il, elle	vêtît	il, elle	ait	vêtu	il, elle	eût	vêtu
nous	vêtions	nous	vêtissions	nous	ayons	vêtu	nous	eussions	vêtu
vous	vêtiez	vous	vêtissiez	vous	ayez	vêtu	vous	eussiez	vêtu
ils, elles	vêtent	ils, elles	vêtissent	ils, elles	aient	vêtu	ils, elles	eussent	vêtu

CONDITIONNEL

Présent		Passé 1re forme			Passé 2e forme		
je	vêtirais	j'	aurais	vêtu	j'	eusse	vêtu
tu	vêtirais	tu	aurais	vêtu	tu	eusses	vêtu
il, elle	vêtirait	il, elle	aurait	vêtu	il, elle	eût	vêtu
nous	vêtirions	nous	aurions	vêtu	nous	eussions	vêtu
vous	vêtiriez	vous	auriez	vêtu	vous	eussiez	vêtu
ils, elles	vêtiraient	ils, elles	auraient	vêtu	ils, elles	eussent	vêtu

IMPÉRATIF

Présent	Passé
vêts	aie vêtu
vêtons	ayons vêtu
vêtez	ayez vêtu

INFINITIF

Présent	Passé
vêtir	avoir vêtu

PARTICIPE

Présent	Passé
vêtant	vêtu(e)
	ayant vêtu

REMARQUES

▶ Se conjuguent sur le modèle de vêtir : dévêtir, revêtir.

VERBES EN -vivre : vivre

INDICATIF

Présent		Imparfait		Passé composé			Plus-que-parfait		
je	vis	je	vivais	j'	ai	vécu	j'	avais	vécu
tu	vis	tu	vivais	tu	as	vécu	tu	avais	vécu
il, elle	vit	il, elle	vivait	il, elle	a	vécu	il, elle	avait	vécu
nous	vivons	nous	vivions	nous	avons	vécu	nous	avions	vécu
vous	vivez	vous	viviez	vous	avez	vécu	vous	aviez	vécu
ils, elles	vivent	ils, elles	vivaient	ils, elles	ont	vécu	ils, elles	avaient	vécu

Passé simple		Futur simple		Passé antérieur			Futur antérieur		
je	vécus	je	vivrai	j'	eus	vécu	j'	aurai	vécu
tu	vécus	tu	vivras	tu	eus	vécu	tu	auras	vécu
il, elle	vécut	il, elle	vivra	il, elle	eut	vécu	il, elle	aura	vécu
nous	vécûmes	nous	vivrons	nous	eûmes	vécu	nous	aurons	vécu
vous	vécûtes	vous	vivrez	vous	eûtes	vécu	vous	aurez	vécu
ils, elles	vécurent	ils, elles	vivront	ils, elles	eurent	vécu	ils, elles	auront	vécu

SUBJONCTIF

Présent		Imparfait		Passé			Plus-que-parfait		
Il faut que...		Il fallait que...		Il faut que...			Il fallait que...		
je	vive	je	vécusse	j'	aie	vécu	j'	eusse	vécu
tu	vives	tu	vécusses	tu	aies	vécu	tu	eusses	vécu
il, elle	vive	il, elle	vécût	il, elle	ait	vécu	il, elle	eût	vécu
nous	vivions	nous	vécussions	nous	ayons	vécu	nous	eussions	vécu
vous	viviez	vous	vécussiez	vous	ayez	vécu	vous	eussiez	vécu
ils, elles	vivent	ils, elles	vécussent	ils, elles	aient	vécu	ils, elles	eussent	vécu

CONDITIONNEL

Présent		Passé 1ʳᵉ forme			Passé 2ᵉ forme		
je	vivrais	j'	aurais	vécu	j'	eusse	vécu
tu	vivrais	tu	aurais	vécu	tu	eusses	vécu
il, elle	vivrait	il, elle	aurait	vécu	il, elle	eût	vécu
nous	vivrions	nous	aurions	vécu	nous	eussions	vécu
vous	vivriez	vous	auriez	vécu	vous	eussiez	vécu
ils, elles	vivraient	ils, elles	auraient	vécu	ils, elles	eussent	vécu

IMPÉRATIF

Présent	Passé
vis	aie vécu
vivons	ayons vécu
vivez	ayez vécu

INFINITIF

Présent	Passé
vivre	avoir vécu

PARTICIPE

Présent	Passé
vivant	vécu(e)
	ayant vécu

REMARQUES

▶ Se conjuguent sur le modèle de *vivre* : *revivre*, *survivre*.
▶ Le participe passé *survécu* est invariable.

VERBES EN -voir : voir

INDICATIF

Présent		Imparfait		Passé composé			Plus-que-parfait		
je	vois	je	voyais	j'	ai	vu	j'	avais	vu
tu	vois	tu	voyais	tu	as	vu	tu	avais	vu
il, elle	voit	il, elle	voyait	il, elle	a	vu	il, elle	avait	vu
nous	voyons	nous	voyions	nous	avons	vu	nous	avions	vu
vous	voyez	vous	voyiez	vous	avez	vu	vous	aviez	vu
ils, elles	voient	ils, elles	voyaient	ils, elles	ont	vu	ils, elles	avaient	vu

Passé simple		Futur simple		Passé antérieur			Futur antérieur		
je	vis	je	verrai	j'	eus	vu	j'	aurai	vu
tu	vis	tu	verras	tu	eus	vu	tu	auras	vu
il, elle	vit	il, elle	verra	il, elle	eut	vu	il, elle	aura	vu
nous	vîmes	nous	verrons	nous	eûmes	vu	nous	aurons	vu
vous	vîtes	vous	verrez	vous	eûtes	vu	vous	aurez	vu
ils, elles	virent	ils, elles	verront	ils, elles	eurent	vu	ils, elles	auront	vu

SUBJONCTIF

Présent		Imparfait		Passé			Plus-que-parfait		
Il faut que...		*Il fallait que...*		*Il faut que...*			*Il fallait que...*		
je	voie	je	visse	j'	aie	vu	j'	eusse	vu
tu	voies	tu	visses	tu	aies	vu	tu	eusses	vu
il, elle	voie	il, elle	vît	il, elle	ait	vu	il, elle	eût	vu
nous	voyions	nous	vissions	nous	ayons	vu	nous	eussions	vu
vous	voyiez	vous	vissiez	vous	ayez	vu	vous	eussiez	vu
ils, elles	voient	ils, elles	vissent	ils, elles	aient	vu	ils, elles	eussent	vu

CONDITIONNEL

Présent		Passé 1re forme			Passé 2e forme		
je	verrais	j'	aurais	vu	j'	eusse	vu
tu	verrais	tu	aurais	vu	tu	eusses	vu
il, elle	verrait	il, elle	aurait	vu	il, elle	eût	vu
nous	verrions	nous	aurions	vu	nous	eussions	vu
vous	verriez	vous	auriez	vu	vous	eussiez	vu
ils, elles	verraient	ils, elles	auraient	vu	ils, elles	eussent	vu

IMPÉRATIF

Présent	Passé
vois	aie vu
voyons	ayons vu
voyez	ayez vu

INFINITIF

Présent	Passé
voir	avoir vu

PARTICIPE

Présent	Passé
voyant	vu(e)
	ayant vu

REMARQUES

● **y** devient **yi** aux 1res et 2es personnes du pluriel de l'imparfait de l'indicatif et du présent du subjonctif.
▶ *Prévoir* se conjugue sur le modèle de *voir*, sauf au futur simple de l'indicatif et au présent du conditionnel (cf. *prévoir*, 154).
▶ Se conjuguent sur le modèle de *voir* : *entrevoir, revoir*.

VERBES EN -vouloir : vouloir

INDICATIF

Présent		Imparfait		Passé composé			Plus-que-parfait		
je	**veux**	je	**voulais**	j'	ai	voulu	j'	avais	voulu
tu	**veux**	tu	**voulais**	tu	as	voulu	tu	avais	voulu
il, elle	**veut**	il, elle	**voulait**	il, elle	a	voulu	il, elle	avait	voulu
nous	**voulons**	nous	**voulions**	nous	avons	voulu	nous	avions	voulu
vous	**voulez**	vous	**vouliez**	vous	avez	voulu	vous	aviez	voulu
ils, elles	**veulent**	ils, elles	**voulaient**	ils, elles	ont	voulu	ils, elles	avaient	voulu

Passé simple		Futur simple		Passé antérieur			Futur antérieur		
je	**voulus**	je	**voudrai**	j'	eus	voulu	j'	aurai	voulu
tu	**voulus**	tu	**voudras**	tu	eus	voulu	tu	auras	voulu
il, elle	**voulut**	il, elle	**voudra**	il, elle	eut	voulu	il, elle	aura	voulu
nous	**voulûmes**	nous	**voudrons**	nous	eûmes	voulu	nous	aurons	voulu
vous	**voulûtes**	vous	**voudrez**	vous	eûtes	voulu	vous	aurez	voulu
ils, elles	**voulurent**	ils, elles	**voudront**	ils, elles	eurent	voulu	ils, elles	auront	voulu

SUBJONCTIF

Présent		Imparfait		Passé			Plus-que-parfait		
*Il faut **que**...*		*Il fallait **que**...*		*Il faut **que**...*			*Il fallait **que**...*		
je	**veuille**	je	**voulusse**	j'	aie	voulu	j'	eusse	voulu
tu	**veuilles**	tu	**voulusses**	tu	aies	voulu	tu	eusses	voulu
il, elle	**veuille**	il, elle	**voulût**	il, elle	ait	voulu	il, elle	eût	voulu
nous	**voulions**	nous	**voulussions**	nous	ayons	voulu	nous	eussions	voulu
vous	**vouliez**	vous	**voulussiez**	vous	ayez	voulu	vous	eussiez	voulu
ils, elles	**veuillent**	ils, elles	**voulussent**	ils, elles	aient	voulu	ils, elles	eussent	voulu

CONDITIONNEL

Présent		Passé 1re forme			Passé 2e forme		
je	**voudrais**	j'	aurais	voulu	j'	eusse	voulu
tu	**voudrais**	tu	aurais	voulu	tu	eusses	voulu
il, elle	**voudrait**	il, elle	aurait	voulu	il, elle	eût	voulu
nous	**voudrions**	nous	aurions	voulu	nous	eussions	voulu
vous	**voudriez**	vous	auriez	voulu	vous	eussiez	voulu
ils, elles	**voudraient**	ils, elles	auraient	voulu	ils, elles	eussent	voulu

IMPÉRATIF

Présent	Passé
veuille/**veux**	aie voulu
(inusité)/**voulons**	ayons voulu
veuillez/**voulez**	ayez voulu

INFINITIF

Présent	Passé
vouloir	avoir voulu

PARTICIPE

Présent	Passé
voulant	**voulu(e)**
	ayant voulu

REMARQUES

▶ Le verbe *vouloir* présente deux séries de formes au présent de l'impératif :
– les formes de la 1re série, construites avec un infinitif, s'emploient surtout dans les formules de politesse ;
– les formes de la 2e série ne s'emploient que rarement.
▶ Se conjugue sur le modèle de *vouloir* : re**vouloir**.

On appelle **verbes défectifs** des verbes dont certaines formes de conjugaison sont inusitées. Pour chaque verbe, ne sont données que les formes usitées.

■ **accroire** - Ne s'emploie qu'à l'infinitif.

■ **adirer** - Ne s'emploie qu'à l'infinitif et au participe passé dans la langue administrative et juridique : *adirer les pièces d'un procès* (égarer les pièces), *les pièces adirées.*

■ **advenir**

INDICATIF

Présent	Imparfait	Passé composé	Plus-que-parfait
il, elle advient	il, elle advenait	il, elle est advenu(e)	il, elle était advenu(e)
ils, elles adviennent	ils, elles advenaient	ils, elles sont advenu(e)s	ils, elles étaient advenu(e)s

Passé simple	Futur simple	Passé antérieur	Futur antérieur
il, elle advint	il, elle adviendra	il, elle fut advenu(e)	il, elle sera advenu(e)
ils, elles advinrent	ils, elles adviendront	ils, elles furent advenu(e)s	ils, elles seront advenu(e)s

SUBJONCTIF

Présent	Imparfait	Passé	Plus-que-parfait
Il faut qu'…	*Il fallait qu'…*	*Il faut qu'…*	*Il fallait qu'…*
il, elle advienne	il, elle advînt	il, elle soit advenu(e)	il, elle fût advenu(e)
ils, elles adviennent	ils, elles advinssent	ils, elles soient advenu(e)s	ils, elles fussent advenu(e)s

CONDITIONNEL

Présent		Passé 1re forme	Passé 2e forme
il, elle adviendrait		il, elle serait advenu(e)	il, elle fût advenu(e)
ils, elles adviendraient		ils, elles seraient advenu(e)s	ils, elles fussent advenu(e)s

INFINITIF		PARTICIPE	
Présent	Passé	Présent	Passé
advenir	être advenu(e)	advenant	advenu(e)
			étant advenu(e)

■ **apparoir** - Ne s'emploie qu'à la 3e personne du singulier du présent de l'indicatif : *il appert.*

■ **assavoir** - Ne s'emploie qu'à l'infinitif, comme expression archaïque : *il me l'a fait assavoir* (savoir).

■ **avérer** - Ne s'emploie qu'à l'infinitif et au participe passé : *c'est un fait avéré.*

■ **s'avérer** - Se conjugue sur le modèle d'*accéder*. Ne s'emploie qu'aux 3es personnes et au participe présent, *s'avérant.*

■ **bayer** - Ne s'emploie que dans l'expression *bayer aux corneilles.*

■ **béer** - Ne s'emploie qu'au participe présent, *béant*, et au participe passé dans l'expression *bouche bée.*

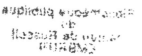

■ **bienvenir** - Ne s'emploie qu'à l'infinitif : *se faire bienvenir de quelqu'un.*

■ **braire**

INDICATIF		CONDITIONNEL
Présent	**Futur simple**	**Présent**
il, elle brait	il, elle braira	il, elle brairait
ils, elles braient	ils, elles brairont	ils, elles brairaient

■ **bruire**

INDICATIF		SUBJONCTIF	PARTICIPE
Présent	**Imparfait**	**Présent**	**Présent**
il, elle bruit	il, elle bruissait	*Il faut qu'...*	bruissant
ils, elles bruissent	ils, elles bruissaient	il, elle bruisse	
		ils, elles bruissent	

■ **cafeter** et **caleter** - Inusités aux trois personnes du singulier et à la 3ᵉ personne du pluriel du présent de l'indicatif et du subjonctif, ainsi qu'à la 2ᵉ personne du singulier du présent de l'impératif. Pour les autres formes, se conjuguent sur le modèle de *parler.*

■ **chaloir** - Ne s'emploie qu'à la 3ᵉ personne du singulier du présent de l'indicatif dans l'expression *peu me (lui) chaut.*

■ **chauvir** - Ne s'emploie que dans l'expression : *chauvir des oreilles* (dresser les oreilles). Se conjugue comme *partir*, sauf aux trois personnes du singulier du présent de l'indicatif : *je chauvis, tu chauvis, il chauvit* et au présent de l'impératif : *chauvis, chauvissons, chauvissez.*

■ **choir**

INDICATIF		
Présent	**Passé simple**	**Futur simple**
je chois	je chus	je choirai/cherrai
tu chois	tu chus	tu choiras/cherras
il, elle choit	il, elle chut	il, elle choira/cherra
(inusité)	nous chûmes	nous choirons/cherrons
(inusité)	vous chûtes	vous choirez/cherrez
ils, elles choient	ils, elles churent	ils, elles choiront/cherront

SUBJONCTIF	CONDITIONNEL	PARTICIPE
Imparfait	**Présent**	**Passé**
Il fallait qu'...	je choirais/cherrais	chu(e)
il, elle chût	tu choirais/cherrais	étant chu(e)
	il, elle choirait/cherrait	
	nous choirions/cherrions	
	vous choiriez/cherriez	
	ils, elles choiraient/cherraient	

■ clore

INDICATIF

Présent		Passé composé			Plus-que-parfait		
je	clos	j'	ai	clos	j'	avais	clos
tu	clos	tu	as	clos	tu	avais	clos
il, elle	clôt	il, elle	a	clos	il, elle	avait	clos
(inusité)		nous	avons	clos	nous	avions	clos
(inusité)		vous	avez	clos	vous	aviez	clos
ils, elles	closent	ils, elles	ont	clos	ils, elles	avaient	clos

Futur simple		Passé antérieur			Futur antérieur		
je	clorai	j'	eus	clos	j'	aurai	clos
tu	cloras	tu	eus	clos	tu	auras	clos
il, elle	clora	il, elle	eut	clos	il, elle	aura	clos
nous	clorons	nous	eûmes	clos	nous	aurons	clos
vous	clorez	vous	eûtes	clos	vous	aurez	clos
ils, elles	cloront	ils, elles	eurent	clos	ils, elles	auront	clos

SUBJONCTIF

Présent		Passé			Plus-que-parfait		
Il faut que...		*Il faut que...*			*Il fallait que...*		
je	close	j'	aie	clos	j'	eusse	clos
tu	closes	tu	aies	clos	tu	eusses	clos
il, elle	close	il, elle	ait	clos	il, elle	eût	clos
nous	closions	nous	ayons	clos	nous	eussions	clos
vous	closiez	vous	ayez	clos	vous	eussiez	clos
ils, elles	closent	ils, elles	aient	clos	ils, elles	eussent	clos

CONDITIONNEL

Présent		Passé 1re forme			Passé 2e forme		
je	clorais	j'	aurais	clos	j'	eusse	clos
tu	clorais	tu	aurais	clos	tu	eusses	clos
il, elle	clorait	il, elle	aurait	clos	il, elle	eût	clos
nous	clorions	nous	aurions	clos	nous	eussions	clos
vous	cloriez	vous	auriez	clos	vous	eussiez	clos
ils, elles	cloraient	ils, elles	auraient	clos	ils, elles	eussent	clos

IMPÉRATIF

Présent	Passé
clos	aie clos
(inusité)	ayons clos
(inusité)	ayez clos

INFINITIF

Présent	Passé
clore	avoir clos

PARTICIPE

Passé
clos(e)
ayant clos

■ **comparoir** - Ne s'emploie qu'à l'infinitif dans la langue juridique : *être assigné à comparoir.*

■ **contrefoutre** - Se conjugue sur le modèle de *foutre*, mais est inusité à l'impératif passé.

■ **courre** - Ne s'emploie qu'à l'infinitif dans le vocabulaire de la chasse : *laisser courre les chiens* (courir).

DÉBECQUETER

■ **débecqueter** ou **débequeter** – Se conjuguent sur le modèle de *cafeter*.

■ **déchoir** – Aux temps composés, le verbe *déchoir* se conjugue avec l'auxiliaire *avoir* quand on veut insister sur l'action et avec l'auxiliaire *être* quand on veut insister sur le résultat de l'action.

INDICATIF

Présent		Passé composé			Plus-que-parfait		
je	déchois *(rare)*	je	suis	déchu(e)	j'	étais	déchu(e)
tu	déchois	tu	es	déchu(e)	tu	étais	déchu(e)
il, elle	déchoit	il, elle	est	déchu(e)	il, elle	était	déchu(e)
nous	déchoyons *(rare)*	nous	sommes	déchu(e)s	nous	étions	déchu(e)s
vous	déchoyez *(rare)*	vous	êtes	déchu(e)s	vous	étiez	déchu(e)s
ils, elles	déchoient	ils, elles	sont	déchu(e)s	ils, elles	étaient	déchu(e)s

Passé simple		Futur simple		Passé antérieur			Futur antérieur		
je	déchus	je	déchoirai	je	fus	déchu(e)	je	serai	déchu(e)
tu	déchus	tu	déchoiras	tu	fus	déchu(e)	tu	seras	déchu(e)
il, elle	déchut	il, elle	déchoira	il, elle	fut	déchu(e)	il, elle	sera	déchu(e)
nous	déchûmes	nous	déchoirons	nous	fûmes	déchu(e)s	nous	serons	déchu(e)s
vous	déchûtes	vous	déchoirez	vous	fûtes	déchu(e)s	vous	serez	déchu(e)s
ils, elles	déchurent	ils, elles	déchoiront	ils, elles	furent	déchu(e)s	ils, elles	seront	déchu(e)s

SUBJONCTIF

Présent		Imparfait		Passé			Plus-que-parfait		
Il faut que...		*Il fallait que...*		*Il faut que...*			*Il fallait que...*		
je	déchoie	je	déchusse	je	sois	déchu(e)	je	fusse	déchu(e)
tu	déchoies	tu	déchusses	tu	sois	déchu(e)	tu	fusses	déchu(e)
il, elle	déchoie	il, elle	déchût	il, elle	soit	déchu(e)	il, elle	fût	déchu(e)
nous	déchoyions	nous	déchussions	nous	soyons	déchu(e)s	nous	fussions	déchu(e)s
vous	déchoyiez	vous	déchussiez	vous	soyez	déchu(e)s	vous	fussiez	déchu(e)s
ils, elles	déchoient	ils, elles	déchussent	ils, elles	soient	déchu(e)s	ils, elles	fussent	déchu(e)s

CONDITIONNEL

Présent		Passé 1re forme			Passé 2e forme		
je	déchoirais	je	serais	déchu(e)	je	fusse	déchu(e)
tu	déchoirais	tu	serais	déchu(e)	tu	fusses	déchu(e)
il, elle	déchoirait	il, elle	serait	déchu(e)	il, elle	fût	déchu(e)
nous	déchoirions	nous	serions	déchu(e)s	nous	fussions	déchu(e)s
vous	déchoiriez	vous	seriez	déchu(e)s	vous	fussiez	déchu(e)s
ils, elles	déchoiraient	ils, elles	seraient	déchu(e)s	ils, elles	fussent	déchu(e)s

IMPÉRATIF

Passé
sois déchu(e)
soyons déchu(e)s
soyez déchu(e)s

INFINITIF

Passé
être déchu(e)(s)

PARTICIPE

Passé
déchu(e)(s)

■ **déclore** – Ne s'emploie qu'à l'infinitif et au participe passé, *déclos(e)*.

■ **douer** - Ne s'emploie qu'au participe passé, *doué(e)*, et aux temps composés.

■ échoir

INDICATIF

Présent	Imparfait	Passé composé	Plus-que-parfait
il, elle échoit/échet	il, elle échoyait *(rare)*	il, elle est échu(e)	il, elle était échu(e)
ils, elles échoient/échéent	ils, elles échoyaient *(rare)*	ils, elles sont échu(e)s	ils, elles étaient échu(e)s

Passé simple	Futur simple	Passé antérieur	Futur antérieur
il, elle échut	il, elle échoira/écherra	il, elle fut échu(e)	il, elle sera échu(e)
ils, elles échurent	ils, elles échoiront/écherront	ils, elles furent échu(e)s	ils, elles seront échu(e)s

SUBJONCTIF

Présent	Imparfait	Passé	Plus-que-parfait
Il faut qu'...	*Il fallait qu'...*	*Il faut qu'...*	*Il fallait qu'...*
il, elle échoie/échée	il, elle échût	il, elle soit échu(e)	il, elle fût échu(e)
ils, elles échoient/échéent	ils, elles échussent	ils, elles soient échu(e)s	ils, elles fussent échu(e)s

CONDITIONNEL

Présent	Passé 1re forme	Passé 2e forme
il, elle échoirait/écherrait	il, elle serait échu(e)	il, elle fût échu(e)
ils, elles échoiraient/écherraient	ils, elles seraient échu(e)s	ils, elles fussent échu(e)s

INFINITIF

Présent	Passé
échoir	être échu(e)

PARTICIPE

Présent	Passé
échéant	échu(e)

■ **écloper** - N'existe qu'à la forme du participe passé en emploi d'adjectif, *éclopé(e)* ; *elle est éclopée.*

■ **éclore** - Ne s'emploie qu'aux 3es personnes sur le modèle de *clore*, sauf à la 3e personne du singulier du présent de l'indicatif où ô devient **o** : *il éclot.*

■ **enclore** - Se conjugue sur le modèle de *clore*, à la différence que :
• il existe à toutes les personnes du présent de l'indicatif et de l'impératif : *nous enclosons, vous enclosez* ; *enclosons, enclosez* ;
• à la 3e personne du singulier du présent de l'indicatif, ô devient **o** : *il enclot.*
Aux temps composés, se conjugue avec l'auxiliaire *être* ou *avoir*.

■ **endêver** - Ne s'emploie qu'à l'infinitif dans l'expression *faire endêver*.

■ s'ensuivre

INDICATIF

Présent	Imparfait	Passé composé	Plus-que-parfait
il, elle s'ensuit	il, elle s'ensuivait	il, elle s'est ensuivi(e)	il, elle s'était ensuivi(e)
ils, elles s'ensuivent	ils, elles s'ensuivaient	ils, elles se sont ensuivi(e)s	ils, elles s'étaient ensuivi(e)s

Passé simple	Futur simple	Passé antérieur	Futur antérieur
il, elle s'ensuivit	il, elle s'ensuivra	il, elle se fut ensuivi(e)	il, elle se sera ensuivi(e)
ils, elles s'ensuivirent	ils, elles s'ensuivront	ils, elles se furent ensuivi(e)s	ils, elles se seront ensuivi(e)s

SUBJONCTIF

Présent	Imparfait	Passé	Plus-que-parfait
Il faut qu'...	*Il fallait qu'...*	*Il faut qu'...*	*Il fallait qu'...*
il, elle s'ensuive	il, elle s'ensuivît	il, elle se soit ensuivi(e)	il, elle se fût ensuivi(e)
ils, elles s'ensuivent	ils, elles s'ensuivissent	ils, elles se soient ensuivi(e)s	ils, elles se fussent ensuivi(e)s

CONDITIONNEL

Présent	Passé 1re forme	Passé 2e forme
il, elle s'ensuivrait	il, elle se serait ensuivi(e)	il, elle se fût ensuivi(e)
ils, elles s'ensuivraient	ils, elles se seraient ensuivi(e)s	ils, elles se fussent ensuivi(e)s

INFINITIF

Présent	Passé
s'ensuivre	s'être ensuivi(e)

PARTICIPE

Présent	Passé
s'ensuivant	s'étant ensuivi(e)

■ **ester** – Ne s'emploie qu'à l'infinitif dans le vocabulaire juridique : *ester en justice* (comparaître en justice).

■ faillir

INDICATIF

Passé composé		Plus-que-parfait	
j' ai failli		j' avais failli	
tu as failli		tu avais failli	
il, elle a failli		il, elle avait failli	
nous avons failli		nous avions failli	
vous avez failli		vous aviez failli	
ils, elles ont failli		ils, elles avaient failli	

Passé simple	Futur simple	Passé antérieur	Futur antérieur
je faillis	je faillirai	j' eus failli	j' aurai failli
tu faillis	tu failliras	tu eus failli	tu auras failli
il, elle faillit	il, elle faillira	il, elle eut failli	il, elle aura failli
nous faillîmes	nous faillirons	nous eûmes failli	nous aurons failli
vous faillîtes	vous faillirez	vous eûtes failli	vous aurez failli
ils, elles faillirent	ils, elles failliront	ils, elles eurent failli	ils, elles auront failli

SUBJONCTIF

Imparfait	Passé	Plus-que-parfait
	Il fallait que...	*Il faut que...*	*Il fallait que...*
je faillisse	j' aie failli	j' eusse failli
tu faillisses	tu aies failli	tu eusses failli
il, elle faillît	il, elle ait failli	il, elle eût failli
nous faillissions	nous ayons failli	nous eussions failli
vous faillissiez	vous ayez failli	vous eussiez failli
ils, elles faillissent	ils, elles aient failli	ils, elles eussent failli

CONDITIONNEL

Présent		Passé 1re forme			Passé 2e forme		
je	faillirais	j'	aurais	failli	j'	eusse	failli
tu	faillirais	tu	aurais	failli	tu	eusses	failli
il, elle	faillirait	il, elle	aurait	failli	il, elle	eût	failli
nous	faillirions	nous	aurions	failli	nous	eussions	failli
vous	failliriez	vous	auriez	failli	vous	eussiez	failli
ils, elles	failliraient	ils, elles	auraient	failli	ils, elles	eussent	failli

INFINITIF

Présent	Passé
faillir	avoir failli

PARTICIPE

Passé
failli

■ **férir** – Ne s'emploie qu'à l'infinitif dans l'expression *sans coup férir* (sans en venir aux mains) et au participe passé *féru* (épris de).

■ **ficher** – L'infinitif courant est *fiche*. Ce verbe a deux participes passés, *fiché(e)* et *fichu(e)*. Il se conjugue sur le modèle de *parler* et aux mêmes temps que *foutre*. *Ficher*, au sens de « mettre sur des fiches », n'est pas défectif.

■ **forclore** – Ne s'emploie qu'à l'infinitif et au participe passé, *forclos(e)*.

■ **forfaire** – Ne s'emploie qu'à l'infinitif et aux temps composés.

■ foutre

INDICATIF

Présent		Imparfait		Passé composé			Plus-que-parfait		
je	fous	je	foutais	j'	ai	foutu	j'	avais	foutu
tu	fous	tu	foutais	tu	as	foutu	tu	avais	foutu
il, elle	fout	il, elle	foutait	il, elle	a	foutu	il, elle	avait	foutu
nous	foutons	nous	foutions	nous	avons	foutu	nous	avions	foutu
vous	foutez	vous	foutiez	vous	avez	foutu	vous	aviez	foutu
ils, elles	foutent	ils, elles	foutaient	ils, elles	ont	foutu	ils, elles	avaient	foutu

Futur simple		Futur antérieur		
je	foutrai	j'	aurai	foutu
tu	foutras	tu	auras	foutu
il, elle	foutra	il, elle	aura	foutu
nous	foutrons	nous	aurons	foutu
vous	foutrez	vous	aurez	foutu
ils, elles	foutront	ils, elles	auront	foutu

SUBJONCTIF

Présent		Passé		
Il faut **que**...		Il faut **que**...		
je	foute	j'	aie	foutu
tu	foutes	tu	aies	foutu
il, elle	foute	il, elle	ait	foutu
nous	foutions	nous	ayons	foutu
vous	foutiez	vous	ayez	foutu
ils, elles	foutent	ils, elles	aient	foutu

CONDITIONNEL

Présent

je	foutrais
tu	foutrais
il, elle	foutrait
nous	foutrions
vous	foutriez
ils, elles	foutraient

Passé 1re forme

j'	aurais	foutu
tu	aurais	foutu
il, elle	aurait	foutu
nous	aurions	foutu
vous	auriez	foutu
ils, elles	auraient	foutu

IMPÉRATIF

Présent	**Passé**
fous	aie foutu
foutons	ayons foutu
foutez	ayez foutu

INFINITIF

Présent	**Passé**
foutre	avoir foutu

PARTICIPE

Présent	**Passé**
foutant	foutu(e)

■ frire

INDICATIF

Présent

je	fris
tu	fris
il, elle	frit
(inusité)	
(inusité)	
(inusité)	

Passé composé

j'	ai	frit
tu	as	frit
il, elle	a	frit
nous	avons	frit
vous	avez	frit
ils, elles	ont	frit

Plus-que-parfait

j'	avais	frit
tu	avais	frit
il, elle	avait	frit
nous	avions	frit
vous	aviez	frit
ils, elles	avaient	frit

Futur simple

je	frirai
tu	friras
il, elle	frira
nous	frirons
vous	frirez
ils, elles	friront

Passé antérieur

j'	eus	frit
tu	eus	frit
il, elle	eut	frit
nous	eûmes	frit
vous	eûtes	frit
ils, elles	eurent	frit

Futur antérieur

j'	aurai	frit
tu	auras	frit
il, elle	aura	frit
nous	aurons	frit
vous	aurez	frit
ils, elles	auront	frit

SUBJONCTIF

Passé
Il faut que...

j'	aie	frit
tu	aies	frit
il, elle	ait	frit
nous	ayons	frit
vous	ayez	frit
ils, elles	aient	frit

Plus-que-parfait
Il fallait que...

j'	eusse	frit
tu	eusses	frit
il, elle	eût	frit
nous	eussions	frit
vous	eussiez	frit
ils, elles	eussent	frit

CONDITIONNEL

Présent		Passé 1re forme			Passé 2e forme		
je	frirais	j'	aurais	frit	j'	eusse	frit
tu	frirais	tu	aurais	frit	tu	eusses	frit
il, elle	frirait	il, elle	aurait	frit	il, elle	eût	frit
nous	fririons	nous	aurions	frit	nous	eussions	frit
vous	fririez	vous	auriez	frit	vous	eussiez	frit
ils, elles	friraient	ils, elles	auraient	frit	ils, elles	eussent	frit

IMPÉRATIF		INFINITIF		PARTICIPE
Présent	**Passé**	**Présent**	**Passé**	**Passé**
fris	aie frit	frire	avoir frit	frit(e)
(inusité)	ayons frit			
(inusité)	ayez frit			

■ gésir

INDICATIF				PARTICIPE
Présent		**Imparfait**		**Présent**
je	gis	je	gisais	gisant
tu	gis	tu	gisais	
il, elle	gît	il, elle	gisait	
nous	gisons	nous	gisions	
vous	gisez	vous	gisiez	
ils, elles	gisent	ils, elles	gisaient	

■ **impartir** - Ne s'emploie qu'à l'infinitif et au présent de l'indicatif : *j'impartis, tu impartis, il impartit, nous impartissons, vous impartissez, ils impartissent*, ainsi qu'au participe passé, *imparti(e)*.

■ **importer** - Au sens de « être d'importance », ne s'emploie qu'à l'infinitif et au participe présent, *important*, et aux 3es personnes.

■ **incomber** - Ne s'emploie qu'à l'infinitif et aux 3es personnes.

■ **issir** - Ne s'emploie qu'au participe passé, *issu(e)*, et aux temps composés (avec l'auxiliaire *être*).

■ **malfaire** - Ne s'emploie qu'à l'infinitif.

■ **mécroire** - Ne s'emploie qu'à l'infinitif.

■ **méfaire** - Ne s'emploie qu'à l'infinitif.

■ **messeoir** - Se conjugue sur le modèle de *seoir* (convenir), mais ne possède qu'une seule forme au participe présent : *messéant*.

■ **moufeter** - Ne s'emploie qu'à l'infinitif et aux temps composés : *il n'a pas moufeté*.

■ **occire** - Ne s'emploie qu'à l'infinitif, au participe passé, **occis(e)**, et aux temps composés.

■ **ouïr** - Ne s'emploie qu'à l'infinitif et dans l'expression **par ouï-dire** ainsi qu'à l'impératif dans l'expression **oyez, braves gens.**

■ **paître**

INDICATIF

Présent		Imparfait		Futur simple	
je	pais	je	paissais	je	paîtrai
tu	pais	tu	paissais	tu	paîtras
il, elle	paît	il, elle	paissait	il, elle	paîtra
nous	paissons	nous	paissions	nous	paîtrons
vous	paissez	vous	paissiez	vous	paîtrez
ils, elles	paissent	ils, elles	paissaient	ils, elles	paîtront

SUBJONCTIF · CONDITIONNEL

Présent		Présent	
Il faut que...			
je	paisse	je	paîtrais
tu	paisses	tu	paîtrais
il, elle	paisse	il, elle	paîtrait
nous	paissions	nous	paîtrions
vous	paissiez	vous	paîtriez
ils, elles	paissent	ils, elles	paîtraient

IMPÉRATIF	INFINITIF	PARTICIPE
Présent	Présent	Présent
pais, paissons, paissez	paître	paissant

REMARQUES
● **i** devient **î** :
– à la 3e personne du singulier du présent de l'indicatif ;
– à toutes les personnes du futur simple de l'indicatif et du présent du conditionnel ;
– à l'infinitif.

■ **parfaire** - Ne s'emploie qu'à l'infinitif, au participe passé, **parfait(e)**, et aux temps composés.

■ **partir** - Au sens de « diviser en deux moitiés égales, partager », s'emploie surtout dans l'expression **avoir maille à partir.**

■ **poindre** - Au sens intransitif de « pointer, commencer à paraître », ne s'emploie plus qu'à l'infinitif et à la 3e personne du singulier du présent et du futur simple de l'indicatif : **il point ; il poindra.**
Au sens transitif de « piquer, percer », se conjugue normalement sur le modèle de *joindre.*

■ **quérir** - Ne s'emploie qu'à l'infinitif.

■ **rassir** - Ne s'emploie qu'à l'infinitif et au participe passé, *rassis(e)*.

■ **ravoir** - Ne s'emploie qu'à l'infinitif.

■ **reclore** - Se conjugue sur le modèle de *clore*.

■ **reclure** - Ne s'emploie qu'au participe passé, *reclus(e)*.

■ **refoutre** - Se conjugue sur le modèle de *foutre*.

■ **renaître** - Ne s'emploie qu'aux temps simples. Se conjugue sur le modèle de *naître*.

■ **résulter** - Ne s'emploie qu'à l'infinitif et à la 3e personne du singulier et du pluriel : *il en a résulté, il en résulte, ce qui en est résulté*.
Aux temps composés, se conjugue avec l'auxiliaire *être* ou *avoir*.

■ **saillir** - Au sens de « avancer, déborder en formant un relief » :

INDICATIF

Présent	Imparfait*	Passé composé	Plus-que-parfait
il, elle saille	il, elle saillait	il, elle a sailli	il, elle avait sailli
ils, elles saillent	ils, elles saillaient	ils, elles ont sailli	ils, elles avaient sailli
Passé simple	Futur simple	Passé antérieur	Futur antérieur
il, elle saillit	il, elle saillera	il, elle eut sailli	il, elle aura sailli
ils, elles saillirent	ils, elles sailleront	ils, elles eurent sailli	ils, elles auront sailli

SUBJONCTIF

Présent	Imparfait	Passé	Plus-que-parfait
Il faut qu'...	*Il fallait qu'*...	*Il faut qu'*...	*Il fallait qu'*...
il, elle saille	il, elle saillît	il, elle ait sailli	il, elle eût sailli
ils, elles saillent	ils, elles saillissent	ils, elles aient sailli	ils, elles eussent sailli

CONDITIONNEL

Présent		Passé 1re forme	Passé 2e forme
il, elle saillerait		il, elle aurait sailli	il, elle eût sailli
ils, elles sailleraient		ils, elles auraient sailli	ils, elles eussent sailli

INFINITIF		PARTICIPE	
Présent	Passé	Présent	Passé
saillir	avoir sailli	saillant	sailli

* Néanmoins, dans la langue littéraire on rencontre : *il saillissait*.
Dans le sens de « couvrir la femelle », *saillir* est un verbe régulier du 2e groupe.

■ **saillir** - Au sens de « jaillir » :

INDICATIF

Présent	Imparfait	Passé composé	Plus-que-parfait
il, elle saillit	il, elle saillissait	il, elle a sailli	il, elle avait sailli
ils, elles saillissent	ils, elles saillissaient	ils, elles ont sailli	ils, elles avaient sailli

Passé simple	Futur simple	Passé antérieur	Futur antérieur
il, elle saillit	il, elle saillira	il, elle eut sailli	il, elle aura sailli
ils, elles saillirent	ils, elles sailliront	ils, elles eurent sailli	ils, elles auront sailli

SUBJONCTIF

Présent	Imparfait	Passé	Plus-que-parfait
Il faut qu'...	*Il fallait qu'*...	*Il faut qu'*...	*Il fallait qu'*...
il, elle saillisse	il, elle saillît	il, elle ait sailli	il, elle eût sailli
ils, elles saillissent	ils, elles saillissent	ils, elles aient sailli	ils, elles eussent sailli

CONDITIONNEL

Présent		Passé 1re forme	Passé 2e forme
il, elle saillirait		il, elle aurait sailli	il, elle eût sailli
ils, elles sailliraient		ils, elles auraient sailli	ils, elles eussent sailli

INFINITIF

Présent	Passé
saillir	avoir sailli

PARTICIPE

Présent	Passé
saillissant	sailli

■ **seoir** - Au sens de « convenir » :

INDICATIF

Présent	Imparfait	Futur simple
il, elle sied	il, elle seyait	il, elle siéra
ils, elles siéent	ils, elles seyaient	ils, elles siéront

SUBJONCTIF | **CONDITIONNEL** | **PARTICIPE**

Présent	Présent	Présent
Il faut qu'...		séant (seyant)
il, elle siée	il, elle siérait	
ils, elles siéent	ils, elles siéraient	

■ **seoir** - Au sens de « être situé », *seoir* ne s'emploie qu'au participe présent, *séant*, et au participe passé, *sis(e)*.

■ **sortir** - En termes de jurisprudence, ne s'emploie qu'à la 3e personne : *il sortit, ils sortissent*.

■ **sourdre** - Au sens de « sortir de terre », ne s'emploie qu'à l'infinitif et aux 3es personnes du présent et de l'imparfait de l'indicatif : *il sourd, ils sourdent* ; *il sourdait, ils sourdaient*.

■ **stupéfaire** - Ne s'emploie qu'au participe passé, *stupéfait(e)*, à la 3e personne du singulier du présent de l'indicatif et aux temps composés : *il me stupéfait* ; *cette nouvelle l'avait stupéfait*.
Le verbe *stupéfier* se conjugue à toutes les personnes, à tous les temps et à tous les modes sur le modèle de *prier*.

On appelle **verbes impersonnels** les verbes qui ne se conjuguent qu'à la 3e personne du singulier.

■ falloir

INDICATIF

Présent	**Imparfait**	**Passé composé**	**Plus-que-parfait**
il faut	il fallait	il a fallu	il avait fallu
Passé simple	**Futur simple**	**Passé antérieur**	**Futur antérieur**
il fallut	il faudra	il eut fallu	il aura fallu

SUBJONCTIF

Présent	**Imparfait**	**Passé**	**Plus-que-parfait**
Je ne crois pas qu'...	*Je ne croyais pas qu'...*	*Je ne crois pas qu'...*	*Je ne croyais pas qu'...*
il faille	il fallût	il ait fallu	il eût fallu

CONDITIONNEL

Présent	**Passé 1re forme**	**Passé 2e forme**
il faudrait	il aurait fallu	il eût fallu

INFINITIF	**PARTICIPE**
Présent	**Passé**
falloir	fallu

■ pleuvoir

INDICATIF

Présent	**Imparfait**	**Passé composé**	**Plus-que-parfait**
il pleut	il pleuvait	il a plu	il avait plu
Passé simple	**Futur simple**	**Passé antérieur**	**Futur antérieur**
il plut	il pleuvra	il eut plu	il aura plu

SUBJONCTIF

Présent	**Imparfait**	**Passé**	**Plus-que-parfait**
Il faut qu'...	*Il fallait qu'...*	*Il faut qu'...*	*Il fallait qu'...*
il pleuve	il plût	il ait plu	il eût plu

CONDITIONNEL

Présent	**Passé 1re forme**	**Passé 2e forme**
il pleuvrait	il aurait plu	il eût plu

INFINITIF		**PARTICIPE**	
Présent	**Passé**	**Présent**	**Passé**
pleuvoir	avoir plu	pleuvant	plu

Dictionnaire des verbes

Mode d'emploi

parler	→	verbe modèle.
1ᵉʳ	→	verbe du 1ᵉʳ groupe.
2ᵉ	→	verbe du 2ᵉ groupe.
3ᵉ	→	verbe du 3ᵉ groupe.
déf	→	verbe défectif.
imp	→	verbe ou emploi impersonnel.
pr	→	verbe toujours pronominal.
'h	→	indique un *h* aspiré.
tr	→	verbe ou emploi transitif, direct ou indirect.
tr (à, de, sur)	→	verbe transitif indirect suivi uniquement de à, *de* ou *sur*.
intr	→	verbe ou emploi intransitif.
Ê	→	verbe conjugué avec être.
Ê, A	→	verbe conjugué avec être ou *avoir*.
tr, A, intr, Ê	→	verbe conjugué avec *avoir* en emploi transitif, avec être en emploi intransitif.
93	→	renvoi au numéro du verbe modèle, qui est également le numéro de la page.
53 et **93**	→	renvoi au numéro de la forme pronominale et au numéro du verbe modèle.

tr : transitif   intr : intransitif   imp : impersonnel   pr : pronominal   Ê : auxiliaire être   A, Ê : auxiliaire avoir ou être

---

tr : transitif *intr :* intransitif *imp :* impersonnel *pr :* pronominal *Ê :* auxiliaire *être* *A, Ê :* auxiliaire *avoir* ou *être*

tr : transitif *intr* : intransitif *imp* : impersonnel *pr* : pronominal *Ê* : auxiliaire *être* *A, Ê* : auxiliaire *avoir* ou *être*

C

tr : transitif *intr :* intransitif *imp :* impersonnel *pr :* pronominal *Ê :* auxiliaire *être* *A, Ê :* auxiliaire *avoir* ou *être*

tr : transitif *intr* : intransitif *imp* : impersonnel *pr* : pronominal *Ê* : auxiliaire *être* *A, Ê* : auxiliaire *avoir* ou *être*

tr : transitif *intr* : intransitif *imp* : impersonnel *pr* : pronominal *Ê* : auxiliaire *être* *A, Ê* : auxiliaire *avoir* ou *être*

tr : transitif intr : intransitif imp : impersonnel pr : pronominal Ê : auxiliaire être A, Ê : auxiliaire avoir ou être

tr : transitif   intr : intransitif   imp : impersonnel   pr : pronominal   Ê : auxiliaire être   A, Ê : auxiliaire avoir ou être

D DÉLAVER

tr : transitif intr : intransitif imp : impersonnel pr : pronominal Ê : auxiliaire être A, Ê : auxiliaire avoir ou être

tr : transitif   intr : intransitif   imp : impersonnel   pr : pronominal   Ê : auxiliaire être   A, Ê : auxiliaire avoir ou être

D   DIFFRACTER

216

tr : transitif   intr : intransitif   imp : impersonnel   pr : pronominal   Ê : auxiliaire être   A, Ê : auxiliaire avoir ou être

---

tr : transitif *intr :* intransitif *imp :* impersonnel *pr :* pronominal *Ê :* auxiliaire *être* *A, Ê :* auxiliaire *avoir* ou *être*

tr : transitif   intr : intransitif   imp : impersonnel   pr : pronominal   Ê : auxiliaire *être*   A, Ê : auxiliaire *avoir* ou *être*

tr : transitif *intr :* intransitif *imp :* impersonnel *pr :* pronominal *Ê :* auxiliaire *être* *A, Ê :* auxiliaire *avoir* ou *être*

fourber 1er *tr* 81
fourbir 2e *tr* 92
fourcher 1er *tr, intr* 81
fourgonner 1er *intr* 81
fourguer 1er *tr* 68
fourmiller 1er *intr* 62
fournir 2e *tr* 92
fourrager 1er *tr, intr* 77
fourrer 1er *tr* 81
fourvoyer 1er *tr* 69
foutre déf *tr* 187
fracasser 1er *tr* 81
fractionner 1er *tr* 81
fracturer 1er *tr* 81
fragiliser 1er *tr* 81
fragmenter 1er *tr* 81
fraîchir 2e *intr* 92
fraiser 1er *tr* 81
framboiser 1er *tr* 81
franchir 2e *tr* 92
franchiser 1er *tr* 81
franciser 1er *tr* 81
franger 1er *tr* 77
fransquillonner 1er *intr*. 81
frapper 1er *tr* 81
fraterniser 1er *intr* 81
frauder 1er *tr, intr* 81
frayer 1er *tr, intr* 82
fredonner 1er *tr, intr* 81
frégater 1er *tr* 81
freiner 1er *tr, intr* 81
frelater 1er *tr* 81
frémir 2e *intr* 92
fréquenter 1er *tr, intr* 81
fréter 1er *tr* 57
frétiller 1er *intr* 62
fretter 1er *tr* 81
fricasser 1er *tr* 81
fricoter 1er *tr, intr* 81
frictionner 1er *tr* 81
frigorifier 1er *tr* 83
frigorifuger 1er *tr* 77
frimer 1er *tr, intr* 81
fringuer 1er *tr, intr* 68
friper 1er *tr* 81
friponner 1er *tr* 81
frire déf *tr, intr* 188
friseler 1er *tr* 72
friser 1er *tr, intr* 81
frisotter 1er *tr, intr* 81
frissonner 1er *intr* 81
fritter 1er *tr* 81
froidir 2e *tr, intr* 92
froisser 1er *tr* 81
frôler 1er *tr* 81
froncer 1er *tr* 63
fronder 1er *tr, intr* 81
frotter 1er *tr, intr* 81
frouer 1er *intr* 76
froufrouter 1er *intr* 81
fructifier 1er *intr* 83
frusquer 1er *tr* 78
frustrer 1er *tr* 81
fuguer 1er *intr* 68
fuir 3e *intr* **133**
fulgurer 1er *tr, intr* 81
fulminer 1er *tr, intr* 81
fumer 1er *tr, intr* 81
fumiger 1er *tr* 77
fureter 1er *intr* 58
fuseler 1er *tr* 60
fuser 1er *intr* 81
fusiller 1er *tr* 62
fusiner 1er *tr* 81
fusionner 1er *tr, intr* 81
fustiger 1er *tr* 77

G

gabarier 1er *tr* 83
gabionner 1er *tr* 81
gâcher 1er *tr* 81
gadgétiser 1er *tr* 81
gaffer 1er *tr, intr* 81
gager 1er *tr* 77
gagner 1er *tr, intr* 89
gainer 1er *tr* 81
galber 1er *tr* 81
galéjer 1er *intr* 57
galérer 1er *intr* 57
galeter 1er *tr* 75
galipoter 1er *tr* 81
galonner 1er *tr* 81
galoper 1er *tr, intr* 81
galvaniser 1er *tr* 81
galvauder 1er *tr, intr* 81
gambader 1er *intr* 81
gamberger 1er *tr, intr* 77
gambiller 1er *intr* 62
gaminer 1er *intr* 81
gangrener 1er *tr* 88
gangréner 1er *tr* 57
ganser 1er *tr* 81
ganter 1er *tr* 81
garancer 1er *tr* 63
garantir 2e *tr* 92
garder 1er *tr* 81
garer 1er *tr* 81
gargariser 1er *tr* 81
gargoter 1er *intr* 81
gargouiller 1er *tr, intr* 79
garnir 2e *tr* 92
garrotter 1er *tr* 81
gasconner 1er *tr, intr* 81
gaspiller 1er *tr* 62
gâter 1er *tr* 81
gâtifier 1er *intr* 83
gauchir 2e *tr, intr* 92
gauchiser (se) 1er *pr, Ê* 81
gaufrer 1er *tr* 81
gauler 1er *tr* 81
gausser (se) 1er *pr, Ê* 81
gaver 1er *tr* 81
gazéifier 1er *tr* 83
gazer 1er *tr, intr* 81

tr : transitif *intr* : intransitif *imp* : impersonnel *pr* : pronominal *Ê* : auxiliaire *être* *A, Ê* : auxiliaire *avoir* ou *être*

tr : transitif *intr :* intransitif *imp :* impersonnel *pr :* pronominal *Ê :* auxiliaire être *A, Ê :* auxiliaire *avoir* ou *être*

---

tr : transitif   *intr* : intransitif   *imp* : impersonnel   *pr* : pronominal   *Ê* : auxiliaire *être*   *A, Ê* : auxiliaire *avoir* ou *être*

tr : transitif   *intr* : intransitif   *imp* : impersonnel   *pr* : pronominal   *Ê* : auxiliaire *être*   *A, Ê* : auxiliaire *avoir* ou *être*

tr : transitif *intr* : intransitif *imp* : impersonnel *pr* : pronominal *Ê* : auxiliaire *être* *A, Ê* : auxiliaire *avoir* ou *être*

tr : transitif intr : intransitif imp : impersonnel pr : pronominal Ê : auxiliaire être A, Ê : auxiliaire avoir ou être

tr : transitif *intr* : intransitif *imp* : impersonnel *pr* : pronominal *Ê* : auxiliaire *être* *A, Ê* : auxiliaire *avoir* ou *être*

tr : transitif *intr* : intransitif *imp* : impersonnel *pr* : pronominal *Ê* : auxiliaire être *A, Ê* : auxiliaire *avoir* ou *être*

---

tr : transitif *intr* : intransitif *imp* : impersonnel *pr* : pronominal *Ê* : auxiliaire *être* A, *Ê* : auxiliaire *avoir* ou *être*

tr : transitif *intr* : intransitif *imp* : impersonnel *pr* : pronominal *Ê* : auxiliaire être *A, Ê* : auxiliaire *avoir* ou être

tr : transitif   intr : intransitif   imp : impersonnel   pr : pronominal   Ê : auxiliaire être   A, Ê : auxiliaire avoir ou être

RODER

roder **1er** *tr* 81
rôder **1er** *intr* 81
rogner **1er** *tr, intr* 89
rognonner **1er** *intr* 81
roidir **2e** *tr* 92
romancer **1er** *tr* 63
romaniser **1er** *tr, intr* 81
romantiser **1er** *tr* 81
rompre 3e *tr, intr* 160
ronchonner **1er** *intr* 81
rondir **2e** *tr, intr* 92
ronéoter **1er** *tr* 81
ronéotyper **1er** *tr* 81
ronfler **1er** *intr* 81
ronger **1er** *tr* 77
ronronner **1er** *intr* 81
ronsardiser **1er** *intr* 81
roquer **1er** *intr* 78
roser **1er** *tr* 81
rosir **2e** *tr, intr* 92
rosoyer **1er** *intr* 69
rosser **1er** *tr* 81
roter **1er** *intr* 81
rôtir **2e** *tr, intr* 92
roucouler **1er** *tr, intr* 81
rouer 1er *tr, intr* 76
rougeoyer **1er** *intr* 69
rougir **2e** *tr, intr* 92
rouiller 1er *tr, intr* 79
rouir **2e** *tr, intr* 92
rouler **1er** *tr, intr* 81
roulotter **1er** *tr* 81
roupiller **1er** *intr* 62
rouscailler **1er** *tr, intr* ... 90
rouspéter **1er** *intr* 57
roussir **2e** *tr, intr* 92
roustir **2e** *tr* 92
router **1er** *tr* 81
rouvrir 3e *tr, intr* 146
rubaner **1er** *tr* 81
rubéfier **1er** *tr* 83
rucher **1er** *tr* 81
rudoyer **1er** *tr* 69
ruer **1er** *tr, intr* 86

rugir **2e** *tr, intr* 92
ruiler **1er** *tr* 81
ruiner **1er** *tr* 81
ruisseler **1er** *intr* 60
ruminer **1er** *tr, intr* 81
rupiner **1er** *tr, intr* 81
ruser **1er** *intr* 81
russifier **1er** *tr* 83
rustiquer **1er** *tr* 78
rutiler **1er** *intr* 81
rythmer **1er** *tr* 81

S

sabler **1er** *tr* 81
sablonner **1er** *tr* 81
saborder **1er** *tr* 81
saboter **1er** *tr, intr* 81
sabouler **1er** *tr* 81
sabrer **1er** *tr* 81
saccader **1er** *tr* 81
saccager **1er** *tr* 77
saccharifier **1er** *tr* 83
sacquer **1er** *tr* 78
sacraliser **1er** *tr* 81
sacrer **1er** *tr, intr* 81
sacrifier **1er** *tr* 83
safraner **1er** *tr* 81
saietter **1er** *tr* 81
saigner **1er** *tr, intr* 89
saillir **déf** *intr, tr* 191
saillir **2e** *intr* 92
saisir **2e** *tr* 92
saisonner **1er** *intr* 81
salarier **1er** *tr* 83
saler **1er** *tr* 81
salifier **1er** *tr* 83
salir **2e** *tr* 92
saliver **1er** *intr* 81
salonner **1er** *intr* 81
saloper **1er** *tr* 81
salpêtrer **1er** *tr* 81
saluer **1er** *tr* 86
sanctifier **1er** *tr* 83

sanctionner **1er** *tr* 81
sanctuariser **1er** *tr* 81
sandwicher **1er** *tr* 81
sangler **1er** *tr* 81
sangloter **1er** *intr* 81
saouler **1er** *tr* 81
saper **1er** *tr* 81
saponifier **1er** *tr* 83
saquer **1er** *tr* 78
sarcler **1er** *tr* 81
sarmenter **1er** *intr* 81
sarrasiner **1er** *intr* 81
sasser **1er** *tr* 81
sataniser **1er** *tr, intr* 81
satelliser **1er** *tr* 81
satiner **1er** *tr* 81
satiriser **1er** *tr* 81
satisfaire **3e** *tr* 132
saturer **1er** *tr* 81
saucer **1er** *tr, intr* 63
saucissonner **1er** *tr, intr*. 81
saumurer **1er** *tr* 81
sauner **1er** *intr* 81
saupoudrer **1er** *tr* 81
saurer **1er** *tr* 81
saurir **2e** *tr* 92
sauter **1er** *tr, intr* 81
sautiller **1er** *intr* 62
sauvegarder **1er** *tr* 81
sauver **1er** *tr* 81
sauveter **1er** *tr* 75
savoir **3e** *tr* 161
savonner **1er** *tr* 81
savourer **1er** *tr* 81
scalper **1er** *tr* 81
scandaliser **1er** *tr* 81
scander **1er** *tr* 81
scanner **1er** *tr, intr* 81
scarifier **1er** *tr* 83
sceller **1er** *tr* 74
scénariser **1er** *tr* 81
schématiser **1er** *tr* 81
schlinguer **1er** *tr, intr*.... 68
schlitter **1er** *tr* 81

tr : transitif   intr : intransitif   imp : impersonnel   pr : pronominal   Ê : auxiliaire être   A, Ê : auxiliaire avoir ou être

tr : transitif *intr* : intransitif *imp* : impersonnel *pr* : pronominal Ê : auxiliaire *être* A, Ê : auxiliaire *avoir* ou *être*

tr : transitif intr : intransitif imp : impersonnel pr : pronominal Ê : auxiliaire être A, Ê : auxiliaire avoir ou être

tr : transitif   intr : intransitif   imp : impersonnel   pr : pronominal   Ê : auxiliaire être   A, Ê : auxiliaire avoir ou être

INDEX DES FORMES ET EMPLOIS DU VERBE

■

Conception graphique : ESPERLUETTE

Couverture : Patrice CAUMON

Coordination artistique : Thierry MÉLÉARD

Édition : Anne-Sophie LE BRETON

Fabrication : Jacques LANNOY

N° projet 1007635 (I) 115 CSBP 90° C.P.
Imprimé en Italie par G. Canale & C. S.p.A. - Borgaro T.se (Turin)